21世纪中国纪实文学大系

2008卷

顾问：钱谷融
主编：桂国强

地动人泣

文匯出版社

编委会名单

总序

21 世纪是一个非同寻常的世纪。尽管这个世纪至今仅仅走过了十多年的历程，但在与人类朝夕相处的地球上，却已经发生了诸多惊天地、泣鬼神的重大事件，令世界格局发生了错综复杂的变化，给全世界留下了难以泯灭的记忆。

对于正在不断崛起的中国而言，21 世纪无疑是一个机遇与挑战并存、成就和困难共现的世纪——这已在中国社会的各个层面展现出来。

在刚刚过去的十多年里，中国正式加入 WTO，成功举办 2008 年北京奥运会和 2010 年上海世博会，国际地位显著提高；中国全面实施西部大开发战略，青藏铁路顺利开通，“西气东输”工程全线推进，高速铁路亦成功运行，国家建设硕果累累；中国高度重视科学发展，包括航天科技、农业科技、石油勘探等在内的科学技术取得了举世瞩目的辉煌成就；中国的新农村建设卓有成效，农业税费制度改革进一步推进，农村义务教育经费保障机制有力推行，农民的生活不断改善；中国的两岸关系有所突破，厦门金门实现直航，两岸春节包机适时通航，大陆居民赴台旅游更加便捷，两岸“大三通”已然实现……勤劳而智慧的中国人准确把握机遇，用自己的行动赢得了世界的尊重。

当然，在新世纪已经过去的十数年里，中国也面临着诸多挑战，遭遇了不少困难。譬如：2003 年的“非典”，2004 年的“禽流感”，2008 年的四川汶川大地震及这一年全球金融危机给中国带来的负面影响，2010 年的青海玉树地震，2011 年湖北、湖南、江西等地出现的大面积干旱……此外，还有环境污染、食品造假、海峡那边陈水扁的“台独”闹剧等等，凡此种种，都给中国的前进之路带来了挑战。

成就也好，挑战也罢，时至今日，都已在新世纪所发生的重要事件中显现出来。这些事件，有些已经成为历史，有些却还在延续。历史是一面镜子，对于后人，可以起到“以史为鉴”的作用；现实是当下的存在，研究它可以积累经验，帮助我们寻找到人类发展的正确路径——基于此，我们有必要将这些已经过去的或仍在延续的事件以及与这些事件有着密切关联的人物——用一种最为世人接受的文字形式记录下来，为今天和明天留下一份可供借鉴与启迪的珍贵资料。

我们之所以选择纪实文学作为承担“记录”重任的文字形式，是因为这种文体乃涉猎文学和新闻两大领域的一种独特的艺术样式，是兼具新闻真实和历史真实品格的艺术真实，它在很多方面弥补了现实新闻报道无法反映的空白，达到了相当的深度和广度——正是由于它能比一般的新闻报道更深地切入现实、切入人心、全景式地反映变革过程中某些本质的东西，因而，随着时间的推移，也就更能凸显其无可争辩的文献史料价值和文学欣赏价值。

新世纪以来，中国的纪实文学蓬勃发展。国家综合实力的提升，国际多边交往的频繁，国民生活水平的提高……都为纪实文学提供了丰富的创作素材，激发了纪实文学作家和各类媒体记者的创作热情，从而创作出一批又一批展示波澜壮阔历史画面、描绘跌宕起伏现实场景的精品力作，为反映中国的现实、记录中国的历史、繁荣中国的文学立下了不朽的功勋。

现在，呈现在读者面前的就是新世纪以来（自2000年开始）中国优秀纪实文学的精选、精编本。入选的文章中，有的获得中国报告文学奖，有的获得鲁迅文学奖，有的则荣获了各种类别的年度新闻奖……由于诸多事件的发生、发展都会经历一定的时间，有些还会延续几年甚至更长；从创作规律来说，一篇成功纪实文学作品的采访、创作和发表也需要相当的时间，很难保证当年的文章能与当年的事件完全同步。因此，在对文章的选择中，我们首先考虑的是能够反映该年度的重要事件及其相关人物，至于其具体的发表时间，则应当服从于事件和人物。

我们计划一年精编一本，每本都能比较客观、全面、及时地反映该年度中国所发生的重要事件及与之相关的重要人物，从而能凸显其独特的史料价值；我们同时又希望，书中所精选的纪实文学作品能给予读者朋友有益的启迪和思考，充分享受阅读的愉悦，从而真正领略纪实文学的艺术魅力。

迈着稳健而充满活力的步伐，向着明确而富有挑战的目标，中国依然在前进，中国的大地上依然在发生着历史性的深刻变化。因此，用文字记录中国、展示中国，依然是我们今后相当一段时期内义不容辞的重要任务。我们将不辱使命，勤奋工作，努力选编好一年一度的《21世纪中国纪实文学大系》，为广大读者奉献上兼具史料和文学双重价值的精神产品。

（主　编）

2008 年纪实文学概述

2008 年，悲喜交加。2008 年，注定在中国的历史上留下浓墨重彩的一笔。在这一年，中国有最痛彻心扉的血泪苦楚，也有最振奋人心的欢歌笑语。在 2008 年，中国人经历了一次又一次巨大的苦难：年初南方特大暴风雪，“藏独”分子的暴力事件，5·12 汶川大地震等；在 2008 年，中国人也迎来了万众瞩目期待已久的世界盛典：北京第 29 届奥运会，改革开放 30 年，“神州七号”成功上天，海峡两岸大三通全面启动等。而这一切都由我们的纪实文学记录了下来。

一

时政大事是 2008 年度纪实文学的最好素材。首先关注到的是冰雪灾害的纪实作品。这一场在春节前夕连下了 20 多天的暴风雪，覆盖了半个中国，让上亿中国人受阻在回家的路上，这一事件严重影响了南方的生产生活，乃至影响到全国的正常社会秩序。吕辉的《08 雪灾纪事》“以手中的笔描述出那些不同的人，不同的心灵，在面对这样一场灾害时的真实状态与真实故事，以此来记录下那些难以忘怀的心情”。其他如《南方周末》在头版和重要版面报道的《拯救“京广大动脉”》《记者直击湖南冰雪五日》《暴风雪中，一个农民工老板对抗“春运帝国”》《回家：攀越雪山》《14 日 13 夜，一车蔬菜的旅途》等，真实展示了雪灾面前，中国人所表现出的精神面貌。

2008 年 5·12 汶川大地震，是中国人心中永远挥之不去的痛。与 30 年前的唐山大地震不同的是，有关地震的新闻在第一时间以现场直播的方式全面展开。许多作家在地震发生后，也冒着生命危险亲临现场，从不同角度写下了一大批感人至深的作品。新华社记者朱玉的《天堂上的云朵——汶川大地震，那些刻骨铭心的生命记忆》，是对汶川地震的一次全景式的扫描，八万字的细致描绘，让读者无不为之动容。军旅作家李鸣生创作的长篇报告文学《震中在人心》，以一位优秀报告文学作家对社会、民生的真诚责任以及对灾区受难者的草根情怀与质朴爱心，以一个作家、军人、家乡人独有的三重身份和超乎想象的视角捕捉到的鲜活生动的细节，从人心的角度，深情而深刻地揭示了汶川特大地震对于人心的震撼与重创，真诚而真实地发掘了地震现场和精神废墟上的人性之美、人性之善、人性之勇、人性之爱及人性之复杂与微妙。各种文学刊物、报纸如《北京文学》《中国作家·纪实》《文艺报》《南方周末》等，都以大量篇幅刊发有关汶川地震的文学作品。

2008 年的北京奥运会也是炙手可热的话题。李球璐的《光荣与梦想——2008 北京奥运会掠影》，是一部关于北京奥运会的现场报告，分为“盛装舞步”“英雄赞歌”“为了共同的理想”和“奥林匹克精神万岁”四个篇章，分别记录了盛大的开幕式、运动比赛、国际体育人才交流和奥运志愿者的奉献等。孙晶岩的《奥林匹克的中国盛典》再现了北京奥运会的开幕式——那个全世界一起欢腾的灿烂夜晚，以及在这背后工作人员的日夜艰辛的付出。《何振梁申奥日记》则是何振梁以申奥一线的工作者、组织者和主持者的身份，向社会披露申办奥运详细过程的作品。此外还有《新华月报》编写、人民出版社分别于 5 月和 9 月出版的《北京奥运圣火境外传递纪实》《我和你：北京奥运 17 天》等。

二

2008 年是改革开放 30 周年纪念，相应的纪实文学作品有徐一龙等人创作的《共和国：三十年的转身（1978—2008）》，此文以普通百姓 30 年来的衣食住行的变迁为蓝本，反映了改革开放 30 年来中国大地发生的实实在在的变化。此外还有吕雷、赵洪历时五年、精心创作的报告文学《国运——南方记事》。这是一部全面反映广东改革开放历程的文学作品。作者在描写上最大的特色，就是将改革放在中国近代历史的长河中来把握，将自己的视线一直上溯至上世纪初，从而加强了作品的历史纵深感。张胜友的《东方的觉醒：珠江故事》，以珠江三角洲为依托，按照历史时序，着力表现中国如何在国家危难之际，开始民族觉醒；如何在民族救亡的探索中，选择了社会主义道路；如何在社会主义建设遇到困难的关键时刻，实现改革开放。

2008年在两岸关系上也是具有里程碑意义的一年。2008年7月4日，大陆居民赴台湾旅游首发团启程，从此台湾海峡不再是阻隔大陆居民的天堑，赴台旅游的大门敞开了。《两岸一家亲：大陆居民赴台旅游首发团》作者赵景文作为首发团中的高级别人士，随同海峡两岸旅游交流协会会长邵琪伟先生等亲历了这一重大的历史事件，见证了两岸关系发展史上的重要一刻，饱览了台湾壮丽秀美的风光，感受到台湾同胞的热情、亲情和感情，并从首发团员们赴台后的内心观感显示出两岸同胞血浓于水的兄弟情谊。

三

2008年还有一些纪实文学作品反映了网络在关注一些社会热点问题时所起的双刃剑作用。如丁一鹤的《"网络暴力第一案"真相调查》，还原了女白领姜岩自杀后，其夫王菲和所谓"第三者"被网民"人肉搜索"引出"中国网络暴力第一案"，深刻分析了"人肉搜索"这一网络暴力的危害。而王恒绩的《正龙拍虎：纸老虎打倒13官员》，则分析了所谓的"周老虎事件"即一次极端的职能部门透支信用的事件。在互联网时代，大众用自己最卑微的声音，让谎言现出了原形，"周老虎事件"也开创了草根话语利用网络影响新闻的先例。

（撰稿人：杨扬、陈思思）

目录

天堂上的云朵

——汶川大地震，那些刻骨铭心的生命记忆

2008年5月12日，举世震惊的汶川大地震让人们记住了震中损失最惨烈的地方——北川。猝变的大自然，却在最短的时间内，对信赖地依偎在它怀抱中的北川县城和它的人民，展开了一场惨无人道的屠戮。成千上万的生命，在北川县城，尤其是北川中学不到200平方米的地方终止了延续。

一、地震才不管什么叫作国界，连中国的好邻居泰国，首都曼谷，敏感的人都感到了来自巴蜀大地的颤抖。

在地震中感觉强烈的人，都会有一个直觉判断：我这儿是震中！

有这个感觉的，是都江堰市虹口乡的乡党委书记马远见。地震时，他正在陪投资商巡看漂亮的虹口乡。

大地将马远见扔在地上，将他的客人不客气地抛出几米开外。他们旁边的鱼塘，被地震波激荡，像喷泉一样，腾起了几米高的水柱。

也只是通过一只收音机，马远见他们后来才明白，自己不是震中，但是离震中很近——他们距此次地震的震中映秀镇，直线距离几公里。

从楼上跑下来的蒋敏没有觉得自己所在的彭州是震中，尽管她觉得刚才她被吓了一大跳。

她更没有去设想，遍布自家亲人的北川是震中或者重灾区。

北京感到了大地的摇动。

北京繁华的王府井附近的景山学校，坐在二楼教室的高二（2）班正在上化学课。教室忽地晃悠起来。

整栋楼的中学生们大哗。他们半是被震动半是起哄地集体发出了“哟”的声音，老师五分钟后也没能维持住正常的教学秩序。

上海有感，众多白领从写字楼上狂奔下来，站在马路上四处张望。

香港有感。

西安有感。

郑州有感。

太原有感。

甘肃、重庆、湖南、河北、湖北，大半个中国都有震感。

成都更是因为离震中较近，震感强烈，满街尽是充满了惊恐眼神跑出来避震的人群。

事发时，正是成都人的午休时间。很多人穿着睡衣，有的女人只穿着仅可蔽体的文胸和小内裤，甚至有正在美容院里裸身接受按摩推油的女人，只抓住一条小毛巾裹身，就仓皇地逃到了众目睽睽的街道上。

新华社在震后30分钟左右，就发出了第一张关于四川地震的图片，在记者还没有来得及进入重灾区、甚至刚刚知道哪里是震中的情况下，图片内容拍的就是新华社四川分社位于成都的办公室。办公室里一片狼藉，文件柜被震倒在地上，满地都是被强烈的震动扫荡下来的杂物。

地震才不管什么叫作国界，连中国的好邻居泰国，首都曼谷，敏感的人都感到了来自巴蜀大地的颤抖。

震波刚刚平息，新华社用最快的速度发稿了。稿件的内容很短：强烈地震发生在四川境内。不到三分钟后，新华社再次发出消息——“北京时间5月12日14时28分，在四川汶川县（北纬31度，东经103.4度）发生7.6级地震。”发稿时间为2008年5月12日14时55分49秒。

在发稿之前，日常联系国家地震局新闻采访工作的新华社记者连拨了三次，才拨通原本很好打的国家地震局总值班室电话。从电话里可以听出，电话那头早已经人声鼎沸，炸了锅了。

记者喊：“到底哪里地震？快把台网快报传过来！”

工作人员近乎于吼：“正在写，一会就传！”

“先告诉我地震发生在哪里！”

“四川！”

“四川什么地方？”

“汶川！”

几分钟后，由国家通讯社权威发布的关于四川地震的电波传遍全世界。

新华社初次发稿时，地震局将震级定为7.6级，不到半小时，这个数字被核定为7.8级。

汶川，绝大多数中国人第一次听说这个名字。

二、北川是地震灾区中损毁最为惨烈的地方，而北川中学，是所有灾区学校中死亡孩子最多的学校。

北川中学教师任成蓉正在上课。地震到来，她被埋在了废墟里。

所幸，她埋得浅。几十分钟后，一些男老师和学生就把她从废墟下刨了出来。出来以后，任成蓉的第一句话是：“旧教学楼还在不在？”

不在了。

不知是任成蓉的预感，还是她目睹着北川中学旧教学楼断断续续施工，又断断续续停工，对这个教学楼的质量有所怀疑，总之，她从废墟中出来，第一句话，冲口而出的就是这句话。

任成蓉仅仅负了轻伤。

她惦记的是金梦，她的女儿，正在读初三的学生，地震发生时，这个长得像大长今一样的女孩子，正坐在旧教学楼里上下午的第一节课。

北川中学旧教学楼三楼的高一（9）班上着一堂物理课。物理老师正讲着：“不计空气阻力，从离地面同一高度处以相同速率竖直上抛、竖直下抛和平抛三个质量相同的物体，直到落地，则它们落地时速度是哪个大？”

刚上课十多分钟，地面轻轻地摇晃了一下。

“大家不要动……”

老师的第二句话还没说完，大地往下一沉，大地震来了。

在这个班楼上的高一（5）班，地震时，天花板上好像有无数石头在滚动，发出即将破裂时的巨大声响。坐在倒数第二排的一个女孩子记得，讲台的地面先垮掉了，她眼睁睁地看着正在讲课的老师从眼前消失。

教高中一年级数学的刘少林，地震前刚刚踱出休息的宿舍。学校老师两点半上班，大家都在学校里住，两步路就可以到，他用不着走得太早。

人的生死，就是半分钟之间。

那天，刘少林如果出门早一点，走得快一点，哪怕是快十秒，甚至五秒，他就没命了。

或者，如果地震再来得晚两三分钟，北川中学的老师们，将增加更长的死亡名单——学校学生2:15上课，没有课的老师2:30上班，如果地震迟到一小会儿，更多的老师将与坐在旧教学楼中的学生们同一命运。

刘少林正好走到宿舍楼与旧教学楼之间的操场上。

这时，大地开始剧烈颠簸，刘少林想走也根本走不动了。

事后了解，没有一个站在露天且没有任何依靠的人，可以在这样的地震中站得稳。不仅是刘少林，当时站在操场上上体育课的两个班的所有学生，都在那一刹那，被人类在日常生活中难以想象的强有力震波凭空扔在地上，有的，甚至被甩出去几米远，再站起来时，每个人腿上、手上都有摔出来的青紫伤痕。只不过，这时的些许小伤让他们没有任何感觉，大自然发怒时巨大的威力，完全震慑住了正在目睹的人。

刘少林趴在地上，目瞪口呆地看到了一个让他这辈子也忘不掉的情景：旧教学楼先是左右摇晃着，然后整个楼突然向上一跳，紧接着，垮了。

在北川中学工作了27年的体育老师田强，描述得更为细致一些。

他说，那个呈L形的旧教学楼，先是向左晃了一下，楼体脱落了一块；紧接着向右晃了一下，楼体又被甩飞一块；最后，花了五年时间才修好的楼，那个有上千师生坐着的楼，每天传出青春的诵读声，响彻着男孩子们还没有变化完的嗓音和女孩子们清脆笑声的楼，粉碎性地坍塌了。

有人说，这栋楼，从地震初起，到整体坍塌，仅用了五秒钟。

五秒钟就垮了的校舍，孩子们几乎连逃生机会都没有！

北川是地震灾区中损毁最为惨烈的地方，而北川中学，是所有灾区学校中死亡孩子最多的学校。

仅这座楼，就断送了多少孩子的青春和梦想？它埋葬了多少家长后半生的欢笑与希望？

北川中学校园中，原来种有一排桂花树。据说，8 月上课的时候，桂花的甜香可以透过玻璃窗子，在空气中弥漫，悄悄地亲吻着教学楼。

但是，自此之后，纵使桂子仍在，年年岁岁，在北川中学，花开心不开！

刘少林和田强，两个男老师，最近距离地看到了北川中学旧教学楼生命中的最后一跳，也听到了楼中孩子们，不，绝大多数孩子们短暂青春的最后的集体惊呼："啊！"

这是楼体坍塌时，坐在楼上的人失重坠下时，本能发出的惨叫；犹如飞机飞行中，因为气流的颠簸，一下子掉了上百米高度，坐在飞机上的人从内脏中被挤出的惊呼。

然后，整栋楼化成了一阵烟。

整个北川中学，以班级论，伤亡最为严重的，是当时在旧教学楼三层多媒体教室上课的高二（8）班。

这个教室横跨 L 形教学楼的两翼，是两个楼结构最脆弱的连接处。教室只有一个门，且置有不可移动的铁质桌椅。为了保护多媒体教室中的电教设备，这个教室里的窗子上，钉满了坚固的铁栅栏。

地震时，教学楼的一翼向内倒下，另一翼向外倒去，两翼撕裂的力量，撕毁了这个位于结合部的教室，让这个班的 53 名在籍学生，踪影皆无。

直到地震十几天后，这个班唯一可以确认的幸存者，找到了学校的临时安置点。这个叫张壤的学生，地震前几天因眼睛突然发红，被班里的好友劝说着，于地震当天，跑到绵阳看病去了。

本来他挂了上午的号。按他的计划，中午即可返校上课。但万幸的是，他挂错了号，沮丧地重新挂号，到下午快两点钟，张壤才看完病。

等着坐亲戚的车子回到学校的张壤，在医院外站着的时候，大地震来临。

绵阳距北川虽然只有几十公里，但不在一个地质构造中，感到的地震虽然强烈，破坏力却远不如北川巨大。

身在绵阳的张壤，随后得知北川灾情严重。他的家人侥幸逃过此难，张壤开始挂念同学们的安危。

他在 QQ 上给 35 个同学留了言，希望大家互报平安，但遗憾的是，同学们的头像再也没有亮过。

意外得生十几天后，张壤给班主任打电话。

得知学生生还，大喜过望的班主任，只说了两句话，就大哭着挂断了电话……

老师实在受不了啊！

53 个啊，会嬉笑、会撒赖、会调皮、会努力学习的娃娃，会在教室里推推搡搡，在篮球场上获胜后得意洋洋，那些活蹦乱跳的孩子们，中午还都在食堂抢吃抢喝的，不到五分钟的工夫，就只剩下这一棵独苗苗了！

高二（8）班，是全年级最团结的一个班级，球类比赛永远是全年级的第一名。已经长大成人的大小伙子和漂亮的姑娘们，关系好得像一个人。灾难发生时，孩子们也团结得像一个人，他们手拉着手，肩并着肩，在那一瞬间，用这样决绝的方式一起走了，头都不回，全走了！

他们走得如此急切，连平素朝夕相处的班主任也没带，还扔下了每天在一起厮混的同学张壤，让他一个人终生品尝孤独的、被同学们抛弃的滋味。

一个班主任，一个学生，这就是地震留给高二（8）班的全部。

没有后来者能继承得起如此悲怆的班级名称。北川中学高二（8）班的番号，从此被学校取消。

姜栋怀坐在另一栋楼里，包括他在内，正在上美术课的北川中学高一（1）班同学，感觉到地震，刚刚往桌子下弯腰，整个天花板就砸了下来。

姜栋怀是火箭队的球迷，那个球队因为拥有中国球星姚明，而在中国市场大好。有 NBA 直播的中午，他总是拉着同学一块在食堂边吃饭边看球。

17 岁的他，与爷爷生活在一起。爸爸妈妈一直在外地打工，是家庭收入的来源。

姜栋怀所处的新教学楼，共五层。地震一下子让这栋楼原地坐下去，变成了三层—— 一、二层不见了。

新教学楼三层以上的学生，因为承重柱在一、二层断裂，绝大部分成了大地震后的幸存者，除了一名在地震中慌不择路，从五楼上一跃而下的高三男生——如果他停留在教室，可能只是受些惊吓，但跳楼，这个不得已而为之的办法，救了一些孩子的命，却葬送了这个即将参加高考的男孩儿。

不要埋怨他的错误选择了。我们日常能获得的防震知识，只是按照获救的概率而从理论上被传授。没有人能够真正体会，面对如此不可想象的灾难，一个未成年的孩子当时的惊恐和别无选择。

姜栋杯正是在消失的二楼中。他背上压了一个防盗门，防盗门上又压着一块重重的石块，楼上三层重重的楼房，都一屁股坐在他和他的同学们还没有长成熟的身

2008年5月13日，在四川北川县地震灾区，北川中学学生李阳在帮助压在废墟下的同学廖波输液，直到廖波成功获救。（陈燮/摄，图片来源：新华社）

体上。

三、北川县委副书记蒲方方这时站到了车顶上:“共产党员呢？站出来！组织突击队，把这几百人转移出去！”

自然灾害之所以对人类的伤害惨重，在于它永远以意料不到的时间和地点，以人最想象不到的方式，跳出来一击。

也只有它，具有在呼吸之间，让山川易容，江河改道的神力。

青川县红光乡东河口村的两座山峰，各海拔1 000米，山下是通往九寨沟的公路，震后公路下沉了100米，专家用卫星定位仪测量，两座山现在的海拔只有600米——它们用那400米高的土石，刹那间掩埋了山脚下260户约700条生命。

都江堰虹口乡几户农家震后出现了奇怪的现象。一户农民原本不大的小院口里出现了高差近一米的梯田，另一户原本高于地面的房基地震中下陷，现在窗子与地面齐平。

当地农民众口一词：虹口乡政府对面的山，突然变近了。

同样因地震发生地形地貌改变的，还有彭州银厂沟，原本是景区的峡谷溪流忽然不见，两座山并肩一挤，峡谷变成了死胡同。

北川县曲山镇大水村的吴红，是爱读书爱看报、平日里总喜欢记点什么的乡下女子。她在5月12日记下了她一生无法忘怀的景象——

“吃过中午饭，我和爸爸在地里干活，突然间天昏地暗，地就像转圈，整个山和地都在晃动，我们马上就与地一起往下陷，往下翻。紧接着，到处都是垮塌的声音，两面的山全往中间挤，马上就在河面上相撞。顿时一片浓烟升起，眨眼间河面不见了，河水没了，地形不在了，房屋倒塌，全没了，人也不知去向。”

在北川县城里，县新华书店大楼被从百米高空一跃而下的王家岩拦腰截断，楼顶飞到了数百米外的茶叶公司楼顶。

巨大的冲击波，让新城区职业中学从教室里逃出的学生，飘到了百米开外的山头上。落在松软泥土上的学生，保住了性命；不幸落在石头和硬地上的，一切就都结束了。

北川的大街上、废墟上、石头下，随处可见的，是遇难者的遗体或裸露在废墟外的手、脚、躯体。废墟里的被压者，哀号着救命；废墟外的人，哭喊着亲人，被巨石压住身体的不幸者，拼着最后一口气，拼命伸出手，抓紧他能够到的每个经过他身边的人的裤脚……

吴红拉着爸爸拼命地跑，随着地的晃动，他们就像荡秋千一样，地里到处是裂缝，一不留神就会掉到裂缝里。

吴红一边哭一边跟爸爸说："我们要逃命！要镇定！要有信心！"

这个不到1.50米高的小女子急中生智，看了一下山形，发现两边全是沟，山一直不断地往下垮，心想只有顺着梁往上爬才是最安全的。

于是，他们就一直往上爬，一边往上爬一边喊周围的人，让他们也顺着梁爬，爬到半山腰的时候，已喊了20多个人。大地震过后，就是一次次余震，一片片山坡垮塌，整个天空一片浓烟……

在这个时候，为了自救，人类本身会迸发出惊天动地的力量。

北川中学高一的石光军，在自己的课桌被摇倒时，意识到来的是一场大地震。这个机敏的学生，在地震后写下了他逃生的过程。可能实在是太惊心动魄，17岁的孩子，连写出来的文字都是那么气喘吁吁的：

"我喊一声'跑'，因为我的座位在门口，所以我迅速地跑了出来，因为我们教室处在五楼，所以不可能从楼上跳下去。我在摇晃中跑向楼梯，但是我跑到高一（3）班门口时，我看见了毁灭，我亲眼看见了毁灭，办公室的毁灭被我目睹，那座五层高的巨大建筑物瞬间倒塌。我没有停止逃命的步伐，我带着生命逃跑，我刚跑到五楼的楼梯，教学楼就开始倒塌，我猛地趴在楼栏杆上，随着教学楼的倒塌，我也被埋在废墟里面，我什么都看不见，一片昏暗。大概十秒钟后，我的下方，一米处出现昏黄的光亮，因为有大量的灰尘，我被呛住了，但我还是向光亮处爬去。我爬到了出口，这是较大的出口，是够我爬出的，我出来了，我获救了，但我没有感到欣慰，涌现的是惊讶，因为我完全是在'一楼'。"

避过了那块从山上滚下来，砸破县委礼堂后墙的大石头，贾达国最后冲出了礼堂。

对面电力局的宿舍里，似乎什么东西引起了爆炸，着起了大火，浓烟四起。县城中可以以平方公里计的废墟中，全是撕心裂肺的哭喊。

北川县委副书记蒲方方这时站到了车顶上："共产党员呢？站出来！组织突击队，

把这几百人转移出去！”

贾达国深知县城的结构。县城的位置像个大碗，四周的山是碗边，一地震，碗边都碎了，碗底的小城又能有什么好结果！

他低头看了一下，知道现在把这几百人转移走是对的，礼堂的前边虽是块空草坪，但是草坪的下面，是个巨大的化粪池，一旦余震再来，化粪池裂开，这些千辛万苦从礼堂里跑出来的人，都保不住了！

确定可转移的地点，是北川中学。

北川中学并不在县城里，它在距县城约一公里外的任家坪。那里地势较高，地势也相对开阔，学校有操场，可以容纳惊恐的人群。

年轻的扶着年老的，没受伤的扶着受伤的，老师扶着学生，开始了向北川中学转移的进程。

县委礼堂紧挨着县委大楼。贾达国和武警战士们听到了从废墟中传来的呼救声。

他们冲上去，用钢筋捅，用石头砸，捅开一个洞后，发现楼板下有县里的三个干部。

可楼板上还连着钢筋，只靠人手的力量扳不断。

只有用钳子。可哪里有钳子呢？

战士们看到了路边一辆被砸扁的车，冲过去，一拳打烂了车玻璃，从车里拎出把钳子来。

三个干部得救，出来就要跪下。

通往北川中学的路，平时是一马平川。但这条所有人都非常熟悉、通向绵阳的必经之路，现在却成了一条被拧成麻花的道路。原本下坡的水泥路忽然拱起，与原来的路基高度相差约有5米之多，被扯成碎块的路面交错着堆成一堆。再往前行不到100米，一处巨大的山体滑坡把道路完全掩埋起来。

巨大的坠石每块都有房子大小，把整条路堵得严严实实。绕过巨石堆非常艰难：一侧是巨石堆成的与山体相依的小山，一侧是陡峭的深谷。只能从巨石缝隙中间脚踏踩碎石，手扶石壁或者灌木一步一滑地慢慢往前走。稍不小心，头部就会与巨石相撞。

所有的人，要战战兢兢爬过这段巨石阵，才能到达北川中学那相对安全的平地。

一个跟着一个往上爬，石头都是疏松的，前面的人不小心踩掉一块石头，处于低处的后来者当即被砸死。

四、他们说，最难过的事，是别人向你救助，而你怎么也帮不上他，就那么眼睁睁地看着他，从大声呼叫到低声呻吟，渐渐地气息微弱，垂下头去，在你眼前走向死亡。

武警成都指挥学院的官兵，13日凌晨冲进了北川。

他们是第二批到达的救援力量，第一批是武警绵阳支队的战士们：在地震后，近两百名精壮的小伙子分两批到达了北川。

他们到达时，县城里的废墟下一片呼救之声。让指挥学院的官兵们最为难忘的，是曲山幼儿园的废墟下传出来的那一片稚嫩的哭喊声。

孩子们在喊："婆婆。"

哭声一直持续。

5月14日，哭声很少了。

5月15日，哭声消失了。

官兵们也哭，一边疯狂地挖，一边嘶哑地回应："叔叔来了，叔叔来了！"

这个幼儿园，被山石和泥土整个拍在了下面。

人力有时的确不能胜天。小伙子们与死神之间的拔河，输了。

他们掏出了一条小花被子，然后，小枕头，再然后……

小姑娘，梳着小辫子。

秃头，小小子。

娃娃们的小拳头还乖乖地摆在胸前，他们的模样就像熟睡着。

小伙子们号啕大哭！老天，你有气冲我们发，他们还是孩子啊！

到达灾区较晚的一些消防官兵，临行前，家人为他们带上了很多糖果，嘱咐他们把糖带给从废墟中救出的孩子们吃。

可真到了灾区，官兵们攥着满把的糖落泪，娃娃们在哪里呢？活着的，都走了，剩下的，都是这些上着课、睡着午觉就被灾难带走的孩子！

他们把糖，撒在了孩子的尸袋里。一个孩子，一把糖……

对不起啊，宝贝，叔叔没有保护好你们，叔叔力气不够大，没有救出你们！

5月16日这天，来自北京的志愿者，为曲山小学的两个女孩和曲山幼儿园的两个小姑娘的身体，作了最后的清洁和消毒。

幼儿园小姑娘的蓝色小花被，漂亮的花朵印在了所有人的心里。她只有6岁，爸爸妈妈给她换上了漂亮的长筒袜和小裙子，志愿者给小姑娘用消毒水清洗干净——6岁的女娃娃，已经知道爱美了，不能挽回她的生命，但，可以让她漂漂亮亮地离开。

刘晓波被悬空倒挂在北川县城旧城区边一个黑暗的排水渠内已经两天两夜。

他呻吟着："我想活，求你们救救我。"他的大腿臀部以下被一块小卡车一样大的巨石压住。上半截身子正好被悬吊在排水渠上。

刘晓波说，他是学生，是北川县医院的实习医生。地震发生时，他向外逃命，身后山上落下的巨石飞下来，把他压在排水渠边。

压着他的巨石有小汽车一般大，至少有10吨，无法搬移，路过者只好从附近已经半边坍塌的超市里面寻到两瓶含热量的饮料，然后趴在巨石下面，把饮料递给刘晓波。他艰难地反向伸手，拿到了饮料，艰难地喝了一口饮料。

一个军官被好心人带到大石边，军官摇着头，起码六吨，没有办法。当时大型机械还没有进入县城。

过了两日，大石头被挪动了。但刘晓波，没有等到这一刻。

一位记者于地震后的第二天，在北川中学废墟的一角，看到一个孩子。

泥土已经模糊了孩子的样子，沙哑的声音让记者分不出他的性别，但他的声音让这个记者终生难忘："叔叔，救命！叔叔，救命！"

记者说，他的声音重重地击中了我的心脏，泪水从我的眼里泉涌而出，这一刻，我担不起叔叔这一称呼的重量。

在那个时候，北川中学中，可以用手扒开的废墟，早已被人扒开，剩下的巨大的水泥横梁，都是靠人力所不能为的。

记者说，我想救他，可我知道，巨大的废墟前，我的力量太小太小，我无法擎起那巨大而沉重的水泥块，甚至无法将手伸进去，摸一摸这个不知道能否成功坚持到最后的小手，给他一点鼓励和力量。

记者完全不敢看他的眼睛，承受不了它们蕴含的那么多的信任和期待。

捂着嘴，这个30多岁、曾经当过兵的男记者扭头离开了孩子所在的地方，生怕压在胸腔的悲伤会让自己痛哭失声。但那个还没有变完声的少年的声音，却一直在他的耳边回荡:“叔叔，救命！叔叔，救命！”

直到回到北京，记者都没有从这个声音中解脱出来:“孩子叫我叔叔啊，我却救不了他，我真没用!”

两个解放军战士，从北川的废墟上，救出了一个婴儿。他们花了一个多小时，捧着孩子，从北川城里跑到医疗队所在地。

这个小孩交到医生手里的时候已经气绝，但是两个士兵不相信，因为当时孩子的身体还是软的。

医生告诉两个战士，孩子已经死了，两个战士当场跪在他的面前,医生,求求你,你一定要救救他。

这位医生在这种情况下还在不停地给孩子做抢救，尽管她知道这样于事无补。

孩子的妈妈也跟着从后方跑过来，三个人满怀希望地望着医生。医生实在无法面对，把小孩交还给两个士兵，痛哭着跑了。

当时的北川，在大雨倾盆之中。雨水已经把孩子脸上的血水和泥土冲洗干净了。躺在士兵怀抱里的，是一个非常漂亮的小孩。

时间紧急，场地狭小，被救出来的人，就躺在马路边上。雨中，哪怕是骨折的幸存者，也要躺在雨里，自己给自己打着伞，因为他们

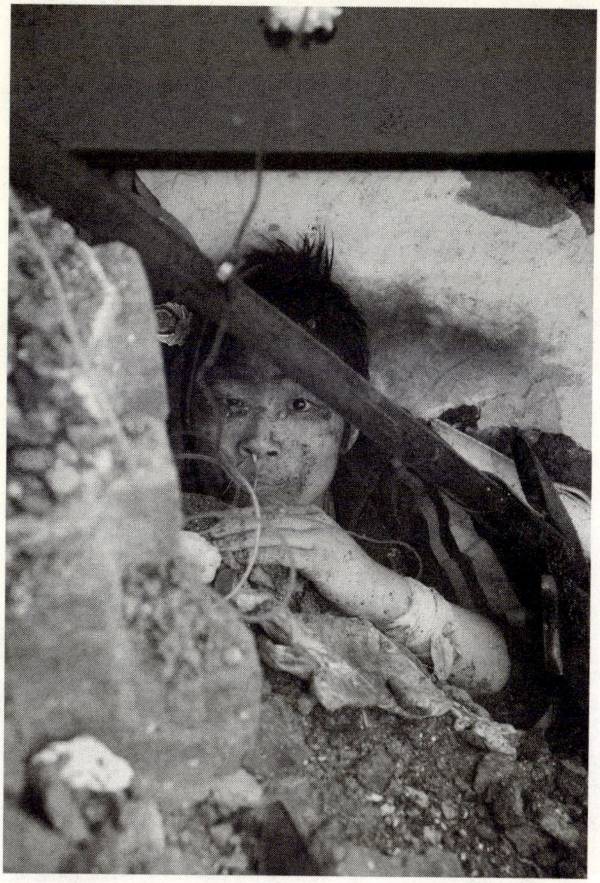

2008年5月13日，在北川县中学，一位被困在废墟中的孩子经过紧急救助后等待救援。

（李刚/摄，图片来源：新华社）

是“轻伤员”！

很多的救援和医护人员，包括在第一时间目击现场的记者，都会产生无奈、无力或无助的感觉。

他们说，最难过的事，是别人向你求助，而你怎么也帮不上他，就那么眼睁睁地看着他，从大声呼叫到低声呻吟，渐渐地气息微弱，垂下头去，在你眼前走向死亡。

对活着的人来说，那是一种终身的折磨。

但,就在几百个孩子几无生还的曲山幼儿园,生命最顽强的颂歌也在这里奏响了。

13日早晨，曲山幼儿园的废墟上出现了哭声。

几名解放军战士赶紧扑上去，用手刨挖，用劈柴刀砍，他们看到了一个躺在废墟里，左臂被压的小男孩。

解放军战士用手掏出孩子嘴里的混凝土渣子，用瓶盖倒了一盖子随身携带的葡萄糖水给孩子，孩子喝过后说:“甜，还要喝!”

一口气喝了四瓶盖子水后，小男孩儿被救了出来。小家伙用没有受伤的右臂给解放军叔叔行了个礼。

敬礼娃娃郎铮，就这样被救了出来。

也是在曲山幼儿园，被埋了两天两夜后，任思雨被救。这个大班的小女孩，给救她的人唱着歌儿:“两只老虎跑得快……”

小姑娘说，我唱歌给他们听，我不疼，叔叔不累。

五、地震发生后2个小时12分钟，总理的专机从西郊机场起飞了。中国随之而来的一系列让世界目瞪口呆的救援行动，在几千米高空的决策后，启动了。

随行的记者说，来到灾区，仅仅一夜之间，总理就老了。

谁也没有想到，一个平常的周一，会有天崩地裂发生。

就在12日上午，温家宝还在河南南阳的一家高新区幼儿园，看着正在快乐地做游戏的孩子们。上了年纪的人，会愈发喜欢孩子。与孩子们在一起，66岁的温家宝总是显得特别高兴。

曾经有记者在他一次考察的过程中，从一间教室的门缝里，拍到了温家宝旁听孩子上课的情景：孩子们举着手要求回答问题，小脸严肃；总理咧着嘴开心地乐，那种笑，完全不是一个政治家的笑容，而是一个老人看到活泼的小娃娃，从心里绽放出的快乐，笑得满脸放光。

当天中午，温家宝回到了中南海。

下午2点多，坐在办公室里的他突然感觉晃动，起初，总理还以为是自己血压高了。但是，他很快看到了关于四川地震的报告。

他马上给四川省委书记打电话，省委书记刘奇葆说，自己正在赶往灾区。待到总理再打电话，已经打不通了。

地震发生后2个小时12分钟，总理的专机从西郊机场起飞了，飞机的目的地——成都太平寺机场。

工作人员说，总理的专机起飞前，最后冲上飞机的，是两个汗流不止的新华社记者，他们下午3点50分才接到紧急采访通知，要求他们下午4点30分前必须赶到机场。

冲上飞机，记者发现，满员68人的座位，已坐了66人，记者几乎找不到位置坐——这种严阵以待的阵势，只有在抗击冰雪灾害时曾经有过。

事发紧急，以总理为总指挥，下设八个工作组的抗震救灾指挥部，就在飞机上宣布成立了。

中国随之而来的一系列让世界目瞪口呆的救援行动，在几千米高空的决策后，启动了。这些救援行动之迅速，之浩大，之感天动地，之气壮山河，不单单可以记录在此，铭告子孙，也将永远载入人类扶灾救困的史册。

总理一个人坐在桌前研究地图，突然转过头来告诉随行记者："我要发表一个电视讲话，让大家不要恐慌。下了飞机，就要播出去。"

录像时，总理的第一句话，六个字，就镇住了所有人："同胞们，朋友们……"

这是为总理起草的文稿中没有的，是举国动员的口气！

如非遇到民族危难，不是最危急的关口，总理绝不可能这样说话，这一句话，涵盖了中华人民共和国国土上的所有公民，和海内外炎黄子孙，囊括了世界上所有对中国灾难抱以关怀与同情的人们。

记者心里猛地一震，虽然灾情怎么样尚不清楚，但六个字的分量，何止千钧！

很多记者都很怕跟总理出差，因为他的日程总是安排得太满，实在太累。1998年水灾过后，当时还是副总理的温家宝，赴湖北灾区视察。

事先有工作人员叮嘱记者，温总理的工作节奏很快，吃饭也快，吃过饭就走，不休息也没有什么客套，请记者们有心理准备。

但谁也没有想到，他那么快。

车子停在洪湖吃饭，车队很长。记者从停在后面的车子跑到食堂，迅速地端起一碗饭，用几乎是往嘴里倒的速度，三口两口扒拉进去。

一碗饭刚吃完，工作人员来催了："快！总理要出发了！"

那次在湖北，车行半路。他看到田里有农民在耕作，突然叫停车，自己疾步下车向农民走去。

随行的记者傻了眼。他们的车在车队的最后，等他们发现前方停车的原因后，总理已经在田坎上走出了老远。

文字记者还可以对现场情况进行回溯式的采访，而电视记者失去了宝贵的第一手画面，完全没有办法补救。

中央电视台的记者扛着摄像机，拼命追赶走在前面的温家宝。记者脚步太急，一下子从高高的斜坡上滚了下去。

人在机器在，向来是电视台对记者的要求。就是那种情况，摄像也没有松开手里的机器，本能地保护一下自己。

抓住了温家宝与农民问话的镜头后，记者回到了车上。这时央视的记者已经疼得浑身是汗，他的手指骨折了。

十年了，总理还是这样的速度。下了飞机，温家宝的专车直接向震中汶川进发。20点30分，车队抵达都江堰，此地距离汶川还有50多公里，前方来报，因道路全线塌方，交通已经中断。

总理下车，径直走进了在路边临时搭建的抗震指挥部，在一个临时开来的发电车前，摊开了地图，开始听灾情汇报。

风雨交加的夜晚，地图根本摆不住，身边的工作人员用几瓶矿泉水，压在了上面。

指挥部很简陋，几个柱子上罩着红蓝彩条塑料编织布，远处看去，很像路边卖西瓜的棚子。

22点，温家宝拿着一个扩音器，爬上了都江堰市中医院。

一幢五层楼已经全部垮塌，100多名病人和医护人员被埋在了废墟下。余震不断，断裂的墙体随时可能垮下来，警卫很担心，试图劝阻，但温家宝执意要上去。

接着，他又驱车赶到都江堰市聚源中学。学校一栋六层高的教学楼，除了两边的楼梯间外，已经全部垮塌。横七竖八的水泥板、水泥柱和裸露的钢筋形成了一个巨大的瓦砾堆。一块门板上，清晰可见的，是斑斑点点的血迹。

地震发生时，大约900名初二初三的学生正在这栋楼里上课。一个遇难的孩子，被从废墟里抬出来时，手里还拿着课本，书本从死去的孩子手里“啪”的一声掉在地上。

工作人员说，总理的眼睛里这时全是眼泪。

他走在废墟上，突然好像觉得脚下踩到了什么软软的东西，低头一看，捡起了一只白色的耐克运动鞋。往前走了一步，又看见一个黑色的书包，上面有大白兔的卡通图案，他又弯腰慢慢捡了起来。

随行记者拍下了这张照片：一个大国的总理，弯着腰站在学校震后的废墟上，一手提着孩子的鞋，一手拎着学生的书包。

温家宝的嘴角抖动着，什么话都说不出来。

工作人员说，他没有放声大哭，只是默默地流泪。他怎么能放声大哭呢？校门口全是大哭不止的学生家长，总理若是也大放悲声，家长们会哭坏的。

事后，总理告诉记者，记者拍下的照片，拍出了他当时的心情。

那不仅仅是总理的形象。那是一个悲伤得完全哭不出声的爷爷。

当天晚上，总理拒绝了随从递过来的饼干和火腿肠，他没有吃饭。

他也拒绝了省里建议回成都休息的建议，说自己不会离开灾区，今晚就住在车上。

工作人员临时找来了两床军被，在中巴车的最后一排铺上一床军被，总理躺下了，过了一会儿，他又起身要了一片安眠药，吃了。

夜里余震，车子剧烈晃动。凌晨4点钟，秘书拿了份特急件，情况紧急，只得把温家宝叫醒。

批阅了文件后，总理下车又走到旁边的临时指挥部，站在滴着雨水的简易帐篷下，他向值班人员询问着道路打通的情况，也问医院和学校又救出了多少人。

13日早晨6点多，总理起来了。没有地方洗脸，他就用湿纸巾擦了把脸，也没有刷牙。

一大早，温家宝到指挥部里坐下，又开始工作了。

此次汶川地震，总理出现在救灾队伍的最前列，远在北京的他到达灾区的时间，比最早冲进灾区的部队，甚至还早。

12日夜里，温家宝在都江堰市聚源中学，握着家长们的手，告诉家长们，只要有一线希望，我们就要尽全部力量救人。专业化的中国国际救援队已经到了成都，正在向灾区赶来。

知情的人说，这个救援队是总理一手扶持建立的，是中国最为专业的救援队伍。

温家宝驱车前往都江堰的路上，北京南苑机场，20点02分，两架满载着救援人员和救援物资的伊尔-76军用运输机，腾空而起。

飞机上坐着的，是由中国地震局12人、北京军区某部工兵团150人、武警总医院医护人员22人组成的国家地震灾害紧急救援队，他们这支队伍的另外一个名字，叫作中国国际救援队。

飞机上的队员中，有一张年轻的脸——张建波，中国国际救援队成员，男，22岁，四川汶川籍。

六、士兵突击多见，将军突击偶见，总理变成第一突击队，从未见过。自此，中国救援史上最大的行动，世界救灾史上最为恢弘的一幕，就此展开。

中华民族的历史，是用蘸满灾难墨水的笔，写成的。

大自然好像从未宽容过这个自诞生起就在多灾多难中成长的民族，总是把无妄之灾强加在它身上，一拳打倒它；然后，看着它，从地上一点点爬起来。

以地震为例，千百年来，几乎是每隔些年就会有惨绝人寰的特大地震降临中国大地。中国位于全球两大地震带——环太平洋地震带和欧亚地震带的交会部位，所以地震活动十分频繁。发生在中国的大陆性地震在全球陆地破坏性地震中所占的比例为三分之一。历史记载中，全球死亡超过20万人的六次地震，有四次发生在中国。

1556 年 1 月 23 日，我国陕西华县发生 8.0 级大地震，死亡人数达 83 万余人。地震有感范围达 15 个省，200 多个县，波及了大半个中国。这是迄今人类历史记载中死亡人数最多的一次地震。

在中国，没有任何一次地震的波及范围，可以和 1920 年的海原地震相提并论。这次大地震达 8.5 级，极震区海原的烈度为 12 度，地震波绕地球两圈，时称“环球大震”。

据有关资料记载，此次地震死亡约 24 万人，震中所在地海原县，死亡人数占全县总人口的一半以上。

地震使 200 公里外的兰州“倒塌房屋十分之三”；使距震中 400 公里的西安“门窗暴响，房摇墙塌，被毁房屋约有百户”；距震中 700 公里的太原“房屋间有倒塌，人民微伤”；距震中 1 000 公里的北京“电灯摇动，令人头晕目眩”；更远的上海“时钟停摆，悬灯摇晃”；广州“掉绘泥片”；汕头“客轮荡动”；香港“大多数人感觉地震”。其有感范围超过了大半个中国，甚至在越南海防附近的观象台上也有“时钟停摆”的现象。

地震时，旧中国没有一台现代地震仪和地震台，震后谁也弄不清震中在哪里。直到一个月后才将震中圈定在海原。

世界上不可能没有灾难，但灾难后的及时有力救援，无疑是减轻生命财产损失的最佳途径。救援的力量投入与否，投入大小，体现着国家对生命的重视程度，显示着一个国家的经济实力，也彰显了政府在短时间内应急处理的水平、民众力量动员能力。

海原大地震后，当时的北洋军阀对大灾无力救助。据当时《陕甘地震记略》一文报道，大震后灾区人民“无衣、无食、无住，流离惨状，目不忍闻；苦人多依火炕取暖，衣被素薄，一日失所，复值严寒大风，忍冻忍饥，瑟瑟露宿，匍匐扶伤，哭声遍野，不特饿殍，亦将毕比僵毙，牲畜死亡散失，狼狗亦群出吃人”。

大灾难是让国家和人民没有准备的大考，但唯这样的考试，才能显出功底。救灾也是一次公开考试，救援水平高低，会见诸历史，更以人民口耳相传的形式，张榜天下。

中国汶川大地震，大考的第一道选择题，是由温家宝总理作出的。事后，无论是世界，还是中国网友、地震灾民，几乎众口一词：这道题回答得无可挑剔，再说不好，就是昧着良心说话了。

其时，往测定的震中汶川的道路被塌方完全阻断，在道路修好之前，如果强行进入，很可能造成救灾部队的重大伤亡。

因此，在前方情况不明的情况下，部队原地待命，等待指示。

温家宝到灾区，下的第一道命令："步行也要走进去！"

然后他对部队领导说："下决心吧，运过去！把我也空投进去！"

士兵突击多见，将军突击偶见，总理变成第一突击队，从未见过。自此，中国救援史上最大的行动，世界救灾史上最为恢弘的一幕，就此展开。

美国新奥尔良台风后，军队两天后到达灾区，主要任务不是救灾，是去防止闹事的。

与世界其他军队决然不同的是，中国军队除国防安全外，一遇天灾大难，就担负起最重要也最危险的抢险救灾任务。

贾达国说，灾难中，人民对绿军装的信任，达到了空前程度，那种信任和依赖的眼神啊……

地震后不到十个小时，就有1.2万多名解放军和武警部队官兵跑步进入了灾区。

民政部紧急调拨5 000顶救灾帐篷支援灾区。

公安部发出紧急通知要求全警动员。

中国红十字会迅速调拨价值78万余元的救灾物资。

卫生部紧急组织十多支卫生救援队赶赴灾区。

以上种种均是第一时间。

水、陆、空齐进，地震后三天时间内，中央军委连续两次大规模增兵。数日之间，先后投入抗震救灾的部队总兵力达到13万多人，来自各大军区、各军兵种和武警部队，涉及范围之广、各种力量之多、投入速度之快，全部创造了中国人民解放军建军以来的历史纪录，也是中国最大规模的非战争行动大出兵。

震后第二天，救援部队进入所有灾区县城；

震后第三天，进入所有重灾乡镇；

震后第七天，救援人员进入全部1 480个受灾行政村……

到21日20时，医疗救治队伍已覆盖灾区每个受灾村庄。到地震一个月时，到达灾区的医务人员总数超过了14万人。

2008 年 5 月 13 日，救护人员在汉旺镇武都小学废墟上抢救幸存的小学生。
（陈建力/摄，图片来源：新华社）

唐山大地震与汶川大地震，相距 32 年，是中国灾难史上时间相隔最近的两次大地震，所以经常被人拿出来作比较。

汶川震级，远超唐山。汶川救灾，难度远远大于唐山。

汶川地震后，救援部队到达现场并不是历次灾难中最快的，甚至晚于唐山地震后军队进入的时间。唐山地震时，八个小时内，北京军区和沈阳军区数万人已强行进入灾区。

虽然在汶川地震中，军队的动作依然迅猛，甚至于在地震发生 13 分钟后，中国军队的救灾机制就已经启动，但是，启动的动作却受制于灾区的道路交通。

唐山灾区地处平原，铁路、公路交通便捷，距北京不过 150 公里。震后虽然道

2008年7月5日，记者经特许进入地震重灾区北川县城采访，用相机记录下北川县城的现状。
（刘思扬/摄，图片来源：新华社）

路破坏，但多数公路尚能行车，唐山市内道路虽然有瓦块尸体挡道，加以清理后也能行车。

而汶川灾区地处长达500公里，宽7公里的龙门山断裂带，海拔较高，公路都沿江傍山而建。地震发生后，很多路段被山体滑坡或泥石流掩埋，救援车辆无法通行，大型机械更是进不去，即使进去也施展不开。

就是使用空中运输，也是险境重重，飞行员们在飞行准备时互相提醒：要看准，只有一次降落机会！

地震后余震不断，山体随着余震随时垮塌，大雨夹带着泥石流，修复交通格外费时费力。

有的县城震后好几天与外界隔绝。虽然部队徒步前行，几乎完全不眠不休，但毕竟影响救援速度和效率。

唐山大地震时，农村位于广阔的华北大平原；而汶川大地震，村落都分散在地域广大的深山峡谷里，大自然的改山换地，使原来的山形地貌发生了极大改变，救援部队突进更是困难重重。

但社会的进步，让所有的人看在眼里。地震发生三天后，国务院抗震救灾总指挥部公布了汶川地震“遇难总人数的估计数字”，且每天公布，这是新中国历史上的首次。

唐山地震时，新华社的地震消息虽然在当日发出，但涉及人命的，只有这样一句：“震中地区遭到不同程度的损失。”

损失多大？人员伤亡怎么样？房屋是否倒塌？

没有人告诉我们，更没有电视画面告诉我们。

不是中国人不关心生命的存在。两千多年前，孔子家马厩失火，孔子上朝回来不问马烧死没有，其他财产怎么样，而是问“伤人乎”这句话，这曾被视为深厚仁爱的儒家文化重视人本的一个重要例证。

是巨大的政治扭力，让唐山地震的真相被扭曲。

唐山地震满一个月那天，新华社从唐山发出的报道，不是救灾现状，不是唐山人民吃得如何穿得怎么样，是唐山街头军民的赛诗会。

只有救灾的人们陆续回来后，有关唐山地震的事情，才在民间传开：“听说，可惨了。”

整整三年后，1979年11月23日，中国地震学会在大连的成立大会上，唐山地震的死亡人数才真正面对世人：总共死亡24.2万多人，重伤16.4万多人。

唐山大地震十年后，曾跟随救灾的钱刚，用自己积累的大量素材，写作并发表了《唐山大地震》一文，一时间，洛阳纸贵。

也是从那部作品里，人们才领略到大地震的惨痛和震区人民在地震到来之际，顽强的自救与互救，以及他们在废墟中的辗转与挣扎。

在2006年，《唐山大地震》再版之时，钱刚在新版序言中写道："本文所记录的历史，时而被人淡忘，时而又被突然提起。被淡忘的日子，它本该被记忆；而突然被提起，却每每在不忍回首之时。"

时逢汶川地震后，再次咀嚼此言，疼入骨，痛入心。

七、连北川中学门口农民的自建房，都没有像学校中的教学楼一样，塌得那样惨。建筑专家说，是结构或构件在破坏前无明显变形或其他预兆的脆性破坏。

这就意味着，建筑的质量十分可疑。北川中学校长刘亚春，谈到学校倒塌的建筑时，话只有一句："天总是要睁眼睛的！"

都江堰聚源中学的操场上，摆放了几十具学生的遗体，用临时找来的旧床单遮盖着，空气中弥漫着刺鼻的血腥味。

温家宝总理走过来，哽咽着说："我给这些遇难的孩子们三鞠躬。"

操场上一片号啕。

汶川大地震，所有的人间至痛至惨，全在学校的废墟上出现了。

张建波在原来是教室的废墟上，进行搜救现场作业。

在中国国际救援队中，搜救和搜索，是常用的两个词。

两个词乍看一样，但其中的不同，要与救援队相熟才能体会：搜救，是发现了生命迹象，救援队直指目标，所有的动作，都是为了救活这个埋在废墟里的人；而搜索，则有些大海中捞针的意思。

中国一般的教室，都是前后两块黑板。前面的黑板供老师板书，后面的是评比或出版班级黑板报之类的内容。特殊时期，上面会写出励志的口号。

张建波站在教室中间，偶然回头一看——他的心一下子疼了起来——教室后面的黑板上写着：距离高考还有28天。

后来，张建波自己说，我也是上过学的人啊，这么熟悉的氛围……

这个写着鼓励高考学子话语的黑板，在四川省都江堰聚源中学。这个中学的教学楼，随着波及大半个亚洲的大地颤动和一阵烟雾，不存在了。

在救援队到达之后，聚源中学由武警战士用身体进行分割，分成了两条路，一条向南，一条向西。

所有的家长都被阻挡在外面。

聚源镇卫生院院长汪能，那天只做一件事：用手电筒照从废墟里扒出来的学生瞳孔，判断生死。

对光已没有反应的，向南，停尸场。

对光有反应的，向西，“救护车，快！”

在聚源中学这样的“生死之门”前，不到一天，汪能的嗓子就失声了。

救援队把搜救犬放到废墟上，搜索生命迹象。

搜救犬傻了，一直在废墟上打转转儿——死人太多了，人和人之间的密度又太高，狗也分不出哪个是死，哪个是活。

搜救队会首先采用敲击等方法，贴着预制板的洞洞喊：“有人吗？”预制板的洞洞，对声音起着扩音器一样的作用。

如果没有声音，搜救队员会将现场分成若干区域，清出闲杂人等，将搜救犬拉上废墟。搜救犬会依照它嗅到的信息，依照有无幸存者和幸存者人体信息强弱，分别表现为无反应、爪子刨地、低声吠叫、狂吠等几种反应。如果搜救犬狂吠起来，或者低声吠叫几声，所有的搜救队员，无论多累，就会突然一下兴奋起来。

如果搜救犬的反应若有若无，生命探测仪就会登场发挥作用，仪器上意味着不明物体的白色方块，可能是搜救人员的最大福音。

在地震后，救护车的声音，就是世界上最美妙的声音。因为这个声音意味着——生命。

5月13日早晨近9点，聚源中学女生高银获救，被抬入了“生之门”。

高银的妈妈喜出望外，冲出几千名等待着的家长人群，一路大哭着，追上了女儿的救护车。

“这个女娃儿被抬过来的时候，我一看她眼睛睁得大大的，眼神亮亮的，紧咬着下嘴唇，”汪能说，“活着！肯定活着！不用查！那一刻我真是太高兴了。”

但，自从高银获救后，再也没有人活着出来。

一具具没有发育成的少年躯体，被送入了前往另一个世界的通道。

有1 800余名师生的都江堰聚源中学顷刻颠覆，一座四层楼的教学楼被震垮，大约有900余名师生遇难。

汶川地震造成四川绵竹市七所学校倒塌，其中包括富新二小、东汽中学、东汽技校、九龙中学、汉旺武都学校等，另外还有欢欢、汉旺两个幼儿园，共造成1 700人被埋。

而这些只是这次地震引发校舍倒塌情况的一个缩影，惨遭厄运的还有北川县北川中学、曲山小学；绵阳市平武县南坝小学、高新区双碑小学、游仙区魏城中学；汶川县映秀小学、漩口中学、漩口幼儿园；德阳市实古镇中心小学、蓥华镇中心小学、八角镇中心小学、洛水镇洛水中学；崇州市怀远镇中学……

然而，包括聚源中学在内，许多地震中垮塌的学校建筑物旁边，都总有部分建筑物挺立未倒。

在聚源中学所在的聚源镇，除了这所校舍以外，民房因地震而垮塌的并不多见。

北川中学，除了学校的两栋教学楼垮塌外，校内的两栋分别建成于上世纪60年代和70年代的楼，甚至早已被叫成危房，都没有倒。

连北川中学门口农民的自建房，都没有像学校中的教学楼一样，塌得那样惨。建筑专家说，是结构或构件在破坏前无明显变形或其他预兆的脆性破坏。

这就意味着，建筑的质量十分可疑。

聚源中学两边破旧的民房虽然因地震而出现裂纹、瓦片脱落等情况，却没有一处民房像聚源中学校舍那样粉碎性坍塌。

向峨乡中学是都江堰市另一个受损严重的学校，全校400多名师生，有300多名被掩埋在废墟下遇难。而与该学校相邻的一栋六层高民宅的四面墙壁，因为地震而出现巨大的裂纹，整栋建筑也已经扭曲变形了，但这栋建筑一直没有坍塌，楼内的居民也都得以全身而退。

此外，什邡市蓥华中学和聚源中学、向峨中学一样，在周围民房都没有彻底垮塌的情况下而呈粉碎性的坍塌；绵竹市汉旺镇东汽中学坍塌后，其旁边的几幢多层住宅楼以及一座体育馆在地震后依然大体完好。

据说，北川中学校长刘亚春，谈到学校倒塌的建筑时，话只有一句:“天总是要睁眼睛的!”

也有说法说刘亚春在遇到前任校长慰问时，昂然而过，不予理睬。遇到教学楼的建筑商时，也只是说:“你建的楼房……”

再也不能说下去了。

他的上千名师生，都死在那栋并没有经过他手建设的楼中。

其中包括他的儿子，北川中学高一（2）班成绩优异的学生刘林青。

就在5月12日中午，刘林青高兴地把全国中学生英语竞赛的奖状拿回家，小心地放到茶几上，又把吃饭的碗筷洗干净……

临走前，向刘亚春打招呼:“爸爸，我走了!”

直到救援结束，刘亚春都没有在废墟中找到孩子的遗体。

八、上千个生命，在北川中学不到200平方米的地方终止了延续。学生们有的身体被砸弯曲变形，有的没有脑袋或脑袋被砸扁，有的已经没有手脚。废墟上，到处散落着沾满泥土的课本、字典和作业本，有《中国历史》，有《英汉词典》，每本书上面，都有稚嫩的笔迹……

作为父母，孩子是生命中最珍贵的珍宝。

如果遇到二选一的生存机会，99%的父母会挺身而出：把我的生命拿去吧，让我的孩子活下去。

没有父母可以想象，在几秒钟的时间内，在学校，自己认为最安全的地方，用如此悲惨的方式，失去自己的孩子。

哪怕是天灾。作为一个学校，哪怕震后它歪歪倒倒，但是，家长们对它的建筑要求是：总要有让孩子们跑的时间吧?

可偏偏连让孩子们跑的时间都没有!

有的学生与身旁的同学惊恐地抱在一起，有的两两相抱，有的三个成团，清理尸体时，已无法将他们分开，只好把几个孩子合装在一个尸袋里。

北川中学的旧教学楼里，每当吊车吊起一根大梁，就会看到一排整齐的小尸体。一处楼板上有一个拳头大的洞，透过它可以看到一堆学生的脑袋，那是孩子们临死前唯一的空气来源。

上千个生命，在北川中学不到200平方米的地方终止了延续。学生们有的身体被砸弯曲变形，有的没有脑袋或脑袋被砸扁，有的已经没有手脚……

一根水泥横梁下，一个身着蓝色衣服的女孩子，上半身向下倒挂着，两只手和她的黑发一起无力地垂向地面。她身边不到一米的地方，是一个被掩埋的男孩的身体，只露出臀部、一只脚、一条腿。

废墟上，到处散落着沾满泥土的课本、字典和作业本，有《中国历史》，有《英汉词典》，每本书上面，都有稚嫩的笔迹。

不远处，“母校留念”学习栏下，躺着数十具已不再有生命特征的年轻中学生们的躯体，学生们身上，有的覆着破旧的棉被，有的覆着一张旧纸箱，有的什么也没有。

揭开一层楼板，一群死去的学生；再揭开一块楼板，又是一群，救援队员几乎要疯了！

“妈妈，全是戴着红领巾的小孩儿啊，我受不了了！”一位武警战士从映秀镇打电话给母亲，寂静的夜里，小伙子毫不顾忌地哭泣。

都江堰市新建小学。

救援者从废墟里发现了一具身穿红T恤的孩子遗体。

“我的孩子啊……”这位孩子的母亲仰天号哭，全身瘫软，被两个救援人员搀扶着出了现场。

孩子的父亲赵建中看起来还算冷静，此前，他不眠不休，已经在这片废墟上搜寻近两天时间。

赵建中一点表情都没有，也没有眼泪。他把孩子抱出来，蹲下身去，用手帕擦去儿子脸上的灰尘，拿出手机，拍下了他留在人世间的最后样子。

然后，赵建中和周围的人一起，平静地将孩子裹入一块军用毯里，系上。

所有人都静静地望着他。

眼看走到运尸车前，还有两米，突然间，这个此前一直很镇静的父亲，仰天长哭，“啊！”

绵竹汉旺东汽中学。

认出孩子遗体的母亲们几乎都是一样的反应。

看到孩子，晕过去。

醒过来，再去看孩子，再晕过去。

灾情最重的北川县，很少孤儿。

因为，北川县城里的孩子，从3岁到18岁，伤亡过半。

孩子们都死去了。

一连串倒塌学校的名单引发了人们对这些学校可能存在设计和建筑问题的质疑。

废墟上挂起了白布黑字的横幅，写道“天灾不可违，人祸最可恨”。在灾区，发生了遇难学生家长围攻校长和工作人员的事件。

洛城二小教学楼倒塌的形状为“煎饼式”，一层压一层，没有留下仍在起支撑作用的框架；教学楼与邻近的办公楼为同一时期的建筑，教学楼全部倒塌，办公楼虽有损毁但并未倒塌；教学楼墙体的砖与砖之间的灰浆非常少，而且起重要支撑作用的圈梁中的“钢筋”非常细且用量很少。

在都江堰市聚源中学校舍坍塌的地方，坍塌下来的建筑废墟上，砖与砖之间，仅有薄薄一层涂抹严重不匀的水泥凝固物，有人用力掰了一下，竟将两块由水泥凝固在一起的红砖分开，已经凝固的水泥簌簌落下。断裂的预制板中，居然还有木头块！

在向峨乡中学校舍废墟中，从承重柱里冒出的几根细细钢筋，像钢丝一样，风一吹就四处飘摇。

都江堰市新建小学，裸露在预制板外面的“钢筋”，用脚轻轻一碰，细细的铁丝就绕了一个弯，很多预制板都是齐刷刷从中间断裂的，断口整齐划一。

一位遇难学生家长是专门给建筑商拉钢材的，对建筑比较了解。他踏进教学楼废墟，随手捡起一块砖，几下就从残墙上敲下一块砖来，根本就看不到有水泥粘着。承重梁摔破了，里面竟然只有四根比小手指还细的钢筋。家长说：“像这种承重梁，规定用25毫米的螺纹钢筋，但这里只用了8毫米的圆钢。”

依照《中小学建筑设计规范》规定，中学教学楼不得超过五层，而且屋顶必须使用钢筋水泥浇注，不许使用预制板。但从震区传来的消息，这次地震倒塌学校的现场发现许多五层以上的建筑，而且多是预制板屋顶。

作为一国总理，不适合在没有权威机构明确调查结论之前表达自己的意见。但是，温家宝却用自己的行动，表达了对孩子们的同情和关怀。

5月13日上午，温家宝到了都江堰市的新建小学。

新建小学位于都江堰市繁华地带的建设路中段，是一所公立学校。

校园由两排平房、一幢四层教学楼和一个小小的篮球场组成。一年级和学前班的孩子在平房上课，二到六年级则集中在教学楼。四层的教学楼每层有三个班，全校共687名学生。

地震那天，在校学生有680人，除了在平房上课的一年级学生，以及高年级的两个班在教室外面上体育课和练习跳舞外，在楼内的学生随楼垮塌而被埋。

雨还在下着。有人找来一件警察的雨衣给总理披上。

听说救援人员正在解救困在废墟下的孩子，总理坚持爬上废墟。

这里一共发现了六七个小学生，他们挤在教室门后，肢体都缠绕在一起。可以想象，当地震发生时，孩子们跑到了门口，但是门已经打不开了。紧接着教学楼就塌了。

这里有两个孩子还活着。

施救坑里，上面的一个孩子仰面躺着，两只手在搓动。总理蹲下，专注地看着她，眼神充满爱怜。

孩子呻吟着："喝水！"

救援人员给她拿来了生理盐水。一个医生喊："先漱漱口！"

孩子歪着头，"噗"的一声把水吐出来，温家宝的脸上有了笑容。

这个孩子叫王佳琪。

温家宝一直惦记着这个孩子。再去灾区时，特地去医院看望了她。

此时的王佳琪因为做头部手术，长发被剃光了。她的鼻梁骨骨折，门牙也因受伤而脱落。

总理去了，一看她就说："是新剃的头吧？"

"我有一张照片，就是我蹲在那个地方看抢救你。你很坚强，你遭了一次大难。"

小姑娘稚声稚气地说："不是吧，应该是两次吧？"

大家都愣了。

小女孩儿接着说："去年我就摔了一跤，把头摔破了。"

温家宝笑了，俯下身去，拿起王佳琪的小手："来，摸摸爷爷的脸。"

这是温家宝到灾区后少见的笑容。另一次大笑是在一位百岁老人面前。那位老人开始把温家宝认成是自己的孙子。

后来，老人认出了总理，一本正经地嘱咐他："你要好好工作。"

温家宝回答："我会好好工作的。"

所有的人都哄堂大笑。

九、比极震区还严重的北川，震后的刘汉希望小学周边已成瓦砾。但教学楼的交接处裂了两条细细的裂缝，楼后的地面下沉，使得整栋楼稍有倾斜，偏离中心大概有两厘米的样子。这座在地震中没有倒，保全了483名师生生命的学校，震后被网友称为"史上最牛希望小学"。

覆巢之下，亦有完卵。

史少先刚刚调到北川刘汉希望小学时，就听老师们议论过：教学楼的质量还不错，修建时，用了很粗的钢筋。

史少先和老师们从来没有想到，自己的学校会与一场巨大灾难联系上，更是做梦也不曾料到，远在川北大山中的小学校，有朝一日会因一栋结实的教学楼而广为人知。

震波过去，因为要防止山体滑坡和可能到来的洪水，老师们把孩子们转移到半山腰的平缓处。然后在震后的极度混乱中，为孩子们找来了几十床棉被、一点点饼干和几瓶水，然后用竹子和编织袋，为孩子们搭起了简易的棚子。

那天晚上，孩子们俩人一组，背靠着背，腿上搭着棉被，在山腰上坐了一夜。

史少先很害怕，从来没遇到过的灾难，人没有可能在这种情况下保持完全镇定。

但他一定要在外表上表现出镇定。他是副校长，是老师，是个男人。

第二天，老师们发现，救援力量不可能迅速到来。他们为每个孩子发了一片饼干和一口水，然后拉着大的12岁、小的5岁一共71个娃娃，往山外走——之前，部分家长已将毫发无伤的400多个孩子各领回自己家。

孩子们饿，前头的孩子在吃饼干时，排在队列后面的学生吞口水的声音都能听得见，但他们在大灾难前却异常懂事。老师也用好吃的鼓励学生："加油啊，有好多糖等着你们，冰激凌，还有面包，可乐！"

路过自己家的地方，史少先停下望了一下。家，连带整个村子，还有勤劳一生的父母，都没有了。垮塌的山，把家埋得一点点痕迹都没有了，完全看不出有人居住过。

山上有滚石，还有泥石流，大雨，泥泞，余震，7个小时后，史少先和老师们带着孩子们，冒着大雨，翻过了三座大山，滚满了泥巴，连滚带爬，到达了北川县外的指挥部。

史少先说，大难临头，连孩子们都明白。5岁的孩子，挨饿，走路，鞋子都掉了，也跟着走，不闹脾气。

几天之后，光着脚板走过来的孩子，脚还是红肿的。

北川刘汉希望小学建于1999年。

这个农村小学原来是危房。出身教师之家、又当过教师的刘汉，听北川的一位副县长谈起了这个大山里的学校，他决定捐赠一所小学，送给翻山越岭来上学的娃娃，学校的名字就以他的名字命名。

刘汉一直主张教育扶贫。他说，在山区扶贫，给钱并不能解决更根本的问题，一个山村小孩子的成材，不但可以改变家境，而且可能带动整个山村。

于是，这个早期靠建材和贸易起家，后来在期货市场风生水起的商人，在自己创办的汉龙集团刚刚起步时，就开始捐资助学，近年来更是手笔巨大，去年一捐就是一亿五千多万现金。

起初，低调的汉龙集团只是悄悄捐钱。后来他们发现，只捐钱并不能保证建成学校的建筑质量。这时，汉龙集团也成长为业务涉及房地产的大公司，具备了通晓建筑业的专业人才。因此，既不是承建商，也不是业主的汉龙集团，直接将款项捐至当地相关部门，但全程参与了希望小学工程建设质量的监督管理。

现任汉龙集团董事长孙晓东说，他们会亲自过问每一所希望小学的建设。

他们问建筑商，这是一个60万的工程，你打算赚多少？

建筑商回答：要赚10%，6万。

刘汉和孙晓东会告诉建筑商，我另给你6万元，条件是你要把60万全部都放到学校建设中去。

建筑设计院一听是为希望小学盖房子，免费提供设计。汉龙集团会严格地按设计推荐行事，他们一直是按照甲方供应建材的方式，材料质量的关口掌握在自己手里。

刘汉说，即使是农村的希望小学，建筑结构也一定会用大厂的钢材。设计要求柱子有10根钢筋，一根也不许少，尽管那个柱子里的钢筋谁也看不见。水泥也一样，大厂产品成本高，一吨水泥多100元；一吨钢材，名厂和小厂，差好几百元，但是，大厂的东西质量可靠。

孙晓东举例，好的砂子晶莹剔透，紧紧地抓在手里，一定会从手指缝中往下掉，这样的砂子含泥少。含泥多的砂子，其中的泥土必须洗去，否则要弃用。

为了北川刘汉希望小学的建筑质量，负责工程监理的汉龙集团办公室主任句艳东，多次大着嗓门跟稍有懈怠的施工人员急眼。颇有经验的他要求施工方按照设计，砂子、水泥和碎石的比例，水泥的标号必须用够，量也必须用足，否则混合起来，一剥就会掉——水泥的标号是水泥“强度”的指标，水泥的强度是表示单位面积受力的大小，是指水泥加水拌和后，经凝结、硬化后的坚实程度。

相关的质量标准还有，建筑材料中，外表光滑的河道中的石头，坚决不可用，必须加工成碎石；扁石决不能用，因为它会叠在一起，影响建筑质量。

句艳东说，这些都是最基本的、人为可控的质量。他还记得，在建这所小学时，公司领导对他说：建学校是千秋大业。

在刘汉希望小学的建设中，当地政府的监管，也细致到位。当时负责的文教办主任，就曾用最原始的办法验收：拿斧头用力砍下去，看混凝土是否经得住这一下。

十年前，加上税费的绵阳商品房，造价为每平方米500多元，刘汉希望小学因为是公益事业，免去税费，造价为每平方米400多元。

5月14日，疏散到绵阳的刘汉希望小学老师，给汉龙集团打通了电话。

接到电话的公司领导一下子就哭了：头一天晚上，他们还议论说，灾害这样大，希望小学怕完了。

他们见面，老师们第一句话就说，感谢你们，教学楼质量真的好，否则我们连逃生的机会都没有。

比极震区还严重的北川，震后的刘汉希望小学周边已成瓦砾。但教学楼的交接处裂了两条细细的裂缝，楼后的地面下沉，使得整栋楼稍有倾斜，偏离中心大概有两厘米的样子。

这座在地震中没有倒，保全了483名师生生命的学校，震后被网友称为“史上最牛希望小学”。

之后汉龙集团又欣喜地得知，他们捐赠的北川县擂鼓中学汉龙教学大楼，同样在一片废墟中屹立不倒，连玻璃幕墙都没有倒下。

他们在非重灾区捐赠的其他学校，当然更是没有倒，但汉龙集团说，别的不具代表性，因为，那些学校周围的房子也倒得不多。

消息传出，刘汉接到朋友的电话：你怎么在北川建成那么结实的楼？是不是 10 年前就知道要地震？

刘汉说，我们只是按图施工，老老实实地盖了这个学校。做人做事要凭良心，要干就好好干。

对比地震中有其他学校垮塌的事实，刘汉说，塌了的学校不见得是豆腐渣工程。是否建在断裂带上，地壳是否有升降，都会对房子有说不清的影响，但是，在地震中不倒的学校肯定不是豆腐渣。

还有一个“史上最牛”在震后出台。

四川安县桑枣中学，是一所镇上的初中，教学质量在全县十几年领先。

它的现任校长叶志平，自上任后，关于学校安全抓了两件大事：修危楼，搞紧急疏散演习。

一栋刚建成就变成危楼的实验教学楼，建筑时才花了 17 万元，光加固就花了 40 多万元。

搞全校紧急疏散演习，每学期至少一次，已经坚持了四年。

为安全的努力收获了果实。地震那天，整整被加固了三年的实验教学楼没有塌，全校 2 200 多名学生，冲到操场上，用时 1 分 36 秒。

桑枣中学学校周围墙倒房塌，学校八栋楼部分倒塌，已成危房，但是全校师生无一伤亡。

这位富于远见的校长，一见诸报道，立即被千百万网友封为“史上最牛校长”。他的手机几乎被打爆，大部分是家长，拼命要把孩子送到他的学校里，因为，这个学校让人放心。

一位新闻圈内人，拿到了桑枣中学的《安全规章》2008 版，它修订于 3 月，全长 4 万多字。

本来想随便看看，看着看着，这位记者正色，然后泣下，最后，捂着脸放声号啕。

所有的偶然，都是必然，桑枣中学关于安全的规定，细致得完全出人意料。

它甚至规定了哪位老师在遇到紧急情况时站在哪个楼梯口来维护秩序，它甚至规定了卫生室的大夫在遇到紧急情况时，应该到篮球场的乒乓球案子旁等候为伤员治疗！

如果每个校长都有这样的责任心，汶川大地震，哪能死去那么多孩子啊？

十、每一个中国人都经历了一场前所未有的情感大地震，我们从来没有为陌生人流过那么多眼泪，我们从来没有体会到生命中有那么多撕心裂肺的痛楚，我们从来没有这么深刻地体会过“平安是福”。

汶川地震，汶川大地震，汶川特大地震。

中国，乃至世界，从这次地震中失去了许多，收获了许多。

从地理位置上，中国知道了汶川，世界知道了四川。

从自然知识上，自互联网诞生之日起，中国从来没有因为一次自然灾害的发生，在如此短的时间里，如此大密度地为全民普及了地球、自然和地理知识，这种普及完全是提供者和受众双方情愿，一时间，堰塞湖、断裂带，一些平日里只能见诸专家口中的字眼，妇孺皆知。

从精神世界上来讲，震中发生在每一个人的心底，烈度为极限——12度，流行的说法：今天我们都是汶川人，13亿中国人都是幸存者，绝非虚言。

2009年，是中华人民共和国成立60周年。这些年，中国从未有过如汶川大地震这种数秒夺命几万条的天灾——除了人祸。

这场地震的规模、能量、破坏力，种种种种，与刻在人们心头的唐山大地震相比，有过之而无不及。

这一点，总理温家宝十分懂得。

他是专家，专门搞地质出身的专家。

当他在公开场合宣布这次地震远远超过唐山大地震时，在座的人几乎不敢相信自己的耳朵，纷纷跑到国家地震局专家那里核实。

这位每天还以走路进行锻炼的总理，甚至在死亡人数报告在1万多人时，就发出了自己的预计：死亡人数5万以上。

一切，纷纷得到证实。

自1978年，邓小平拍板改革开放以来，虽有起伏颠簸，中国一直在走上坡路，基本没有脱出“太平盛世”的模式。

特别是2008年，中国要着力举办好不容易才争取来的奥运会。

而恰恰是这一年，中国面对的困难似乎特别多。

年初的南方冰灾，山东火车翻车事故，3月西藏拉萨的阴霾，奥运圣火在国外传递中遭受的多种不快，中国南方眼看又要出现的水灾……

然后，是汶川，是我们脚踩着的地球打来的当头一棒。

中国人几乎都忘记了，即使国力强大国土浩瀚，自然灾害，甚至极大面积的、超大型自然灾难，也是避免不了的。

它，远远要比几个对中国的不友好因素对中国的威胁大得多。

更大的地震，发生在中国人的心灵深处。

每一个中国人都经历了一场前所未有的情感大地震，我们从来没有为陌生人流过那么多眼泪，我们从来没有体会到生命中有那么多撕心裂肺的痛楚，我们从来没有这么深刻地体会过“平安是福”，我们从来没有这样不加掩饰地在众人面前，在陌生人的肩膀上号哭。

但，有一个最大的收获是，中国人的心灵，从来没有如此一致地，为人的生命如此招展过，为人性如此张扬过，民族之气，从来没有如此浩荡过……

——为普通人的生命。

一场地震多少荡涤了中国人心灵被金钱打上的蒙尘，让我们认识到，世界上最美好的东西，是钱买不来的，比如生命，比如健康。

钱能买来的东西，虽说美好，但绝非最好。

金钱可以买到眼泪，但绝对买不到那种发自内心的、为同胞罹难而生的悲痛。

中国人，除了外敌入侵，也从没有过如此一致的团结。一夜之间，一些为蝇头小利和些许小事动容的人，懂得了什么叫作大义。

·

她平时就是一个很计较的孩子，老师们的印象里，这个孩子特别计较。

但是大灾第二天，她拿着几百块钱来了，有整有零，一堆钱。

她说，这是我所有的钱了，我把这些钱全捐出来。老师们收下了。

又过了四五天，这孩子拿着整整1 000块钱又来了，她说我再捐一次钱，这次所有的老师都拦着她，说你这么捐就没有生活费了，我们知道你家的情况，你捐过了，这个钱我们不能再要。

这个孩子含着眼泪告诉所在大学的老师，这是这几天我没日没夜地给人家加班做家教挣的钱，这不是我的生活费，你们要相信，我挣出来这些钱就是为了捐的，你们必须收下。

学者于丹讲了一个故事。地震后，有一天她走进教室，还没走到讲台上，几个女孩子抱着她就哭。

于丹说，你们怎么了？

孩子大哭着说，我们刚从血站回来，血站现在不要血了，已经近乎饱和了，所以劝我们回来。

于丹说，那你们就等一等嘛。

那些孩子们依然大哭，老师，你们是大人，你们有工资，你们都捐钱了，我们没什么钱，我们只有自己的这点热血，他们连血都不要，你说我们还能做什么呢？

一个普通的大学女生，以自己的几百毫升热血为国家待命为荣！灾难打击了中国，灾难却不能毁灭中国，因为如此的骨肉相牵，如此的血脉相连！

曾在人们眼中娇生惯养的一代人，被电脑和汉堡包喂大的一代人，被发生在自己面前的一场巨大得难以想象的灾难，催熟了。

胡岚，是30岁的全职家庭妇女，育有5岁的女儿。

丈夫是一家公司的部门负责人。随着公司的调整，几年来，丈夫任职的地点换了几次。丈夫走到哪里，胡岚就随他到哪里，一心一意照顾他和女儿。

这次地震的重灾区之一——绵竹汉旺镇，是她丈夫从小生活过的地方。地震发生第二天后，他们全家三口驱车100多公里到汉旺，送去了矿泉水、面包等。站在汉旺的废墟上，全家悲恸。

当时，汉旺的灾情之严重，还不完全为外界所知。全家回到德阳市区后，平时非常文静、一跟生人说话就脸红的胡岚，作出了一个让丈夫很是意外的举动。她不知道从哪里找到了一个扩音器，往人最多的广场上一站，用不标准的普通话讲述汉旺的灾情，讲得声嘶力竭、声泪俱下。

5月12日地震后，锦江区妇幼保健院的医生准备在露天给产妇接生。在医生构筑的屏障外，大妈们自发拉手成为圆圈，为生命组成屏障。

这些大妈，只不过是升斗小民。按平时划分，绝不属于中国高素质的人群，是什么让这些最普通的中国人，守望相助，给了她们这样大的凝聚力？

逢大灾必有大团结，这一点让外国人很奇怪。国外媒体评论，一场灾难前，中国人怎么突然从一盘散沙变成了一块钢铁？

他们，太不懂得中国人了！

如无外敌，如无天灾，中国人的矛盾可能发生在自己的内部，甚至于冲突得不可开交，但一遇外侮和强敌，试试看！

那时世界就可能看到，13亿，咬着后槽牙，同心对敌的中国人。

温家宝，在绵阳的一座体育馆的孤儿室里，流下了眼泪。他的前一次明显流泪，是在都江堰的学校里。

当地官员介绍，这是孤儿室。这里的孩子，是失去父母的孤儿，或者是暂时找不到父母的临时孤儿。

温家宝一个个地向孩子们询问。

越小的孩子越是不解灾难的痛楚。七八岁的孩子，笑着对温家宝说，我是从石头底下爬出来的。

大一些的孩子明白，灾难是一件太坏太坏的事，失去父母，是一件可怕的事，而面前的爷爷，是一个大官，在大官面前，自己的难过要克制。

于是，大的孩子很是克制。

可他们毕竟是孩子，孩子们克制得浑身颤抖，满目含泪，又不敢大哭。

看到孩子们这样，大官们哭得比孩子还凶！随从温家宝到灾区的四川省委书记刘奇葆，满脸是泪，流得像瀑布一样。

恩格斯说："没有哪一次巨大的历史灾难，不是以历史的进步为补偿的。"

我们相信，汶川大地震的确会推进历史的进步，并且，我们已经看到了这一带有里程碑性质的进步。但是，从人的角度，我们宁可历史进步的步子小一点，慢一点……

我们只想要，只要那因地震死去的几万人活着，让他们都活着！

（选自2008年第8、9期《北京文学（精彩阅读）》，有删节，作者：朱玉）

面对亲人的“战争”

2008年5月12日，汶川大地震，像一场突然爆发的战争，一场大自然向人类发动的战争，一场不是战争的“战争”！

这场“战争”与军事战争的根本区别，就是拼搏的地点不在沙场，而在废墟；面对的不是荷枪实弹的死敌，而是情同手足的亲人；军人既是勇士，也是“伤兵”！

是红白，不是滚北！

什么叫地震？

这个问题对已在地球存活了30亿年的人类来说，本该是一个常识，但对奔赴灾区的绝大多数军人来说，却是一个抽象的概念，空洞的名词！这是因为，和平年代的军人，早已远离了战争，远离了鲜血，远离了死人，更远离了地震！虽然，中国曾经发生过震撼世界的唐山大地震，但那已是32年前的事啦！32年前，在中国军队中，现在的团级干部有的还没出生，营连排干部的父母，还没恋爱或者结婚，即是说，全军团级以下干部和所有战士都是唐山大地震后出生的人！

更何况，四川汶川大地震百年不遇，前所未有，绝大多数军人过去只听说过四川，却从来没去过四川，四川在他们的头脑中最多是一张军用地图，或者中学课本中的一个章节。因此，尽管不少部队在赴灾区之前就向战士们进行了抗震救灾的紧急动员，而实际上战士们并不清楚什么是地震，地震到底是怎么回事，灾区究竟是个什么状况，“抗震救灾”具体又是一个什么概念。至于灾区的气象条件，道路情况，地理特征，人文风俗，就更是丈二和尚摸不着头脑了。但一切还来不及多想，也容不得让你多想，上级一声令下，战士们就被送上飞机或汽车，昼夜兼程，马不停蹄，轰隆隆地开赴灾区四川了！

黄继光生前所在团，即空降兵133团，是5月12日晚11点正式接到赴灾区命令的。团长文东只用了5分钟，就向全团官兵传达了命令。黄继光是当年大名鼎鼎的战斗英雄，在朝鲜战场曾用自己的胸膛堵住了美国人的枪眼。但今天，为了灾区人民的生命安全，黄继光的战友们却要用自己的血肉之躯，去顶住倒塌的房梁和水泥板。这不仅对黄继光团的战士是个考验，对团长文东也是一次挑战！

文东，40岁，湖北人，1.8米的个儿，威风八面，虎气生生，走起路来，脚下能荡起一阵风。此人先在黄继光连当过排长、副连长，后在上甘岭八连当过指导员，再后来出任团副参谋长，又到俄罗斯受过军事指挥培训，可谓能文能武，智勇双全。我第一次与文东见面，用不着说话，抬眼一看，就是一条汉子！黄继光生前所在团

2008年5月15日上午，消防战士在四川省什邡市蓥华镇云峰化工厂倒塌的宿舍楼废墟中搜救。（姜帆/摄，图片来源：新华社）

是一个非常特殊的团队，为叙述方便，以下我简称“黄继光团”。说黄继光团特殊，不在于它一直举着黄继光这面英雄的大旗，把黄继光作为一种精神的象征，再注入士兵的血液，以此鼓舞全团官兵；而在于，或者说更在于，凡国家重大战备及国防任务，一向都是由该团担当主角。换句话说，在中国960万平方公里的版图上，黄继光团可以在任何时间从空中降落任何地点。空降兵原来的计划是，由黄继光团挑选600名官兵直接伞降灾区，后情况有变，改成机降。然而，即便像这样一支具有很高军事素养，经过长期实战考验，见过大场面、大世面的特殊部队，面对大地震这场不是战争的“战争”，在进入灾区最初的那一刻，也不知所措，乱了阵脚！

2008年5月15日，汶川县映秀镇一名压在废墟里的灾民经过武警官兵几个小时的努力终于获救。（查春明/摄，图片来源：新华社）

2008 年 5 月 15 日，来自湖北的解放军空降兵某部黄继光连的战士们轮流背着受伤群众连续跋涉四个多小时到达了医疗救治点。

（张晓理 / 摄，图片来源：新华社）

2008 年 5 月 18 日，空降兵某部队长王维山安慰什邡市麻柳坪失去亲人的 12 岁女孩李佳。

（沈玲 / 摄，图片来源：新华社）

13 日凌晨 6 点，黄继光团 1 672 人全副武装，准时开进武汉阳逻机场。同时开往机场的，还有空降兵的两个师。但到了阳逻机场，文东带领的黄继光团等了两个小时，才登上飞机，而且团队的编制在登机时就被打乱。原因是全团 1 000 多人不能同坐一架飞机，只能拆开打散，分批登机。于是按照作战惯例，每架飞机上谁的官大，就听谁的指挥。10 点 40 分，飞机降落成都双流国际机场，团长文东两眼一抹黑，部队去哪儿？不知道。怎么走？闹不清。至于灾区“敌情”，更是一概不知。作为军事指挥员，这是最忌讳，也是最心虚的事情。好在文东身为黄继光团的团长，有着丰富的实战经验，所以他做的第一件事情，就是迅速将团队的编制重新收拢。

蜀道难，进灾区更难！想想吧，陆、海、空，13 万大军，几乎同时扑向四川，天上、地上，飞机、轮船、火车、汽车，金戈铁马，滚滚人流，怎么飞？如何走？怎么指挥调度？如何分配协调？吃喝拉撒怎么解决？医疗卫生如何保证？此外，还有14.5万志愿者第一时间就赶到了灾区，紧接着又增至20万，而随后全国报名要去灾区的志愿者竟多达上百万！以致四川省省委有关部门不得不一边对志愿者深表感谢，一边恳请志愿者先别来了！意思是说四川这个小小的盆地实在装不下了！何况，交通中断，通信不通，一切又来得是那样迅猛，那样惨烈，那样突然！因此，当全国飞往灾区的飞机一起扑向成都双流机场时，机场的混乱状况可想而知。黄继光团在机场又滞留了四个小时，才上了汽车。上车时，因载送部队去灾区的车是地方大巴车，军人无法按正规连队的编制乘坐，团队的编制再次被迫打乱。这一乱，让黄继光团更是乱中添乱！

2008年8月12日，什邡市红白中心学校六年级学生陈明阳举着亲手制作的小牌子送别空降兵。（苑坚/摄，图片来源：新华社）

文东说，离开成都双流机场时，我接到的信息是去绵竹，于是我安排副团长带着一个营在前，跟在师部后面，我带着一个营居中，政治部主任田新带着一个营殿后。当时路上非常乱，到处是车，到处是人，我一路折腾，好不容易赶到绵竹，空降兵的人却一个见不着。我下车问老乡，刚才有没有看见空降兵路过？老乡说，没见空降兵，只有消防兵。我想，坏了，部队找不着了，忙打电话问前面的副团长，你在哪儿？副团长说，我也不知道我在哪儿，好像是在什邡。我说不是说好了去绵竹吗，你怎么跑到什邡去了？副团长说，我也不知道咋回事，跟着前面的队伍就到什邡了。

文东后来才知道，绵竹和什邡，其实是一条路，走到半路上，前面的车拐了个弯，就拐到什邡去了。但文东当时什么也不知道，急忙给师长打电话，却怎么也打不通！他这下急了！当兵20来年了，还是黄继光英雄团的团长，走南闯北，上天入地，什么场面没见过，什么地方没去过，什么时候丢过队伍？这次真要走丢了，岂不成了笑话！后来，师长的电话终于打通了，文东急忙问师长，师长你在哪儿？师长说我在什邡。文东说我在绵竹，我们去哪儿？师长说，你到红白！文东说什么红白啊？师长说就是红白镇，红色的红，白色的白，那儿灾情严重，你尽快赶到，立即展开抢救！文东问，师长，红白怎么走？师长说，到洛水，过蓥华，再往前……刚说到这儿，电话突然断了，文东再打，就怎么也打不通了，再也打不通了！

文东说，我挂了电话，忙问老乡，到洛水怎么走？老乡说，路都震坏了，没路可走了。我找到一个交警，让他给我带路，他不干。我立即打开地图，一看，知道了红白的大致方位，决定走大路，主要是怕堵车。然后我打电话通知前面的副团长，让他带着队伍去红白；又打电话通知后面的田新，让他带着队伍也去红白。可我刚和田新说了一句话，电话又断了！我救人心切，急急忙忙跳到第一台车上，带着队伍就往红白赶！

文东带着队伍走了，殿后的政治部主任田新却乱了方寸。田新聪明、能干，脑子反应快，平常说话办事干净利落，非常认真，政治、文化素养也不错，而且近十年来还多次参加过全军各种军事大演习以及1998年的抗洪救灾等。尤其是他参加1999年国庆大阅兵训练时，高温60多摄氏度，鸡蛋打开摊在地上，立马都能熟了，他往武汉机场一站，裤腿下全是一片汗，即便一站就是一天，也扛下来了。但这次，一进灾区，他的脑子就蒙了！

田新说，我们从成都机场上车后，一心想着救人，根本就不知道车往哪儿开，当时只知道汶川，就以为肯定是去汶川，司机带我们去就行了。后来我打开车窗一看，怎么路牌上写的是德阳？我问司机，这儿离汶川还有多远？司机反问我，你们去哪儿啊？我说不知道呀，你不知道吗？司机说，我哪儿知道啊，你们去哪儿，我就把你们拉到哪儿。我一听，坏了！赶紧报告团长，团长说可能情况有变。话还没说完，车队已进入德阳，五六十辆车的队伍马上就被切割开了。我跑到前面问营长，营长说我也不知道，一天一夜没睡觉了，累得实在不行，刚迷糊了一会儿，一睁眼，前面的车就没有了。我忙给团长打电话，不通，再打，还是不通。我又用对讲机呼团长，呼不着，对讲机的电却快用完了。这下我傻了！跟队伍失去联系，怎么办？就在这时，我收到团长发来的短信，短信说，你现在在哪儿？一定要让部队跟上，不能掉队！我马上给团长回短信，可短信发不出去，发了好几次，还是发不出去！

这时我的对讲机响了，我拿起来，听见里面哧哧地响，团长说，田主任，我不管你想什么办法，你必须无条件地把队伍给我带到滚北！我忙问团长，什么滚北？滚北在哪儿？可话还没说完，信号突然断了，我急得又喊又叫，可除了哧哧的声响，再也听不见团长的声音。后来我才知道，团长说的是“红白”，不是“滚北”，但由于信号不清，我听到的就是“滚北”。于是我马上下达命令，队伍向“滚北”开进！并让营长殿后，我到第一辆车上带路。这样，每到一个路口，我就问老乡，滚北怎么走？老乡就告诉我，滚北怎么怎么走。说来也奇了，我用湖北话说的滚北，和四川老乡说的红白，谐音差不多，所以一路上我不断问“滚北”怎么走，老乡一路上告诉我“红白”怎么走，居然走到了洛水。这时候温家宝总理的车过来了，我们还让温总理的车先走。到了洛水，我看见一个警察，急忙跑过去，很严肃地对警察说，我们是从武汉赶来的空降兵部队，我们要去滚北救人，但不知道滚北怎么走，请你一定想法派一辆车把我们带到滚北！警察看着我，莫名其妙，问，什么滚北啊？我说就是滚北啊，大概是个小镇什么的。警察说，这哪有什么滚北啊？我告诉你，是红白，不是滚北！我一听，我的妈呀，当时就吓出一身冷汗！为什么？到灾区，就是到前线，这是打仗啊！如果我没有按照团长的指示，在第一时间赶到目的地，错失或者延误战机，作为一名指挥员，就是严重失职，那是要杀头的呀！后来一辆警车开过来，带着我们往红白赶。刚走到蓥华镇，我就看见团长了！一看见团长，我眼泪都快掉下来了！我问团长，副团长他们呢？团长说，我也不知道他们跑到哪儿去了！

其实，文东与田新中断联系后，一路过来，同样不易。队伍路过洛水时，文东并不知道里面的灾情严重，一看外面没人可救，就带着队伍继续往红白走，更不知道副团长带的队伍其实就在洛水。到了蓥华，文东才开始感到了灾情的严重。文东说，在武汉时，都说四川地震厉害，受灾严重，但说实话，一路上我并没有这种感觉，好像没有传说的那么严重。可一到蓥华，我看见镇上所有的房子几乎都倒了，街道上，马路边，躺着不少死人。受灾群众跑的跑，逃的逃，个个失魂落魄，惊慌失措，什么人都有，到处乱七八糟，一片乌烟瘴气，还有汽车、拖拉机、摩托车等，把蓥华镇全给堵了！直到这个时候，我才真正知道了地震的厉害。而我的战士们，也个个瞪着眼睛，眼里尽是诧异与惊恐，有的甚至呆在那儿一动不动。我问几个正往外逃的老乡，红白在哪里？老乡说不知道，一眨眼就跑得没影了。我又问另外几个老乡，红白怎么走？老乡说，到红白路不通，桥也断了，过不去，里边很危险，千万别进去！我心想，我就是要去过不去的地方，就是要去最危险的地方，不然的话要我们黄继光团干什么！这时候，我看见一个交警，就赶紧跑过去让他给我带路，交警不干，说现在很忙，离不开。我想，不带拉倒，我自己找，我就不信找不着红白！我带着队伍继续往前找，刚走不远，就碰见一个干部模样的人，一打听，是什邡市武装部的部长，姓姚，叫姚远。我把部队的情况简单跟他讲了一下，他说红白灾情非常严重，水、电全部中断，受灾群众没吃没喝，没有医生和药品，急需部队救援！我说那你赶紧带我去啊！他说通往红白只有一条公路，全部中断了，现在进去非常危险！我一听就来劲了，就像打仗时在前线突然发现了敌情！我说我就要去灾情最严重的地方，就要去最危险的地方，只要有人带路就行。我现在有几百人的队伍，后面还有！他说好，我这里有一车救援物资，车上有药品、食品和水，红白非常急需，但车进不去！我说车进不去，我就用人扛进去！就在这个时候，也就是我正需要人扛东西的时候，就看见满头大汗的田新带着队伍匆匆赶来了！我马上向田新和炮兵营营长下达了命令，立即搬运救援物资，向红白徒步开进！

红白，是什邡市最偏远、最孤独的一个小镇。红白地处龙门山脉中心地段——蓥华山麓，东与绵竹隔河相望，西南与彭州相连，西北与茂县接壤，距汶川最近的地方仅18公里。红白常住总人口3万余人，总面积332.93平方公里，除有蓥华山、八卦顶、青牛沱、黑龙池、南天门、太子城、佛光寺等风景名胜和前朝遗迹外，还有煤炭、磷矿、水泥矿、花岗岩等主要矿产，以及金河、通溪河、连山湾等水系资源。地震前，红白镇有36个村民小组的公路已经连通，镇内还设有三个火车站，照明、电话、光纤电视、移动通讯等，也实现了无缝覆盖。但汶川大地震，红白死亡1 000多人，伤2 397人，失踪358人，房屋倒塌1.5万多间，直接经济损失高达近100亿！

当团长文东带着部队向红白挺进时，天空下起了小雨。自12日下午起，灾区就开始下雨，红白地区更是雷电交加，雨水不停。官兵们提着方便面，抱着矿泉水，背着药物，扛着食品，上至营长、团长，下至班长、士兵，每人至少背负30斤，这还不算自己的行囊。为防止包装药品和食品的纸箱被雨水淋湿，官兵们用随身携带的雨衣把纸箱包起来扛着走，而自己则全身湿透。刚走不远，一阵刺鼻的异味扑鼻而来！官兵们抬头一看，前方半个天空，一片乌气沉沉。后来得知，这是地震时蓥峰实业公司的管道发生爆炸，引起液氧和氨气泄漏，在方圆1平方公里范围内形成死亡区。于是战士们立即掏出毛巾，将矿泉水浇一点点在上面，然后用毛巾捂住鼻子，弯腰低头，快速跑过“死亡区”！

后来，雨越下越大，路越走越难，一路是残崖断壁，一路是裂缝深坑。余震不断，山石不时滚落下来，发出轰隆隆的声响，像放鞭炮一样，一边走，一边还得随时躲避，其间经历了一处断桥，两处危桥，以及十几处山体滑坡和山石坍塌。田新说，他们开始扛着矿泉水，还觉得没什么，可走到后来，越走越沉，肩上的矿泉水简直就像石头一样！特别是有的小战士，才十七八岁，两条腿几乎就是拖在地上走。由于一天一夜没吃东西了，又饥又渴，又困又累，有的战士实在走不动了，很想把矿泉水扔掉几瓶，哪怕扔掉一瓶，也会轻松一些，但一想到里面的老百姓缺水，一瓶也没舍得扔。有的战士刚一扔掉，又急忙捡起来，而且自己渴得嘴上冒泡，也没舍得喝上一口！

队伍走到一个叫烂柴湾的地方，由于山体滑坡，无路可走，一打听，山民说附近有一条铁路桥，估计能过。文东带着部队来到铁路桥，却大失所望。铁路桥长约600米，宽约4米，桥下是四五十米深的河流和悬崖，12根桥墩已经整体下沉了约60厘米，整个铁轨也被悬置起来，官兵们双脚刚一踩在上面，桥梁就直摇晃，而且余震随时都有，一旦坍塌，任何人绝无生还的可能！

怎么办？是进还是退？

田新找到当地几个受灾群众，问，这桥能不能过？

群众说，一次过200多人，这桥从来没有过，还说，红白非常危险，已经死了不少人，里面的人都在往外逃命，你们千万不要进去，进去等于送死！

田新听了，又是一头冷汗。他和战士们找来木板，盖住桥上的空隙和漏洞，以免战士们看见桥下陡峭的悬崖和湍急的河流，引起心理恐惧。

文东仔细查看了地形，询问了情况，经简短分析，果断决定：250人的队伍，变成一路纵队，每人间隔七步，每五人中间，再插入一名干部，小步快速通过铁路桥！

接着，文东对身后的官兵说，你们别动，我先过去，等听到我的口令后再前进！说着自己扛起两箱矿泉水，第一个向大桥走去。

就在这时，炮兵营营长叶恒星一步冲了上去，横在文东的前面，说，团长，你不能先走，让我先过去！

紧接着，十几个连长、排长也站了出来，说，你是团长，不能先走，让我们先过去！

文东望着身边的弟兄，眼睛一下便湿了，但他很快大声说道，不行，没有我的命令，谁也不准动！说罢，一把拨开营长叶恒星，疾步向大桥走去。

大雨中，250名官兵的眼圈顿时全红了，他们望着团长的背影，迎着随风飘来的毒气与雨水，一起大声喊道：团长，小心……

随后，250名官兵扛着一箱一箱的物资药品，踏上了晃晃悠悠的铁路桥……

如果说，在此之前，地震对黄继光团的官兵们只是一个神秘的传说，那么此时此刻，当他们的命运与脚下晃晃悠悠的铁路桥紧紧连在一起时，才开始知道了地震的确切内容。后来不少战士告诉我说，刚踏上铁路桥时，双腿都在发抖，不敢往桥下看一眼，但一看见走在前面的团长，还有营长和连长，一想到要赶着进去救人，也就豁出去了，什么都不顾了！

下午6点，黄继光团250名官兵经过近两个小时的艰难跋涉，终于抵达红白镇！这是第一支成建制到达红白的部队，从武汉接到命令那一刻算起，只用了20个小时！

然而，见多识广的250名官兵刚一踏进红白，全都惊呆了！

此时的红白，几乎成了一座空城。到处是尸体，到处是伤员，到处是血迹，到处是泪水，到处是哭喊的、逃命的。从下午起，数以千计的受灾群众纷纷背井离乡，冒死踏上了逃亡之路。伤员能抬的抬出去了，能背的背出去了，剩下的，不是死的，就是残的；不是老的，就是少的；不是忙着救人的，就是哭着找人的；不是趴着求救的，就是躺着等死的……

红白镇办公室副主任文孝桂告诉我，地震发生后，红白的交通、通信全部中断，与外界彻底隔绝，成了一个孤镇！大约十分钟后，我们就派出第一拨到什邡报信、求救的人，但出去后都没有回音；半小时后，我们又派出第二拨人，还是有去无回；后来每隔半小时我们就派出一拨人，一连派了五拨人，都没有一个返回的！后来才知道，通往红白唯一的一条公路，因山体滑坡，全被堵塞，加上蓥峰实业公司的液氧和氨气泄漏后形成了“死亡区”，所以我们五拨人冒死冲出去后，再也无法返回。而外面要来红白救援的队伍，又必经洛水，一到洛水，就被洛水拦腰截住，所以导致红白的救援出现空白！我们只好组织自救。当时，红白镇惨不忍睹，一片惊恐！

镇政府机关垮了一栋半楼，镇上的干部死了 4 个，还有 9 个干部的亲人也死了。光是一个木瓜坪村，受困群众就有 1 800 多人。镇上全是伤员，全是尸体！过一会儿就抬出一批尸体，过一会儿就又抬出一批尸体。有的人刚抢救出来是活的，过一会儿就死了！两个小时大概救了 300 人出来，不一会儿就死了 30 多个！直到 12 日晚上 10 点钟，什邡市的副市长蒋明忠和武装部部长姚远，才冒着危险带着人员赶到了红白。

文东告诉我，说实话，到了红白，我才看见了真正的灾情，也才真正知道了什么叫地震！我经历过很多残酷的大场面，但像这样惨烈的场面，第一次！

田新告诉我，尽管空降兵参加过国内许多重大的抢险活动，但参加抗震救灾的活动，却是第一次。战士们亲眼见到那么多的死人，更是第一次！虽然在嘴上谁都不说什么，但每个人的心里，都是胆战心惊的！

炮兵营营长叶恒星告诉我，走进红白镇时，我才知道，真正震撼我们的，不是一路上看到的倒塌的房屋，垮掉的大山，沉陷的路基，震断的桥梁，而是人——那些横七竖八躺在路边上的死人，以及一群群从山里拼命往外逃命的活人！他们两眼空空，面无表情，眼睛里除了绝望，就是绝望，除了恐惧，还是恐惧！尤其是那些一排排躺在学校操场的孩子，我一看见，就想哭！如果不是亲眼看见这些，我永远无法知道地震的确切含义。

文东很快找到红白镇指挥部，报告了部队前来救灾的情况，请求分配抢险任务！在文东报告的时候，250 名官兵就整整齐齐地站在指挥部的帐篷前，个个摩拳擦掌，恨不得马上奔赴救人现场！

遗憾的是，此时天色已晚，加之红白停水停电，通信中断，到处黑灯瞎火，混乱不堪，救援工作很难展开。指挥部希望部队先把急需抢救的伤员连夜送出，明日一早再展开救援。这让黄继光团的官兵们大感意外！因为从武汉出发，千里迢迢，一路紧赶快赶，就是为了尽快赶到红白，扑向废墟，抢救亲人！没想到好不容易赶到现场，拳脚尚未施展，却要无功而返！就像打仗，刚刚冲到前线，敌人的影子还没见着，一枪未放，就立即撤退！于是不少官兵们感到非常憋气，甚至有点窝火！

但是，当官兵们看见马路边上、救灾棚里、卫生院门口那些濒临死亡、极度恐慌的伤员，尤其是看见学校门口那些躺在地上不停呻吟的孩子和守在孩子身边孤立无助、哭哭啼啼的母亲时，心中的那点憋气顿时烟消云散，代之而起的是一种悲悯，一种责任。于是文东一边安排部分人员就地展开最急需的抢救，一边带着几个干部查看镇上的重点灾情，同时安排部分人员准备转送伤员的工具。准备工具的官兵接到命令后，立即行动，就地取材，用木棒、门板、家具或衣服、床单、编织袋等，迅速绑扎起一个个简单的担架，然后把一个个伤员抬在上面。担架不够用，就安排部分战士把有的孩子抱在怀里，或者把老人背在背上。

一切准备就绪，文东一声令下，带着运送伤员的队伍，又匆匆离开了红白！

此时，已是晚上10点，长长的山谷，死一般的漆黑，死一般的沉寂。队伍刚走出几百米，老天就下起了大雨。官兵们一天没进一粒粮，没喝一口水，体力早已严重透支，再加上天黑路滑，道路不熟，余震不断，不时还得躲避山上滚落的石头——有一块石头从山上滚下来，砸在一个地方干部的腿上，粉碎性骨折，当时就卧地不起。来到金花镇大桥时，桥断了，过不去，而余震却还在不断继续。战士们就背着伤员走，抬着伤员走，扛着伤员走。伤员在战士的背上喊，在担架上叫，战士们则默默地哭。汗水、泪水、血水纷纷滴落下来，流在战士们的脸上、身上以及身后长长的路上。为防止伤员感染，战士们取出雨衣，或者脱下衣服，盖在伤员的身上，然后咬着牙，一步步地往前挪。特别是路经铁路桥时，为防止伤员下滑，有的战士竟用单腿跪着抬担架！等队伍返回蓥华镇，已近深夜12点了。当官兵们把伤员交给地方负责人时，有几位伤员竟从担架上挣扎着爬起来，扑通跪在了官兵们的面前……

这个夜晚，黄继光团的官兵们草草吃了点干粮，连衣服也没脱，就睡在了车上。谁都累得半死，却谁也睡不着。一个战士告诉我说，这个晚上他感到非常恐怖，非常害怕，但又很兴奋。刚刚经历的这一天，像一场噩梦，一闭上眼睛，那些路边上死去的受灾群众和躺在担架上的伤员，以及孩子们的遗体和抱着孩子遗体哭诉的母亲，就像电影镜头一样，不停地在脑海里闪来闪去，根本无法入睡。结果第二天起来，眼睛全是红肿的。田新告诉我说，战士们除了心理上的恐慌，还有一个原因，就是余震不断，一有余震，就能感觉到车轱辘又蹦又跳，像跳迪斯科似的。我怕汽车的刹车刹不住，溜车，就叫战士们搬来石头，把所有汽车的轮胎全给垫上了！

文东这个晚上也没睡觉，不是睡不着，而是压根儿就没睡。由于通信不通，已经深夜12点多了，他还没有和师长、副团长联系上。也就是说，他仍不知道师长带的队伍在哪儿，副团长带的队伍又在何处。作为一个指挥员，失去了与上级的联系，缺了团队的兵力，是绝对不可以的！文东连一口饭也没吃，便带上通信股长，又拉着什邡武装部部长姚远，先洛水，后蓥华，到处找师长，找副团长！因为他必须要把红白镇的灾情向师长及时汇报。而他并不知道，师长和副团长也在到处找他。等他终于找到师长和副团长时，已是凌晨2点多了！

直到凌晨5点，文东才带着黄继光团的750名官兵，以急行军的速度，浩浩荡荡，再次挺进红白！而黄继光团的另两支队伍，一支由政委孙传海带领645名官兵去洛水；一支由翁副团长带领300名官兵奔湔氐。只是谁也没想到，抗震救灾这一仗，远远超出了他们的想象！

踩着死人救活人

如果说在战场，军人最大的炫耀，就是打了多少胜仗，缴了多少武器，杀了多少敌人；那么在灾区，军人最大的炫耀，就是救了多少亲人，运了多少伤员，挖了多少尸体，刨了多少坟坑，埋了多少死人！

但救人没有那么简单。

首先是怕。以黄继光团为例，全团共有1 672人，均是70后生人。其中，70后的干部103人，战士123人；80后的干部95人，战士1 236人；90后的干部为零，战士115人。80后、90后干部战士加起来，一共1 446人。即是说，黄继光团有1 446人都是80后、90后的“青年军”，而其中有一部分还是刚刚下连队才八天的新兵——最小的只有16岁！他们和那些躺在废墟下等着被救的娃娃——比如高中生——年龄不相上下，有的甚至还要更小！难怪灾区的老百姓见了他们，都叫“娃娃”，这些“娃娃”在唐山大地震发生时还没有出生，自然没见过地震，更没见过地震中的死人！因此，当他们踏入灾区，冲进废墟，一旦面对一具具狰狞恐怖、惨不忍睹的尸体时，能不怕吗？

黄继光团三营营长张同春告诉我说，我们路过洛水镇政府门口时，看见摆放着许多尸体，我怕战士们看了受刺激，受不了，马上下令，把车上所有的窗帘都放下来，不让战士们看。一个连长悄悄跟我说，营长，让我们看一眼嘛，我说不行。连长说，就看一眼，我就同意了。没想到，刚一打开窗帘，战士们一看见地上的尸体，所有的人都不说话了，连气都不敢出了，眼睛直直的。到了红白，我第一天带着战士去救人也是这样。有个老乡，说他爱人埋在下面了，还活着，因为他听见了他爱人的手机铃声。战士们一听就很兴奋，马上冲进废墟就开干，可刚刨了两下，就发现一块预制板中间卡着一个人，却是个男的，已经死了！战士们第一次看见自己亲手刨出来的死人，一下就愣在那儿，像根木头桩子似的，眼睛直愣愣地看着地上，一动不动。我叫他们的名字，没有反应，我再叫第二次，还是没有反应，直到第三次我大喊一声，他们才像做梦似的，一下惊醒过来。晚上吃饭时，也不像平常在连队，有说有笑，打打闹闹，而是非常安静，没有一个人说话，没有一点声音，大家端着饭碗，举着筷子，愣在那儿，半天不动一口。

黄继光团参谋长彭元军告诉我说，战士们最害怕的是晚上。13 日晚我们住在洛水镇，战士们到处找厕所，但洛水镇乱糟糟的，找不着。后来问老乡，老乡说走过前面一条街，再拐一个弯就是。战士们走到前面一看，是个院子，地上怎么睡了好几百个人？有大人，有小孩。再走近一看，原来全是死人！战士们顿时吓得哇哇乱叫，转身就跑。后来才知道，那是洛水镇镇政府的大院，12 日和 13 日从废墟上抬出来的尸体，全都摆放在那里。虽然战士们下午也看见了尸体，却是分开的，一具一具的，现在几百具尸体集中堆在一起，又是晚上，当然就非常恐怖了！所以战士们憋了整整一个晚上，也不敢去上厕所。还有一件事，就是地震后头两天，洛水镇的社会治安非常混乱，有人到处造谣，特别是到了晚上，有十个人骑着摩托车到处喊叫：有人抢劫了！有人抢劫了！其实并没有抢劫，搞得整个洛水镇人心惶惶，一片恐慌！地方政府希望我们出面维持秩序，给了我们一辆小拖斗车，当天晚上我就派了几个战士开始巡逻。上半夜，他们集中精力巡逻，并没注意坐的什么车。后半夜，有人总觉得不对劲，总感到屁股下面的气味都很熟悉。突然，一个战士大叫一声，说，我想起来了，这辆车就是下午装运尸体的那辆车！大家细细一看，果然就是。这下麻烦了，不想都不行，越想越害怕，两个十七八岁的战士马上就哆嗦起来。第二天一早，他们连长就找到我，说，参谋长求你一件事。我说什么事？连长说，巡逻的战士向我反映，说他们什么困难都不怕，就怕坐那辆车，因为那辆车起码装运过上百个死人，能不能换一辆？我听了后觉得应该换，就找地方负责人交涉。可当时车辆非常紧张，实在没车可换，战士们只好继续使用这辆车。特别是到了深夜，整个洛水镇死亡的气息非常恐怖，别说小战士坐在装过尸体的车上害怕，就是我们干部在街道走上几步，心里都瘆得慌。但没办法，为了老百姓的安全，几个战士就相互挤在一起，背靠着背，手拉着手，每晚坚持巡逻！

一个参加过洛水镇小学救人的战士告诉我说，我从来没见过地震后的场面。第一天冲进废墟时，看见到处是鲜血，到处是尸体，脑子顿时蒙了，额头冒汗，手忙脚乱，心跳加快，气都不敢出，当时就吓傻了！

一个参加过北川中学救人的战士告诉我说，去灾区之前，我以为地震最可怕，到了灾区救人的现场，我才知道，原来死人比地震还要可怕！12日晚上，我们稀里糊涂就去救人，开始也许太紧张，太突然，救人的时候，只管往外抬人，好像没时间感觉怕不怕。到了后半夜，实在太累了，班长让我们轮换着休息一下，我们刚一坐在地上，头一歪，身子一倒，就全在地上睡着了。后来听见班长在喊，快起来！快起来！我睁眼一看，我的妈呀，我的身边全是死人！因为就在我们刚才迷糊的时候，废墟上的尸体不停地往下抬，所以我就和一堆死人睡在一起了！我当时就吓坏了，两腿发软，浑身哆嗦，心里像地震似的抖个不停。但没办法，一声令下，我们又冲进了废墟，真的，我们是踩着死人救活人！

其次是官兵们没有救人的经验。可以说，凡是奔赴灾区的军人，如同一群跃进战壕的勇士，个个都想建功立业，一战成名，心里想的第一件事就是救人！不少部队在去灾区之前就动员说，救人是关键，救人是第一，多争取一秒钟，就能多救一个人；多扛一根房梁，就能多为亲人减少一分痛苦；多搬一块砖头，就能多给孩子一次生存的机会！所以一定要争分夺秒，拼命救人！但愿望不等于现实，想救人是一回事，能不能救人又是另一回事。战士们个个求战心切，浑身是劲，却常常有劲使不上。灾区胜似战场，却不是战场。战场面对的是敌人，灾区面对的是亲人。战士们虽然演练过怎样打仗，如何杀敌，却从来没有演练过地震后如何救人，而历史留给他们的经验又是零。所以，当他们冲进废墟，面对那些废墟下呼救的亲人，尤其是孩子时，常常束手无策，不知所措。一个参加过北川中学救人的战士告诉我说，他是练过武术的，功夫相当不错，可当他冲进废墟时，到处都是呼救声，这儿在喊“解放军叔叔，救救我吧”，那儿也在叫“解放军叔叔，快来救我吧”。他心里痛苦极了，恨不得一口气把他们全部救出来，却不知道用什么办法能救他们，更不知道到底应该先救谁，后救谁。他恨自己练了一身功夫，却无用武之地！一个参加过洛水中学救人的战士告诉我说，他入伍才三个月，下连队才20天，既没打过枪，也没扛过炮，更没学过如何救人。开始冲击废墟时，他信心百倍，一看见血淋淋的场面，就手忙脚乱，脑子一片空白！因为这种场面他从来没见过，甚至从来没听说过！

三是缺乏救人的工具。由于不少部队出发之前，并不清楚地震后应该怎么救人，再加上走得匆忙，没有什么准备，只带了一把铁锹，或者一把铁镐，有的干脆什么也没带。等到了现场，原来的预想与残酷的现实大相径庭，既没有生命探测仪，又缺少针对性的工具，手中的铁锹、铁镐几乎没有用武之地。比如，在红白镇救人时，三个抢救点，仅有一把钢筋钳，只能在废墟上传来传去，轮番使用。因此，当现场没有工具，或者不能使用铁锹、铁镐时，战士们就只能用手刨！

四是和遇难者亲属有冲突。在救人现场，开始什么人都有，秩序非常混乱。但救人，现场不能乱，必须有全局观念，统一组织，统一指挥，分先后次序，轻重缓急，既需要理性，还需要安静。如果各自为战，结果反而适得其反。为了确保救人的有效实施，军人一边充当救星，一边充当保安，维护现场秩序，不让遇难者的亲属随便冲进废墟。但部分遇难者的亲属，尤其是部分学生家长，眼睁睁地看着自己的孩子压在下面，并清清楚楚地听见自己孩子的呼救声，作为亲生父母，不去救自己的孩子，还算父母吗？还算人吗？所以情绪非常激动，硬是要往里冲！虽然他们也的确看见军人们满头大汗、冒着生命危险在抢救自己的孩子，甚至有的还受了伤，同时也看见有的战士还是个孩子，当他们面对鲜血和尸体时，一双双稚嫩的眼里充满的是惊慌与恐惧，甚至有的愣在那儿不知道该怎么救人。有个别的家长就急了，甚至完全失去理智，拼命往里冲！于是，军人与百姓在废墟上的冲突便不可避免地发生了，和平年代的军人便有了前所未有的尴尬、无奈甚至委屈。而这种尴尬、无奈与委屈，又无法言说，只能让它和自己的泪水一并吞进肚子里。一位战士告诉我说，一个学生的妈妈要冲进去，被我拦住了，这位妈妈就使劲推我，还用手指抓我的脸，鲜血当时就从我的脸上流了下来。但我忍住了，想，自己的脸再痛，也没有妈妈失去孩子的心痛。如果她抓我心里好受一些，就让她抓吧！

尽管如此，救人是无条件的。哪里有人求救，哪里就必须出现军人！

5月13日下午4点20分，黄继光团二营刚到洛水，气还没来得及喘一口，就接到了救人的命令！二营是黄继光团的先遣营，每次重大任务，总是打头阵。营长叫肖亮，四川人，家就住在都江堰，地震时父亲在映秀旅游，地震后杳无音信。12

日晚，肖亮得知家乡地震和父亲的消息后，一夜没睡，第二天上了飞机，仍嫌飞机飞得太慢！但到了洛水，肖亮根本无暇顾及父亲的死活，甚至连问一句的时间都没有，带着突击队便赶到了洛城小学。此时的洛城小学，还埋着几十个孩子！现场没有大型机械，肖亮便安排人工作业。这时天空下着雨，官兵们跪在废墟上，手上、脸上、身上全是稀泥。不到一个小时，手套就刨破了，有的战士甚至连手指也抠烂了，血水刚一渗出，就被雨水冲走了。夜幕很快降临，没有灯光，他们就借助手电作业，一旦发现有生命迹象，再用手一点一点地抠，一点一点地刨。后来雨越下越大，官兵们的脸上，已分不清哪儿是雨水哪儿是泪水，但他们一刻不停，很快救出了一个又一个孩子。

到了深夜12点，还有七个孩子埋在下面！官兵们着急，家长们更着急！由于没有现代化的探测仪器，肖亮只好带着机炮连的战士，趴在废墟的角落或者缝隙处，扯着嗓门大声呼喊：下面有人吗？下面有人吗？孩子，你在哪里？孩子，你在哪里……每隔五分钟，他们就喊一次。可洛水镇一片漆黑，一片死寂，除了天上哗哗滚落的雨水声，街上受灾群众偶尔仓皇逃过的脚步声，以及地上随风飘零的树叶声，听不见孩子们的一句回应！由于天热，官兵们的嗓子很快就喊哑了。凌晨3点，他们终于发现了第一个孩子。凌晨6点，30多个孩子全部救出！可惜，30多个孩子中，只有三人幸存！

第二天中午，肖亮又接到了去洛水新金河水泥厂救人的命令。新金河水泥厂面积几百平方米，毁坏严重，压在里面的人全都救出来了，唯独一个机修工，怎么也找不着。肖亮带着六连官兵赶到现场时，机修工的妻子趴在废墟边上，已哭得死去活来。可肖亮他们挖了半天，也不见人影。当时，偌大的厂房摇摇欲坠，一有余震，便有水泥、砖块、房梁纷纷落下，所以里面一直没人敢进。为了搞清厂房的内部结构，判断准确的挖掘位置，肖亮下令战士原地待命，自己则不顾战士的劝阻，钻进厂房，一边观察，一边不停地呼喊着机修工的名字。而守在外面的几十个战士，也一边抹着眼泪，一边呼喊：营长，快出来！营长，快出来！尤其是肖亮的通讯员，趴在工厂歪歪斜斜的铁门前，盯住黑漆漆的厂房，边哭边喊，嗓子都喊哑了……但肖亮最终还是没有找到那位机修工。

就在这时，移动通信公司的一辆应急通信车开了过来，手机突然有了信号。肖亮灵机一动，让机修工的妻子给丈夫拨打手机，看看有没有反应。妻子恍然大悟，立即拨打，奇迹出现了——丈夫的手机居然是通的！妻子的眼泪一下便哗哗地流了出来，官兵们也振奋不已，立马来了精神。为了准确判断机修工在废墟下的位置，肖亮让战士们停止说话，保持安静，用耳朵去听手机的铃声。于是几十个战士分头趴在废墟上，让自己的耳朵紧紧贴着地面，然后屏住呼吸，反复倾听。片刻，战士们果然听见了手机的铃响声，有的说是震动声，有的说是乐曲声，肖亮和两个战士听见的则是广播电台声。

可当战士们终于挖出机修工的半截身体时，一股恶心的气味顿时扑鼻而来。战士们明知遇难者已气绝身亡，却只流泪不说话，任由机修工的妻子继续一次次地拨打着手机！当机修工的尸体被战士们用手全部刨出后，战士们这才惊奇地发现，机修工的头和双腿已经砸扁了，但他的手上，却依然紧紧攥着那个一直铃声不断的手机！

5月13日下午4点40分，黄继光团机炮连连长鲁旭带着一个排的兵力赶到宏达集团公司家属区救人。家属区是一栋六层高的楼房，楼房整体已经全部扭曲，随时面临坍塌的可能，但楼房里还压着15个人！当时，天空下着雨，雨中的挖掘机正在作业，鲁旭立即指挥战士们协同挖掘机实施救援！但一个多小时过去了，眼看天色渐暗，依然不见遇难者的身影。突然，一名男子跑到鲁旭面前，哀求说，解放军同志，我老婆还在下面，又饿又冷，太可怜了，你们可千万不要扔下她不管啊！鲁旭抓住他的手说，放心吧，老乡，今天不把你老婆救出来，我们绝不离开，就是用手刨，我们也一定要把她刨出来！

下午6点30分，战士们终于用手刨出了遇难者。可遇难者已被钢筋穿破后背，头也变形，模样惨不忍睹，战士们刚看了一眼，便吓得目瞪口呆，愣在那儿，两手发抖，再也不敢往下刨了。这时，所有遇难者的亲属和围观的人群，眼睛全都盯着废墟。鲁旭小声说了一句：弟兄们，你们回头看一看，周围的老百姓都在看着我们呢！战士们愣了一下神，又很快蹲了下去，继续用手刨……但由于遇难者脸朝下，一只手在背后，另一只手埋在下面，操作非常困难。于是为保证遇难者不受到损伤，鲁旭单腿跪在地上，双手托住遇难者，使其身体悬空，然后再让战士们从侧面一点一点地挖，一点一点地刨……尸体完整清理出来后，鲁旭又抱起尸体，小心翼翼地走出废墟。两个战士迅速脱下雨衣，盖在死者的身上；围观的受灾群众则纷纷举起塑料布，挡在官兵们的头上；而那位在大雨中亲眼目睹了一切的男子，竟跪在地上，抱着鲁旭连长的双腿，久久不起。

5月14日中午，黄继光团参谋长彭元军正在洛水中心小学组织救人，几个回民急匆匆跑来求救！当时所有连队都救人去了，彭元军身边就剩下了一个兵，背着两部电台，加上他自己拿着一部对讲机，就是司令部指挥所了。但彭元军立即通知军务股股长曾建中，哪怕找几个机关的新兵，也必须赶去救人。曾建中带着战士赶到现场后得知，遇难者祖宗三代都是回民，埋在下面的，一个是他们的父亲，一个是领头人的妻子，他们开始自己挖，后来看见了头发和血迹，就再也不敢往下挖了。曾建中立即组织战士实施抢救。两小时后，遇难者刨出来了，却没有了呼吸，而且尸体已经开始腐烂，很难往外挪动。而几个战士都是曾建中顺手“捡”来的小新兵，下连队才一个星期，敢于动手刨人，已经相当了不起了，现在要挪动尸体，却害怕了！曾建中也怕，可他是干部。后来在他的鼓励下，一个17岁的新兵终于鼓起勇气，帮他一起挪动尸体。新兵没有一点经验，再加上心里本来就怕，刚一触到尸体，一股尸水便从死者的肚子里喷了出来，溅到曾建中的脸上！在场的战士和围观的人群顿时发出一片惊叫！甚至连遇难者的亲属也吓得连连倒退几步。但曾建中一句话也没说，抬起胳膊，用衣袖轻轻擦了擦脸，捡起废墟上的一床被子，轻轻包裹好，然后再把尸体慢慢抬出废墟。曾建中万万没想到，当他放下尸体直起腰杆时，突然发现，遇难者祖孙三代几十个回族同胞——上至80多岁的老爷爷，下到五六岁的小孙子，全部跪在了他和战士们的面前！

军人的善举感动着百姓，百姓的爱心同样震撼着军人。

5月14日早晨，奋战了一夜的二营四连官兵正准备回撤，一位中年妇女突然跑过来说，旁边居民区有一个小女孩和她的爷爷、奶奶还埋在废墟里！四连连长立即带着人马赶到现场，脚跟尚未站稳，余震突然降临，只见已经塌陷的三层楼房上，瓦片、碎石、泥块纷纷下坠。后来通过喊话，他们听到了小女孩在楼上很虚弱的哭泣声。经过好一番折腾，他们利用倒塌的缝隙，终于扒开了一个只能容一人进去的4米深的洞。排长殷果主动请缨，冒险爬进洞内，眼前的情景竟让他感动万分：一个小女孩蜷缩在墙角，瑟瑟发抖，她的头上是一块一米多长的斜压在墙角的预制板，身边是两位六七十岁的老人；两位老人双膝跪在地上，相互搂抱着双肩，年迈的身躯至死也死死扛着那块斜压过来的预制板！很快，余震再次袭来，殷果迅速将满头是血的小女孩紧紧护在自己怀里，爬出了洞口。获救的小女孩却死活不肯离去，向着倒塌的楼房，大声哭喊着："我要爷爷！我要奶奶！"

5月15日上午8点，黄继光团机炮连指导员郑荣带着队伍刚刚来到宏达股份有限公司家属区，一个大约20岁的小伙子就拉着他的手哭喊着说：解放军叔叔，我舅舅、舅妈、表弟一家三口，全埋在里面了，求你们救救我的亲人吧，我表弟才8岁啊！郑荣立即带着几名骨干展开救援！当三位遇难者全部现身后，官兵们看见的是一个令人难以置信的画面：一家三口坐在地上，父母的双臂搭在一起，彼此头顶着头，垮塌下来的砖块、钢筋、混凝土全部砸在了他们的头上和身上；而被护在下面的孩子，则坐在两人的中间，手抱着爸爸的腰，头靠着妈妈的胸，全身上下，干干净净。尽管孩子早已死去，身上却没留下一道伤痕，像静静地睡着了一样！如此不可思议的父爱母爱，让全连官兵感动得热泪盈眶！他们将遗体清理干净后，自觉站在一排，面对三位遇难者，恭恭敬敬地敬了一个军礼！在场的百姓也被感动得泪流满面，跟在抬着尸体的官兵们的身后，愿为这对伟大的父母送上最后一程。

5月15日下午2点，副参谋长杨勇琦带着队伍到洛水科化水泥厂搜救，看见一个男人蹲在废墟边上，死死盯着倒塌的厂房，脸色苍白，目光呆滞。杨勇琦一打听，这是一个山西男人，妻子在科化水泥厂打工，地震后他从山西急忙赶来，却没有找到妻子。水泥厂的人不管是死是活，是伤是残，全都抢救出来了，唯独他的妻子却不见踪影。三天来，山西男人一直守在水泥厂门口，无论白天夜晚，不管刮风下雨，不吃不喝，一刻不离。他对杨勇琦说，他心里有感应，妻子肯定在里面，肯定还活着！现在，他什么都没有了，就剩一个老婆了，即便老婆死了，也该留下一具尸体。不管老婆是死是活，如果不找出来，他就一辈子守在这里！希望解放军一定帮他找到妻子！听了山西男人的哭诉，杨勇琦和在场的官兵们非常感动。一个外地打工者，无权，无势，无钱，除了对妻子的一片深情厚爱和绝对忠诚，还有什么？什么也没有！这个时候军人不帮他，谁帮他？所以杨勇琦对战士们说，既然他的妻子没有找着，就很可能仍在里面。再说了，老百姓有这个要求，无论有多大的困难，我们一定要想办法满足！即使他妻子已经去世，我们也要挖出一具完整的尸体，给他一个交代！

但杨勇琦领着官兵们挖了一个多小时，还是没有找着。这时，有的老百姓见他们实在太辛苦了，便过来劝说道，算了，不要再找了，水泥厂下面有高温池，可能掉到坑里被烧化了。但官兵们还是不甘心，找来纸和笔，询问工人厂房结构情况，然后画出草图，反复分析，看地震时她可能会往哪儿跑，是厕所？还是厨房？是客厅？还是过道？最后判定两个点，一是楼梯，二是窗户，然后集中这两个点再挖。结果，只用了一个多小时，便在楼梯口找到了山西男人的妻子。山西男人一见妻子，疯了一般冲上去，抱着妻子痛哭不止。为防止瘟疫，官兵们赶紧将他拉开，他却坚持要把尸体背回山西。后经官兵们反复劝说，并答应一定帮助他安葬好妻子，他这才勉强同意。于是，按照山西男人的心愿，杨勇琦带着战士们选了一块好地，为他安葬了妻子。妻子刚刚掩埋完毕，山西男人就扑通跪在地上，向官兵们磕头致谢！而后趴在妻子坟前，放声大哭，直至第二天傍晚，才一路流着眼泪离开了洛水。

在洛水救人的同时，文东团长带领队伍到达红白镇后的第一件事，也是救人！而救人中遇到的问题，和洛水几乎一样，不是缺乏救人经验，就是缺少救人工具，面对废墟中求救的孩子和百姓，官兵们常常感叹的，同样是英雄无用武之地！

政治部主任田新说，由于我们既没有日本的生命探测仪，也没有韩国的搜救犬，其他有效的救人工具也很缺乏，所以战士们刚开始冲进废墟后，确实不知道该怎么救人。而且废墟上空间有限，除了几个人能作业外，其余的人只能站在那儿看。为了尽可能在最佳时间多救人，大家动脑筋，想办法，比如，大致方位不知道的，就先问，问亲人，问街坊，问邻居，问路人；具体目标不明确的，就先想，想哪儿可能有人，哪儿可能没人，是在厨房、卧室、卫生间，还是通道、走廊、饭厅？难以下手的，就先看地形，看结构，看洞口，看缝隙，看有没有潜在的危险；再就是多听——用耳朵贴在废墟上听，多喊——用嘴巴对着洞口喊，或者捡个脸盆对着缝隙敲，拾根棍子反复拍打预制板。一旦发现有人，为防止灰土掉进遇难者的呼吸道，战士们就先用嘴把遇难者脸上的灰土吹掉，然后找块塑料布挡在遇难者的四周，接着用钢钎先撬开大的预制板，再用绳子拉出来，用肩扛走，最后再用铁镐挖，铁锹铲，双手刨。反正不管是几层高的楼房，都一层一层地往下扒，像剥洋葱一样——由于每救出一个人来，战士们都会流泪，所以战士们把这叫作“剥洋葱”！

为了多救人，黄继光团采取的是24小时不间断、轮流作业的方式。战士们冲到哪里，就把印着“黄继光生前所在团”八个大字的红旗插在哪里。红旗插在废墟上，像一团熊熊燃烧的火，鲜艳，耀眼，给人以信心与力量。战争年代，红旗插上山头，是一种胜利的标志。今天，红旗插在废墟，却表示一种存在，一种象征，一种希望。它像蓝天下一双清澈的眼睛，看着废墟上的活人和废墟下的死人，看着每一个人的行动与每一个人的表情。而老百姓从这面旗帜上看见的，则是八个血写的大字——舍己为人，拯救苍生！

有个战士告诉我说，有一天接到救人的命令后，他扛着红旗跑在队伍的最前面，不知是余震，还是路滑，突然一下就摔倒了！他双膝跪在地上，但手中的红旗却没有倒。他爬起来扛着红旗继续往前走，直到把红旗稳稳地插在废墟上，才腾出手来揉了揉自己的膝盖。可等他晚上回到帐篷，却脱不下裤子了，因为膝盖上的血已经把裤腿完全粘住了。

还有一个战士告诉我说，他们到灾区后，曾经扛着“黄继光生前所在团”的红旗去过英雄黄继光的家乡，并瞻仰了英雄的墓地。但英雄的家乡让他感到迷惑——他做梦也没想到，黄继光的家乡至今依然还很贫困！他看见一个大娘站在路边，望着他们，眼里充满了饥渴，充满了忧愁，甚至还有某种乞求。那一刻，他受不了了，不知道该说什么不该说什么，更不知道该做什么不该做什么。最后，他把自己兜里仅有的50元钱放在了大娘的手上，然后望着黄继光家乡那片荒凉的大山，深深鞠了一躬。回到驻地后，每次一到现场救人，只要看见废墟上的红旗，他就会想起黄继光的家乡，想起那位站在路边上的大娘，浑身上下好像真的就长出一股劲来！

的确，战士们虽然是第一次看见废墟，看见尸体，看见死亡，可当他们见证了废墟上一个个的活人如何变成了一个个的死人——从最初的拼命呼救，到声音逐渐变弱，直至最后没了表情，完全没了气息，没了心跳的全过程之后，渐渐从胆怯变成勇敢，从懦弱变成坚强。他们将所有的悲伤与哀痛全都憋在心里，整天在脑子里琢磨的，就是怎么救人，怎么多救人！

为了救人，有的战士指甲盖都刨掉了，仍然坚持，医生为他包扎伤口时，感动得直掉眼泪。炮兵营有个战士，大腿上长了一个疖子，开始不吭气，谁也不知道，后来发现他走路一瘸一拐的，强行把他从废墟上拖到救护所，医生扒开他的裤子一看，腿部四周都变黑了。医生生气了，说你怎么不早点儿来看，不要命啦！他说，我只顾救人，忘了！

二连有个班长，叫王进，5月12日7点接到哥哥在广州遭遇车祸的电话后，连队考虑到他哥哥是家中的顶梁柱，批准他去广州照料哥哥，并买好了次日10点的火车票。但当晚11点30分，连队就接到了赴四川抗震救灾的命令。于是王进找到连长，坚决要求到灾区。他说，我的哥哥现在已在医院抢救了，但灾区还有好多人在等着我们去抢救！来到灾区后，他每天第一个赶到救人现场，最后一个撤出废墟，还亲自救出了两个人。但由于过度劳累，他本来就腰肌劳损的腰疼得直不起来了。排长说，你腰疼，先休息一下。他却说，我的腰是疼，但看到那些缺胳膊、砸断腿的乡亲和那些被楼板砸死的孩子，我的心更疼！

炮兵营还有一个战士，叫张震，胳膊缝了九针，一缝完就冲进废墟，拦都拦不住，赶都赶不走。医生让他必须休息，他就趴在帐篷里写血书。

此外，还有不少战士的家就在四川灾区，光炮兵营和三营两个营，就有40多个。有的找不到父母，有的找不见兄妹，有的失去任何联系，但他们不讲自家的情况，甚至有的领导问到了，还隐瞒实情。我曾经和这些家在灾区的四川小老乡举行过一次座谈，问他们担不担心家人，他们说看到灾区这么严重，说不担心，是假的。但这儿除了救活人，就是刨死人，每天要干十七八个小时，累得半死，根本就没有时间去担心。再说了，担心有什么用，与其分心，不如全力救人，谁让我们是军人呢！有个家在江油的战士，叫陈雪，离红白镇只有80公里，他到灾区后天天拼命救人，既不知家中受灾情况，也不晓得父母是死是活。指导员担心他的情绪，找他谈话，他却回答说，指导员你放心，没事的，我在灾区救别人，别人肯定也在救我家的人！

炮兵营营长叶恒星，更是红白镇废墟上最抢眼的一个。叶恒星体格精瘦，脑子聪明，举手投足间冲劲十足，血气逼人，一个典型的“亡命徒”！他常挂在嘴边的一句话是，做人就要有血性！血性就是勇敢、善良、智慧、刚强！他说，我带这么多年兵，一靠人格去感染人，二靠能力去征服人，只要做到了这两点，战士们可以站出来为你挡子弹！他还说，要做好一个军人，首先得做好一个人，一个有良心的人！所以，5月14日6点，叶恒星带着官兵第一时间赶到金河磷矿家属区，往废墟前一站，几句话就让全营官兵热血沸腾！他说，我们是军人，到灾区来，不求功利，不求回报，但必须讲良心，必须干良心活儿！因为灾区的百姓，就是我们的亲人！说完，带着官兵，冲进废墟！

金河磷矿家属区是一栋六层高的楼房，楼房全部倒塌，有20多个人被埋在下面，要救出下面的人，就要从上到下，把六层垮塌的楼板一层一层地翻开。而且每翻一层，必须小心翼翼，稍有闪失，便会殃及下一层的人。叶恒星他们先用铁锤打穿混凝土，用氧焊切割钢筋，接着用肩扛走一个个预制板，用手搬走一块块混凝土，然后再一点一点地探寻生命的迹象和线索。从早上6点，干到晚上12点，连续干了18个小时！18个小时中，他们忘了害怕，忘了劳累，忘了吃饭，甚至忘了喝一口水，每个人都像疯了一样，心里唯有救人、救人！虽然不管是谁，都要承受巨大的心理压力，接受从未有过的心理考验，克服常人难以想象的恐惧，但面对遇难者亲属们一双双求助的眼睛，救人成了他们唯一的选择。他们先后搬走水泥板七八十块，扛走大小屋梁上百根，挂破迷彩服几十件，扒坏手套上百只，到后来，连号称黄继光团“第一猛男”的罗顺千都给累趴下了！

当天，叶恒星他们就刨出25个人，可惜只有两个活人。其中一个叫文健，32岁，父亲是个矿工，他本来在什邡上班，10日这天回到红白，12日就地震了。文健被救出后，一直不相信自己真的还活着，在送往救助点的路上，脸色苍白，浑身发抖，不停地问，我是不是还活着？我是不是还活着？叶恒星问他，头疼不疼？他说疼。叶恒星说，既然你知道头疼，证明你还活着。然后又不断地安慰他，告诉他确实已经从废墟下被救出来了，而且身体很好，现在正送他去检查治疗。文健的情绪这才渐渐好转起来，然后告诉叶恒星说，他在废墟下听见一拨一拨的人从他头顶上走过，但没有一个人发现他。废墟下太可怕了，一片漆黑，什么也看不见，眼里只有黑暗，心里只有恐惧！他吃过地上的土，喝过自己的尿，后来实在忍受不了了，再也不想等死了，就下决心自杀！他用手到处摸，最后终于摸到一块玻璃碎片，如果今天解放军再不把他救出来，他就用这块玻璃碎片结束自己的生命了！文健说着，一块玻璃碎片从他的手心滑落下来，而他摊开的手心则是一片凝固的血迹！望着地上的玻璃碎片和文健手心上的血迹，叶恒星的心一阵战栗：原来把一个人的身体从废墟里抢救出来，并不等于这个人就得救了，只有这个人的心真正从死亡的地狱中挣脱出来，才算真正获救！人的生命真是太脆弱了，生与死的距离，竟在一块小小的玻璃碎片之间！

等叶恒星带着队伍拖着沉重的步子走在回来的路上，已是翌日凌晨。叶恒星说，路上除了战士们走路的脚步声和远山深处偶尔传来的几声犬吠，方圆几里路听不见一点声音，整个红白镇就像死去了一样！战士们连续干了18个小时，没吃一口饭，没喝一口水，等回到帐篷里，已是浑身无力，两手发抖，拿起一块饼干，想送进嘴里，都送不进去了。

然而屁股还没坐热，金河磷矿一名老职工又急匆匆跑来。老职工 60 多岁，头发花白，面色憔悴。他告诉叶恒星说，他家住在三楼，他在楼下的废墟里听见了老伴喊“救命”的声音。叶恒星带着战士立即赶到现场，抬眼一看，三楼与二楼的楼板已经完全重合，整栋楼房垮塌得一塌糊涂，遇难者存活的希望几近为零，很可能是这位老人思妻心切，产生幻觉，所以“听到了”老伴的“救命”声。但叶恒星还是决定：不管什么情况，一定要挖！即便真的死了，也要当成活人来挖，才能给老人家一个交代！于是叶恒星投入一个连的兵力，全力搜救！可挖了 3 个小时，战士们的手套都磨破了几十双，也没见着人影！又经 9 个小时的苦战，终于在二楼楼道下找到了遇难者。可这位遇难者的身体，已经被楼板压得只有 10 厘米厚了！望着眼前仅有 10 厘米厚的尸体，跪在废墟上的叶恒星禁不住仰天大哭：老天啊，你为何要灭我无辜百姓啊！

从 5 月 13 日到 15 日，黄继光团在红白镇和洛水镇共救出幸存者 39 人，接着以空降兵侦察科科长戴志强和三营营长张同春为首的数十名官兵，又从深山老林中解救被困受灾群众和受伤人员 457 人！

黄继光团最大的特点，就是当有人忙着接受记者采访时，他们却谢绝采访，只顾忙着救人！团长文东告诉我说，如果说黄继光团在灾区唯一有一点作秀嫌疑的话，就是在我们的头盔上印了“空降”两个字。因为当时部队很多，一方面是为了便于辨认自己的队伍，另一方面也是为了让老百姓对我们有个监督。

老百姓监督的结果是，不光救活人要找戴着“空降”头盔的人，而且挖死人、埋死人也要找戴着“空降”头盔的兵！

（选自作家出版社《震中在人心》，2011 年 1 月出版，作者：李鸣生）

08 雪灾纪事

2008 年 1 月中下旬，我国南方突现长时间、大面积、大强度的降雪和冻雨等灾害天气，来势汹汹，措手不及。雪灾造成大范围断电事故，公路、铁路和民航交通严重受阻，城市生活基本设施受到严重影响，民房和农田蔬菜大棚被积雪压垮。加之此时恰逢每年一度的春运以及举家团聚的传统节日——春节，雪灾的危害就显得更加触目惊心。

在 2008 年的春天来临之前，身为郴州人的陈晓在偶尔跟大学同学们提起自己家乡的时候，很多人会一脸茫然地问上一句：“chēn 州？是哪个‘chēn’？”

显然，这个位于湖南省东北部，湘江上游的普通小城市实在太过寂寂无名，从来就不曾进入过大众的关注范围之内。

然而，陈晓没有想到，自己的家乡会以如此特殊的方式，狠狠地出了一把名。

那一场刻骨铭心的雪。

1 月下旬，南方大部分地区普降冻雨。

所谓冻雨，是从天空降下来的雨，低于零摄氏度。

水低于零摄氏度就结成了冰。

这种被称为冻雨的水，在寒风中漫天洒落，然后结成冰，树叶裹着厚厚的冰衣在风中叮当作响，道路成了溜冰场，电线一天天变粗，变得晶莹剔透……

雨凇，裹嵌草木，结出美丽的冰凌花；挂于乔木，织成长垂的珠帘；洒落水泥路面，铺就琉璃美景。

多么诗意的描绘。

到 1 月 21 日，千里冰封。

一座座南方城市，在冰雪中绽放出一种晶莹而残酷的美丽。

今年郴州的雪有些怪，都是“砂子雪”，落下来就凝在一起，像冰一样，用力抓起一把来，那些颗粒状的冰粒边角能把手硌得生疼。

1月23日，郴州雨雪加剧，一片银白。

陈晓在武汉上大学，她着急回家，可是去往郴州的火车票早已销售一空，年年春运票都紧张，然而像今年这样求告无门还是第一次。

陈晓最终还是费尽周折搞到了一张票，是日，她乘上开往家乡的火车，期待着即将到来的那个和家人温暖团聚的春节，一切似乎都很美好。

就在陈晓踏上归家之旅的时刻，郴州迎来了大面积停水停电的第一天。

家住郴州的谢女士在傍晚步行到离家不远的杂货店去购买蜡烛，平日里0.15元的蜡烛已经涨到了0.5元，这个价格还是可以承受的。

郴州的蜡烛分两种，一种是细细的白蜡烛，一种是红色的香烛，略粗。后者要比前者贵一倍。

谢女士又顺便买了两斤猪肉和一棵大白菜，一斤青椒。

两天后，0.5元的白蜡烛涨到2元，红蜡烛则5元一根，最贵的时候卖到10元。猪肉从每斤11元涨到了13元，白菜从每斤4角涨到了1元，青椒从每斤1.5元涨到了5元。涨得最离谱的是香葱，原来每斤3元，竟然疯涨到10元。

谢女士一直很后悔当天没多买把香葱回来。

1月24日凌晨，陈晓已经回到了郴州，一路上七个多小时的颠簸，让她想尽快回到家中，好好地洗一个热水澡，再舒服地睡上一觉。

然而陈晓在走进家中的时候，看到的只有父母无奈的双眼，她惊讶地发现，家里已经停电停水了。

没办法，陈晓用家里仅存的一些热水洗了洗头发，屋里与屋外的温度相差无几，洗完头发湿漉漉地贴在身上，陈晓冻得直打哆嗦，整个人缩在被子里取暖。

郴州人家里并没有北方厚厚的棉被和鸭绒被，最厚的无非是单薄的秋被，陈晓一个人就捂了三条被子。

当时她并不认为停电的时间会维持多久，电火炉和空调迟早可以用上的，所以当父母拉回来大量的煤球，开始点燃煤炉取暖的时候，她还颇有些不以为然。

事实证明，父母的决定是正确的。

在接下来那十几天中，原始的煤炉发挥了它最大的功效：烧水，做饭，取暖……

这个小小的城市里，大部分家庭还保留着烧煤炉和液化气做饭的习惯，这在许多身在大都市居住的人的眼里，几乎是不可思议的。然而在这样一个冬天，这种落后的甚至有些原始的习惯却拯救了许多家庭，有些人甚至还把大油桶用氧焊割成两个临时用的灶，烧起了柴火。

没有什么比温暖更重要。

谢女士是电力系统的职工。这个职业在郴州停电期间备受各界关注，原因不言而喻。

从郴州停电的第一天，他们就开始了无休止的加班。7:30上班，晚上21:00才下班，甚至更晚。

停电面积在继续扩大，电线上面都结满了厚厚的冰，已经加粗了几十倍。

冻雨对电网的危害是一个世界性的难题，尤其是对于50万伏线路覆冰，靠线路短接融冰，几乎是不可能的，因为目前还找不到一个足够功率的电源让50万伏线路发热。裹在绝缘子上的坚冰，也非人工不能破除。因此很多南方城市的电力职工只能爬上高高的铁塔，一点点进行人工除冰。

谢女士想打个电话给家里的儿子，告诉他自己今晚又加班，要晚点回去，让他自己热点饭吃。可是手机信号始终断断续续，电话也打不通。原来郴州电信、移动、联通等通讯部门的服务基站几乎瘫痪，很多地方没有信号。没有办法，只好托一起上班的邻居带了个口信回家。

街上的出租车已经涨到了30元、40元、50元、60元起步价不等，尽管在1月28日，郴州市物价局专程出具文件：对冰雪灾害期间出租车起步价实行临时加价两元，“至冰雪灾害结束日止”。然而还是有许多司机偷偷把价格提高，周瑜打黄盖，一个愿打一个愿挨，你不坐还有别人要坐。

公交车基本停开，有私家车当然好，但是因为停电，汽车加油又成了一个大问题。

红绿灯全面失效，在寒风中挂满了一尺来长的冰凌。除一些较大的路口放着自备电的临时红绿灯外，其他路口都是由交警人工执勤。

郴州，已经真正变成了“交通基本靠走，取暖基本靠抖，通讯基本靠吼”。

2008年1月28日20时10分，北京机场。

中共中央政治局常委、国务院总理温家宝登上了去往南方的飞机。

“随便什么车，我们能挤进去就行，能走就行，有一节车厢也行。”

“走到哪儿不行了，我就换汽车！”

20时30分，飞机起飞。2小时10分钟后，飞机在武汉天河机场降落。

两小时后，温总理登上一列还没来得及打扫好卫生的火车，连打扫卫生的工作人员还没来得及下车，火车就急忙向长沙进发了。

1月29日早晨7时许，列车抵达长沙。

1月26日，是在广州工作的刘学纲坐火车回家的日子。

广州到郴州并不算远，374公里，上午10:57发车，下午14:44抵达，正常用时仅仅3小时47分钟。

刘学纲却不知道这一次的374公里，如此遥不可及。

他在上午9点就到了广州火车站，但是，他进不去。

放眼望去，铺天盖地，都是人。

风雨交加，回家过年的旅客不断从四面八方拥来，广场上、街道上人声鼎沸，马路上、天桥上水泄不通。

广场消失了，马路消失了，似乎连空间也都消失了，看到的只有人，只有想回家的人……

送他来火车站的老外上司，在立交桥上一边开车一边惊讶地望着下面黑压压的人群，一口一个“my god”，嘴巴都合不拢。

刘学纲下了车，站在寒风中犹豫了几秒钟，开始向人群里挤去。

从车站外挤到车站门口，他用了正好六个小时。

头发蓬乱，衣服上的扣子掉了两颗，汗流浃背，手脚却冻得冰冷。

距离自己的车次的发车时间已经过去了几个小时，不过他并不着急，因为不远处的车站电子显示屏上很整齐地显示着一排“晚点”，他相信，自己的车次一定还

2008年1月26日，广州火车站数万名乘客滞留火车站南广场。

（刘大伟/摄，图片来源：新华社）

没开。

雨依旧在下，有人打着伞，有人用塑料袋或报纸顶在头上遮蔽雨水，而更多的人只能淋着。车站前面的高架路下面挤满了人。广交会的展馆临时开放，供人们躲避风寒。

一些人走了，一些人继续等待。

他想起年迈的父亲在家里生了病，打了电话来要他今年过年务必回家。

这车，是一定要坐的。

刘学纲不再犹豫，奋力地向前挤去。

1月27日，郴州，雪在继续。

陈晓一夜都没睡好，昨晚的梦总是被窗外树枝折断的巨大声音所打断，此起彼伏，让人忍不住有些心惊肉跳。

昔日的郴州市区里郁郁葱葱，到处是美丽的香樟树、桂花树，还有碧绿的竹子。如今都成了残花败柳，大棵大棵的树木被冰雪压折，即使幸存的植物也只剩下了主干，在风中发出低低的呜咽。

为了抢救绿化树，郴州市的城管全部出动，但成效甚微，在接连几天的大雪后，城里几乎找不到一棵完整的树木。

前几天传闻有人出门时被折断的巨大枝丫砸死，陈晓跟父母千叮咛万嘱咐：在路边一定要多留神，注意看着头顶和四周，以免飞来无妄之灾。

自从停水以后，陈晓就每天和父母一起出门到小区里的消防栓提水。消防栓内水量也不多，通常滴满一桶要20分钟，每天要提三四趟，而排队通常有20多人。

水实在太少，于是外面的冰雪也被人们扫一些回家，融化了以后用来冲厕所。

附近没有消防栓的人家只能走很远的路去挑水，陈晓一位朋友每天要走三公里才能挑到水。附近住户养的鸡鸭都只能靠啄食树叶上的冰雪解渴。

陈晓和父母都已经五天没洗澡了，拿热水泡脚都是一件奢侈的事情。对于在南方潮湿的城市长期居住的人来说，平日里一天不洗澡简直就像要了他们的命一样，可是如今看看镜子中的自己似乎也活得很好，陈晓觉得，人的潜能果然是无限的。

电视是肯定看不了的，即使忽略停电的问题，据说电视台都已经停播了。

电视台由郴电国际双回路供电，还有一条可以搭接到电气铁路上的输电线，以往规模再严重的洪灾都没有过停电纪录，俨然是这个城市里“最不可能失守的地方”。然而从1月27日开始，这里也失守了，所有的搭接线路全部“黑”了。

照明的工具除了价格飞飙的蜡烛以外，还有应急照明灯，这种灯平时充好电，停电时就可以拿出来使用。煤饼涨到了三块钱一个，还很难买，“真像烧金子”。有一天陈晓的母亲出门还遇到了一个卖木炭的，“15元一斤，一会儿就被抢光了”。

然而比起寒冷和黑暗，似乎无聊和空虚才是更难以忍受的。陈晓找来几个初中同学，白天在家里打扑克，聊聊昔日的儿时趣闻，隔壁的老杨家则把麻将搓得震天响。陈晓不知道这样的日子还要过多久，天一黑下来，巨大的寂寞感和无所适从的茫然，就立刻从四周向着自己汹涌而来，除了睡觉，别无选择。

陈晓的父亲在第一人民医院中心医院工作，自从下雪以后也开始天天加班，他把陈晓的手机带到医院去充电，晚上再带回来，这样陈晓可以和外界的朋友通上几个短信，报告自己的状况，这让陈晓觉得自己似乎没有那么郁闷和绝望。

很多人像陈晓的父亲一样把手机拿到医院去充电，第一人民医院中心医院作为唯一一家有自备发电车的医院，从雪灾开始即收治从各家停电医院转来的患者，当然更多的是在冰雪中摔倒骨折，或者被严寒冻得感冒伤风的求医者。大雪那几天，每天打石膏的人数最高值从平时的五六名，猛增到四十余名。

彭发吉是湖南省郴州市第一人民医院120急救中心副主任，在他的记忆里，平时每天出车只有35次，然而截止到23号，平均就有59到62次左右了。到25号、26号就是七十多次、八十多次，最多的达到126次。

那差不多是他们平时工作量的四倍。

1月29日下午，郴州电业局职工曹响林在执行当天抗冰抗险的第四项工作任务——进行郴州主网110伏塘高线架空地线拆除作业、恢复向客户供电过程中，由于劳累过度引发心肌梗塞，不幸以身殉职，时年42岁。郴州市政府已经定于当日为他召开追悼会。

郴州市电业局说，连日来，因冰冻灾害，郴州电网覆冰受损情况相当严重，电

2008年2月1日，湖南郴州市民在罗家井农贸市场购买年货。
（陈树根/摄，图片来源：新华社）

网安全运行遭受严重威胁。郴州电业局已经出动三千多名员工全力对覆冰、受损线路进行除冰、抢险，以尽快恢复人民群众的生活用电。

该局线路管理所检修二班副班长曹响林与其他电力职工一道，自1月13日以来，已连续16天投入到一线巡线、除冰、排查故障、紧急抢修复电等工作中，体力处于不断透支状态。

1月29日下午，已经踏雪卧冰、辗转崇山峻岭之间完成了四个帮障点抢修任务的曹响林和罗长春等人又接到任务：110千伏塘高线10号铁塔的架空地线由于覆冰过厚、不堪重负，掉落到一根35千伏线路和一根10千伏线路上，引发了客户停电，必须马上排除故障。

曹响林、罗长春顾不上稍事休息，立刻马不停蹄地赶往故障地点。

罗长春还是一名学员。他讲述了曹响林牺牲的过程：

到达故障地点后，见到被冰雪压断的架空地线时，罗长春曾向曹响林提出："曹师傅，你在塔下指导，让我上塔去吧！"

但曹响林却回答："铁塔太滑了，你经验不足，还是我来吧。我去快一些，可以早点恢复送电。"

曹响林踏上脚镫，冒着凛冽的雪风，攀上了20多米高的输电线塔，用专用的大剪刀剪断架空地线。就在他处理完故障、准备下塔时，由于又冷又累，劳累过度引发心肌梗塞，倒在了21米高的铁塔之上。

1月28日下午2点50分，嘉禾县供电公司职工肖建华在抢修供电线路时，因电线杆意外断裂，从10米杆上摔下来，抢救无效，因公殉职，献出了年仅37岁的生命。在这次雪灾中，他已经连续工作80小时。

据悉，肖建华同志于1998年5月参加工作，10年来工作勤勤恳恳，是公司的骨干技术人员，2004年至2007年已连续三年被公司评为先进工作者。

刘学纲已经在广州火车站整整滞留了两天一夜。

他很饿，也很渴。今天一个朋友买了一份麦当劳，从人群中挤进来给他送饭，再挤出去的时候朋友已经筋疲力尽，他看着那个熟悉的身影几乎是挣扎着消失在人群里。

那袋食物吃完后，他再想联系朋友，手机已经没信号了，再后来，索性连电都没了。

上厕所是挤了三个小时挤过去的，憋到最后眼睛也红了，人也晕了，他从来不知道上厕所也是这样奢侈的事情。

身边不远处的民警在拿着喇叭不停地喊着大家不要着急不要乱，声音嘶哑，阻拦着混乱拥挤的人群，刘学纲每每看到他们就觉得自己还不是最倒霉的那一个。

一位执勤警察甚至很幽默地对不断翻过栏杆进入车站前的人说：奥运会不是这么支持的。

他亲眼看到一对情侣在自己的面前被活活挤散了，女孩被人流冲得越来越远，男孩伸出手去拉她，却怎么也拉不到，其实不过就是三五米的距离，就是走不到一起。

几天后刘学纲在网上看到一张照片：广州车站一位女子昏倒，被人们从头顶接力一般运了出去。他忽然很庆幸自己不是被抬的那个。

他其实也不明白自己为什么还要往里面挤，也许是希望出现奇迹，会忽然有工作人员宣布自己的车马上就要开了；也许是希望顺着人流可以挤到退票口，退掉自己的车票——不过当时他并不知道，在没有确定停运以前的车，是不给退票的。

身边的人，应该都是和自己同样的想法。一脸的麻木和认命。

他也想过挤出去，但是回头看看那一望无际的人群，铜墙铁壁般的拥堵，刘学纲忽然不清楚自己究竟是前进好，还是后退好了。

1月30日夜，中雨。天平架沙东陶庄路阿牛风味馆门窗紧闭，此时，三桌食客正在吃着火锅，温暖且温馨。屋外，雨依旧在下，一整天的雨让这个城市如同坠入了冰窖。

老板陈广生依旧待在饭馆里，并和两个朋友边喝着功夫茶边聊天。此时已是晚上10时30分，陈广生有些焦急，因为他一直在等一个人，一个在深更半夜订了200个盒饭的人，自掏腰包送给火车站滞留旅客的人。

正当陈广生琢磨着是否要打个电话催一下的时候，门忽然开了。三女二男鱼贯而入。来的人不是食客，因为与吃饭的顾客不同的是，几人手里都拎着菜，有芹菜、榨菜、白菜，甚至还有七八个大瓶装的咸菜，还有猪肉。

“老板，准备做菜！”走在人群最后的一名女子对老板陈广生喊。女子一身黑衣，头发高高地盘在脑后，一丝不乱，精神干练，看起来也就30多岁。

她就是订饭的人：刘蔓榕，一名清华大学EMBA班的普通老师。

“饭都做好了，就等你们的菜呢。”老板陈广生赶紧起来迎接。

一行人几步走进屋内，把菜放在桌子上，二话不说，捋起袖子就开始择菜。饭馆里的人也赶紧过来帮忙。三下五除二，十几个人几分钟就把菜择完了。

“你们几个去帮着洗菜，我就来。”刘蔓榕洗了手之后，就直接冲到厨房，“今天做榨菜芹菜炒肉，再配点炒白菜和辣萝卜干。”刘蔓榕说，滞留的人很多是湖南、湖北和四川的，有点辣的菜，能吃得更顺口。

1月31日晨1时，菜全部做好了。

“我们也先吃点吧。”从厨房走出来的刘蔓榕告诉记者，她要亲自尝尝菜的味道，否则不放心。她说，1月28日在电视上看到火车站大量旅客滞留，很多人连夜在室外等候的新闻后，她觉得应该伸出援助之手。

但怎么援助？为此她第二天就到现场了解情况。她发现，滞留人员保暖和吃饭是个大问题，于是她赶紧跑到商店买了几十个垫子和一些面包，并叫了几个人帮忙送到火车站。但和旅客聊天过程中，旅客们普遍反映，深夜的时候温度太低，是一天中最难熬的时刻，只盼望着能有份热饭热汤。“当天晚上刘老师就订了二百多份饭和炒粉，还有一大锅热汤。”与刘蔓榕同行的人表示，由于东西太多，他们特意赶来帮忙，“一直忙到快天亮才把饭发放完，今天她说还要送。”

“多装点菜！多装点菜！”狼吞虎咽吃完饭后，大家开始打包饭菜，刘蔓榕见一个饭盒里菜有点少，一边往里面加了一勺菜，一边督促大家。

当装到第132盒的时候，饭没有了。

“老板，赶紧再去做饭，要用高压锅，否则时间太晚，做好的饭菜就都凉了。”刘蔓榕看了一下手表，“才1点半，来得及。”

不久，新做的热腾腾的饭端了上来，但当装到第178盒的时候，饭又没了。“来不及再做了，现在就走。”刘蔓榕说，“饭送太晚就没有意义了。”

“好不容易肉价涨了，可是，猪冻死了。”

1月27日，京珠高速公路上，一位开着卡车运送生猪的司机哭丧着一张脸这样说。

天空灰蒙蒙一片，路面上结着厚厚的冰层，像是透明的玻璃，两边的树木上结满比拇指还粗的冰凌，路旁的草地也成了冰刀剑丛。

密密麻麻的车辆排满了长长的车道，放眼望去，像一条黑色的长龙没有尽头。

一群附近的村民挑着扁担走上了高速公路，箩筐里面放着杯面、饼干和热水向司乘人员兜售。“杯面15元，热水一壶40元！”即使这样昂贵，也被人抢购一空。

在无数的车窗中，时而探出一两张挂满焦急的面孔，然而很快又缩回去——因为实在太冷了。

京珠高速公路是我国重要的南北大动脉。由于连日罕见的冰冻天气的影响，昔日的大通道变成了巨型的“肠梗阻”。截至1月26日，京珠湖南段滞留车辆超过两万台，滞留司乘人员超过六万人。

老王也是被困者之一，从1月24日开始，他就和十几名乘客一起被困在了这条高速公路上。

老王是一名长途大巴司机，他负责的线路是从深圳到醴陵，以往这条路他不知道跑了多少次，但是在路上过夜——甚至连过了几夜，这还真是第一次。

清晨6点，乘客们在大巴上熟睡着，老王决定下车去看看。

路上都是冰，他甫一下车就险些摔了一大跤，多亏他手疾眼快一把抓住了车门。体内的热量随着周围的温度迅速下降，仿佛四肢都僵硬起来。

他摸出一根烟来，想要吸两口镇定一下，然而夹着香烟的手指仿佛不属于自己的一样，一直在痉挛般颤抖，打火机按了十来下都打不着，他气得想把打火机摔出去，可是想了想，又揣回了自己的衣袋。

现在，哪怕是一点温暖都是值得保留的。

对于老王来说，这一次运营彻底赔大发了。物价局规定六百多公里的路段长途大巴票价不得超过300元。平常坐车的乘客不多，老王为了争取客源，经常只卖一百多元一张票，其实都是在做亏本买卖，能真正赚到钱的就只剩下春运了。

可是现在被困在这里，很显然，老王今年的赚钱计划只能宣告泡汤了。

老王还记得从深圳出发的时候，一切都很顺利，上来几个熟客，大家甚至还笑着聊天，路上很顺利，一直畅通无阻。

但是当他在1月23日晚上10点开到京珠高速韶关境内龙归出入口时，才发现高速公路已经被封，交警把车辆都疏散到了106国道，他沿着国道走到了京珠高速大桥镇出入口，准备再上京珠高速，毕竟走高速公路行车时间会短很多。可前方道路依然封闭，这时候后面来的车已经把路堵死，想再下高速已不可能了，他只好带着全车人在大桥镇住了整整一天，等待高速公路的解封。

到了1月25日上午，老王发现京珠高速大桥镇入口解封了，老王高兴得吵醒了全车的人，通报这值得高兴的消息。但他们的高兴只是持续了不到半小时，从大桥镇入口进入京珠高速后前行了不到十公里，因为前面的路结冰，道路又封住了。

从那之后，老王的车就再也没有动过，在这前不挨村后不着店的高速公路上整整度过了两宿。车子停在这里就没有办法跑运营，每天都得赔上几千元的费用，这让老王想到都头疼。

《三湘都市报》1月27日报道：28名前往东莞的孩子被困京珠高速湖南境内三天四夜。由于受困时间过长，不少孩子出现不适症状。今天上午，省儿童医院紧急驰援。

据了解，车上30多名旅客中，有28名是儿童，由于受困时间过长，再加上天寒地冻，他们都不同程度地感染上了风寒。"他们都是一些安徽农民工的孩子，马上要过年了，这些孩子就由亲友带领包车准备去广东东莞和他们的亲人团聚。"省儿童医院主治医生刘潇介绍，当救援队到达现场时，车内一片混乱，值得庆幸的是，由于黎托服务区及时供应水、食物和一些生活必需品，车上旅客状况还算稳定。随同前往的护士介绍，虽然身体状况还好，但孩子们的精神状态非常不佳，一个个萎靡不振。

救援队为每一个孩子量过体温喂了药。"他们都只是感染了风寒，28个孩子没有一个出现严重的高烧症状，吃过药后，他们的病情已基本稳定。"2点左右，救助工作基本完成，医务人员给孩子们留下了几天量的药品。

刘学纲最终还是放弃了，在1月28日的早晨，他花了8个小时挤出了车站。

想先找家小饭馆吃顿饭，却发现附近饭馆的价格也水涨船高。原本8元的快餐涨到了10元，5元的过桥米线要价10元，就连一盒泡面也涨到6到8元。老板底气十足地说："几天前的价格是几天前的事情，现在就是这个价。"

回到家里，把手机充上电，刘学纲给自己在站前广场上认识的一位"挤友"发了个短信询问情况。

"挤友"买的是广州到驻马店的车票，比刘学纲顽强得多，他已经等了三天了。他说老婆生了孩子，所以一定要回去看看。

"挤友"发来短信——

“我买了床棉被！打算抗战到底。”

“真冷啊，旁边的警察吃着八宝粥，这是我看他们今天吃的第一顿饭。我继续啃我带来的罐头和面包，那罐头本来是买给我媳妇的，现在全便宜我了。”

“我旁边的女人好像感冒了，想找医疗点，可是火车站的免费医疗点在西广场，要穿过去谈何容易啊？真可怜！”

“我挤进了候车大厅，恭喜我吧。”

“有志愿者举了牌子，是我的车次！我可以上车了！”

“挤友”终于在28日晚上8点登上了火车。

1月30日，刘学纲又发短信给“挤友”，“挤友”回复——

“车上全是人，站着的坐着的躺着的，味道太难闻了。”

“车开了，又停了……也不知道是为什么停。”

“有人开始骂人了，其实我也很想骂人，不过太饿了，没力气……车上的方便面15元一盒，太贵了，不过我还是买了一盒吃，面都没泡开，温着就吞下去了。”

“终于走到襄樊了，今天还不知道能否到达终点站，祝我好运吧，兄弟。”

刘学纲打开电脑上网，关于广州火车站滞留人群的消息甚嚣尘上，他忽然明白自己也成了这些新闻中的一名切身参与者。这样的感觉让他更有了一种患难与共的认知，于是倍加关注起那些还等待在车站的旅客们的命运来。

他了解到，从25日至今，广州站滞留旅客累计已达到20万。

昨日傍晚6时20分许，广场东侧入口处民警聚集，对讲机中隐约传出“放行”二字，护栏外早已挤得动弹不得的人群仍向前蠕动了少许。站在入口第一个的是一个30多岁的中年女子，她手中的蛇皮袋已经放在了入口内，双手紧扶护栏避免被后面的人群挤倒，双眼直视前方的候车雨棚，仿佛那里就是家乡。

傍晚6点45分，在100多名民警的包围下，东入口放行，几乎同时，广场的另外两个入口也开始放行，人群中喧闹声随即淹没了扩音器的声音。排在第一个的中年女子第一个冲进广场，丢下一句“我已经等了15个小时了”，头也没回地冲进候车棚，第二个进场的是一名左腿残疾的男子，虽然没有行李，走得仍然很艰难，很快被后面的人群淹没。

人群很快失控，挤进入口的人们，有的是丈夫不见了妻子，有的是父母挤丢了子女，更多的旅客在拥挤中遗落了行李、钱包或车票，回头想要找回，却发现早在人群的踩踏下成了垃圾。刚刚还被雨水冲洗得干干净净的入口处，一瞬间就成了垃圾场。

维持秩序的民警很快将入口关闭，控制人流，没能进来的人们开始骚乱，数十个民警站成人墙，硬生生顶了回去。进到广场内的旅客脸上却也没有欣喜的表情，找行李，找亲人，步伐踉跄，很多人仰起脸，声嘶力竭地哭喊。湖南岳阳的黄姓姐弟二人，进入广场后蹲在角落里抱在一起足足哭了五分钟："我就要崩溃了，不但是身体吃不消，在外面挤了一整天，感觉比死还难受。"

刘学纲在网上读到了一位网友写下的话——

现在关注哪辆车可以开哪辆车晚点是没有任何意义的！
拿的是站票坐票硬卧软卧也是没有意义的！
因为现在火车站坐车已经不看车次了，
只看方向。
是你那个方向的，
车来了你就去挤，
没挤上等下一班，
挤上了，
即把希望寄托在这列车上，
停在哪儿？什么时候到？能不能到？
就由不得你了，
而且前提还是你已经进了站。

记者从湖南株洲市应急办得到消息，截至27日下午，株洲市政府组织发放了5 000多瓶矿泉水、1.5万多份食品和500多床棉被。目前，京珠高速公路株洲区间从大石桥到朱亭段，仍滞留大客车80多台，乘客1 420人。株洲市已经安置老弱病幼人员50人到市区宾馆居住，其中5人送医院救治。

由于京珠高速马家河地段南下的道路已经被车流塞死，记者只能沿京珠高速由南往北回驶。天寒地冻，这个方向的车辆较为稀少，但隔离带那边全部是钢铁车体砌挤的“城墙”。从马家河到长沙北约44公里路程，只有少数几公里透出缝隙和松动，其余全部是黑黝黝的车体，透着灯光和轰鸣。沿京珠高速北行，沿途不时看到警灯闪烁，铲冰车在缓行。此时，天空下起毛毛冻雨，汽车挡风玻璃两侧出现冰碴儿。

2月3日，女司机杨梅终于得到了京珠高速全线贯通的消息，这也就意味着她终于可以回家过年了。

当她听到这个消息的时候，眼泪不由自主地涌了出来，这要是平时她会觉得很丢人，可是看看身前身后的司机都和自己差不多的表情，她觉得这是再正常不过的了。

至此，杨梅已经在京珠高速上受困达九天八夜。

对于一位女司机来说，被困在这样的路上，麻烦要更多一些，比如每次内急都要先把车门锁好，然后到其他车边去找几个女人一起结伴同行，翻下高速去附近的农家找厕所。

晚上睡觉时格外冷，把所有的衣服盖在身上还直打哆嗦，每到这个时候杨梅就很羡慕夫妻一起被堵在路上的，至少可以互相拥抱着取暖。

路边设起了临时电话亭，手机早就没电了，杨梅排了很久的队才给家里打上电话，报了平安。

前天收费站的员工自发开着货车给所有堵在路上的司机送来了水和食物，杨梅分到了一盒饼干。

其实她并不是很饿，车上带了很多吃的，她把饼干送给了后面一辆车的夫妻俩，那对夫妻还带了个婴儿，这几天因为身上的钱用光了，连热水都没买，孩子也感冒了，她看着实在可怜又心疼，又掏出几百块借给他们买热水。

停在杨梅前面的是一辆运送蔬菜的大卡车，在杨梅看来这位司机比自己更可怜，因为要守着自己那车蔬菜，所以甚至不能离开一步，而且随着时间越拖越久，杨梅不由得替他担心，那车菜会不会冻坏？即使运到了地方，还卖得出去吗？

她把自己的车安上了一条防滑链，这样可以防止车子在开动以后在冰路上出现险情，她无比期待着车子运行的那一刻。

杨梅的弟弟本来定于2月1日结婚，可是杨梅没有参加上，这是她从小关系最好的弟弟，每每想到这个，她就无比痛恨这场雪和这场堵车。人生还会有第二个弟弟的婚礼吗？答案是否定的。杨梅想：希望我的人生也不要再有第二次这样的经历。

"老母亲去世，我却不能回家奔丧，老天太没天理了！"昨日中午，在京珠北高速大桥路段一辆豫DA3552客车上，河南人丁女士手抹眼泪，哑着嗓子向记者哭诉，车上的乘客闻此言无不黯然神伤。

丁女士家住河南汝州乡下，为了供女儿读书，一年前，55岁的她第一次离家到东莞厚街务工，不久便租了一块地操起老本行——种菜。本来，丁女士想趁着春节生意好多种点菜，好让女儿在开春的时候能凑得起学费。

没想到，1月24日早上7时许，丁女士的家人突然在电话里通知她，"说99岁的妈妈已经不行了，让我赶紧回家奔丧"。闻此噩耗，丁女士顾不上扒一口饭，衣服都没来得及带就匆匆踏上返乡的道路。

在厚街车站，心急如焚的丁女士四处找人，好不容易才买到一张回家的车票。上车之前，丁女士买了三桶方便面和两瓶矿泉水以便路上充饥。25日凌晨3时许，丁女士一行到达京珠北高速大桥段，发现前方出现大堵塞。

不久，被堵的车辆越来越多，丁女士乘坐的车辆后面已经排起了长长的车龙。"时间越来越久，可是我们的车子动都没动一下。我实在忍不住便大哭起来，他们（乘客）听到后，不停地安慰我。今天他们借我手机用我才知道，女儿天天跑到车站等我回家。"丁女士一边抹眼泪一边轻声地向记者讲述。

就在此时，丁女士大喊一声："今天就是老母亲下葬的日子，我却不能回家看她最后一眼，女儿不孝啊！"说着眼泪刷刷往下掉，双手不停地发抖。

邓伯是湘B63999的一名乘客，今年已经57岁了。站在京珠高速公路大桥段路边的他，身着单薄的外套，头戴一顶黑色的帽子。记者看到他全身发抖，鼻子淌着鼻涕。

邓伯说，他在惠州市区一建筑工地做工，此行是回湖南祁东家里，没想到路上遇上大堵车，在车上待了三天三夜。"当时我身上只带了一点零食，没到一天就吃完了。没钱吃饭只好用瓶子装路边结的冰棍，等了融化后再喝，以此充饥。实在饿了就向他们讨要一些。"邓伯颤抖着说。

当记者问为什么不买食物时，邓伯一脸苦笑地说："打工都挣不到几个钱，每到发工资的时候都要寄回家，留下一点零用钱。这次回家买车票就花了五百多元，没剩下钱啊！昨天政府送了两包饼干，但没有开水，只好就着冷水吃。”

1月29日下午，温家宝总理沿京珠高速进入湘潭市马家河地段，亲切地慰问了正在这里抗冰救灾的电力职工。温总理对电力部门负责人说，在这场灾难面前，全省的3.5万电力职工经受了考验，不仅尽力保住了电网，而且支援了贵州。电力职工不顾一切，抢修电网，作出了重要贡献，党中央和国务院对一线的电力职工表示感谢。

在京珠高速公路株洲段，温总理还登上长途客车，看望慰问滞留在车里的司乘人员和乘客。

“同志们，我来看望你们，你们受苦了。这些天是多年不遇的大冰雪灾害，造成道路堵塞，车开不了，人也走不了，给你们带来很多困难，我心里很惦记你们。我听说，有的司乘人员在这里待了好些天了，天气冷，待在车里头容易生病，希望大家能够保重身体。现在，路面正在加紧清障，我相信，用不了多久，这条路就会畅通。我的心情和大家的一样，希望你们早日到达目的地，希望你们早日回家。”

1月30日，凌晨00:15，郴州最后一条线路失守，全城停电。

一个个电线杆和电塔，以惊人的速度相继倒下。停电，像瘟疫一样在郴州迅速蔓延。抢修的速度赶不上倒塌的速度，瞬间就一片漆黑。

谭光健是郴州国家电网巡线员，全城停电的那一刻，他正奔走在巡查故障的第一线，目睹了最后一条电力线路的崩溃。

“50万的倒杆的时候那个导线还在送电，短路的时候就像原子弹爆炸一样，那个响声好响，全部是红彤彤的，真的吓人。”

湖南省郴州市人民政府市长戴道晋没有想到：郴州对外的电力通道有七条，竟会全军覆没，一条不剩。

发电机开始在电业局轰鸣，紧急抢修线路和方案不停地被修改。1月31日和2月1日，电业局分别打通了两条输电线路，但分别都只支撑了一个多小时，就因各种线路故障功败垂成。

很多人开始有绝望的感觉，不停地订方案，组织抢修，结果不断传来倒塔倒杆的消息，打通一条，黑了，再打通一条，又黑了，没有人知道这日子什么时候才是个头了。

如果 2 月 1 日抢修出来的线路没有因为意外断裂，电业局在郴州市区 70% 的供电可以恢复，而问题是中心市区 70% 的供电网络属于郴电国际。结果一条并不确凿的新闻——“郴州城区 70% 恢复供电”的消息过早地传了出去，等到这条线路在 1 小时 40 分钟后重新中断时，消息已经无法阻止。

之后的几天这消息从外界再反馈回来，引发了最严重的一场情绪波动。新闻像传言，传言像新闻，这种“信息无序”增加了人们的焦灼感。“什么时候能够来电？”没人能够给出一个确切的回答。

仅存的几家靠发电机坚持营业的超市每天一开业就被围得水泄不通，到处都是人，好多东西都没有货，上到货架上就没有了。方便面、面条、米、油这些东西卖得最多，人们好像搞批发一样往家里抢购，更多的人连价钱都不问，超市开出多少钱就是多少钱。

陈晓的妈妈也在抢购大军里，她一口气抢了四个煤炉子，三袋大米，六桶豆油，还有一大堆蔬菜和肉。

“现在想起来还是很好笑的，但是那个时候所有人都抢得很认真，是在为自己将来打算，都拼命地买。”

“好像一下子回到了 20 年前。”陈晓的妈妈说。

“20 年前停电还能度过，现在生活中失去了电，好像一下子从天上掉到了地下，一下子人就蒙掉了。特别慌乱。”

全城仅有的几家靠自备电源正常营业的宾馆，天天客满。一个普通宾馆，有空调有热水，就要五百块钱一个晚上。稍微好一点，就要七八百块，甚至一千多块。

即使这样，很多客人还是等半天都没有房间，刚有客人退房，就会呼啦拥上一大群人抢房卡，退出来的房间服务员都没有时间打扫卫生，另外的客人就要入住了。最多的时候，一个房间里洗澡的客人都有几十个，只要一放水，就轮着一起洗，这个一洗完然后马上那个接着洗，然后朋友、亲戚全部一起来洗。

郴州唯一的五星级的酒店——华天大酒店，凭着自备发电机始终就没有断水断电，生意也十分火爆。酒店唯一的一间总统套房，里面有六个套间，厨房、家具一应俱全，房价为 38 888 元一晚，许多当地老板争抢入住，而最终入住的是一位做有色金属生意的曹姓老板。据说，曹老板因为是华天的“老客户”，才得以顺利“中标”。

银行的ATM机取不出钱来。于是柜台前人满为患，每天平均都有一千多人前来取钱，工商银行里面，12个窗口，12条队排着，好不壮观。柜台的现金量以前是380万元左右，全面停电的时候大约上升到1 180万元到1 200万元。

每天晚上，郴州市政府会群发短信给所有的市民。短信的内容很详细，包括叮嘱市民晚上尽量少出门，避免被雪压塌的树枝落下伤人，公告哪些地方不能通行，哪些路被封闭，哪些地区恢复得怎么样……

1月31日，是中国传统的农历小年，郴州市大部分人都是这样度过的——点一根蜡烛，坐在桌前吃一顿团圆饭。

当一座城市失去了它最后一线光明，一切进入了永夜。

郴州，彻底成了一座电力孤岛。

1月29日晚上21时许，温家宝总理在结束对湖南的考察后，在已经开放的黄花机场乘飞机离开长沙前往广州。1月30日下午5时30分，温总理离开广州回到北京。此时，距离1月28日20时30分，正好45个小时。

但总理回到北京后，只停留短短的44个小时后，又再次赶赴湖南。

2月2日，总理抵达郴州。

郴州的谢云清家已经停水停电十天了。谢云清告诉总理，虽然社区发了一个应急灯，但很不方便，现在他最期望的就是早点来水来电。温总理耐心地告诉谢云清：由于冰雪导致许多电力塔倒塌，电力部门正在不分昼夜维修，并且已经从全国各地调来了近万名电力职工抢修电力设施，相信很快就会通电了。大家关心的水、交通等基础设施也在努力抢修中。

在市民张庚英家里，温总理一进门就握着76岁高龄的张庚英的手：“老人家，天气冷可要保重身体啊！”看到张庚英正在准备年货，温总理特意来到她家厨房，看到厨房里放着一盆盆的卤制品，温总理又细心地询问张庚英：“你买的猪肉多少钱一斤？排骨贵不贵？小菜好不好买？”

“只要党员、干部、群众团结一致，我们总会看到阳光的！”温总理说。

陈晓在时隔几天后终于可以上网时才知道，温家宝总理曾经来过郴州，她觉得很感动。

但是当时，所有人都一无所知。

全国人民都在注视着郴州，但郴州人自己看不到。

2月2日清晨，陈晓睁开眼睛，迷糊着就去按电灯，依旧毫无反应。

还有四天就过节了，陈晓不知道如果到了过年时还没来电，会是怎样一种状况。

部分位置较低的小区底层开始恢复供水，但是陈晓家住得高，所以还是没有来水。

陈晓的妈妈买回一块豆腐，10块钱，因为爸爸想吃。可买回来陈晓爸爸又后悔了，埋怨不该花这么贵的价钱去买，陈晓听着他们拌嘴，觉得有些心烦。

2月3日，陈晓照镜子的时候，觉得自己像个女鬼。

每年过节前，总是要把自己拾掇得干净整齐，好好过个年。

可是现在，似乎这小小的要求已经成了奢望。

2月4日，陈晓正抱着被子在床上看书，忽然头顶的灯闪烁了两下，她惊疑地抬头。

然后，她听到了空调运转的嗡嗡声。

外面传来邻居们惊喜的欢呼声，奔走相告："来电了！真的来电了！"

陈晓从床上蹦了起来，她迅速地打开电脑、电视、电暖炉……一切可以用电的设备，仿佛这样就可以让屋子里一下子温暖起来。

2月5日，来电的惊喜很快被黑暗所取代，原来只是短期内的来电，陈晓再度失望。

前些天买的蜡烛已经快烧完了，家里的气氛有些沉闷，明天就过年了，但是没有任何一个人对于来电还抱有充分的信心。

一直到深夜，陈晓也没有等到那期待中的闪烁光亮。

从2月2日下午开始，国家电网调集湖南省送变电公司四百多人的抢修队伍，对受损相对较轻、最有可能尽快恢复供电的城前岭变电站经塘溪至耒阳龙潭的220千伏线路（简称"塘龙线"）开展攻坚抢修。

经过数日苦战，6日零时25分，塘龙线220千伏线路实现与湖南电网主网连通。郴州城区此时一边在抢修低压配网，一边开始逐步恢复供电。

2月6日，当温暖再次降临身边的时候，所有人都有一种做梦的感觉。

这10天，漫长得如同度过了一整个世纪。

清炖鸭子在锅中滚得烂熟，自制的腊鱼腊鸭风鸡风肉统统摆上了桌子，米饭的香气从门缝里飘散出来，父母在厨房中的说笑隐约可闻。

全家人刚刚洗了个热水澡，赶在年关之前终于神清气爽，“有钱没钱，干净过年”。还顺便整理了一下家中的环境卫生，马上过年就不能再扫灰尘了——那叫“扫财”，万万做不得。

窗外传来阵阵鞭炮声，喜悦而清脆，连成一片的噼里啪啦不曾停止。

即将到来的央视春节晚会显得那样值得期待，以往陈晓总觉得那些节目庸俗不堪不值一看，然而今年她想，一定要从头看到尾，连主持人的串场词都不落下。

桌角的红烛早已熄灭，一滴烛泪挂在旁边，安静而从容。

白炽灯光照耀在陈晓的身上。

她觉得那光芒比太阳的还要美丽。

并不是所有人都像陈晓一样幸运。大年三十早上，曾被温总理亲切探望过的谢云清的家中，电依然没有来。

谢云清带着女儿去超市准备年夜饭。“农贸市场的东西都涨价了，超市还好点，政府不让随便涨价。”谢云清在超市买了猪肚、鸡和大白菜，“猪肚和鸡没涨，大白菜涨了五毛，卖到一块八了。”

晚8点，谢云清做的年夜饭端上了桌，炒肚尖、清蒸鸡和炒大白菜。女儿点起两支蜡烛，打开居委会送来的收音机，里面传来春晚主持人朱军喜庆的声音。

“这还是第一次听春晚。”当天晚上，郴州有部分居民家里来电，但谢云清所在的小区仍然漆黑一片。

晚10点，谢云清母女俩因为冻得厉害就上床睡觉了。

初一零点，沉寂的郴州被鞭炮声惊醒了，五颜六色的烟花点缀着夜空。范丽娟趴在窗台上，猛烈的鞭炮声让她不得不捂住耳朵，射到高空的烟花映亮了她的脸。

初一白天，仍然没有电，范丽娟和母亲一起去郊区看望姨妈外公。道路上结着冰，公交车开得很小心。电线上挂着长长的冰溜子，不堪重负的电线杆纷纷倒地。街道两旁的树木没有一棵是完整的，都被压断了树枝，露出苍白的伤口。

2008年2月4日，湖南郴州苏仙区一位村民从结冰的葡萄架下走过。
（赵众志/摄，图片来源：新华社）

初二晚上7点，范丽娟站在自家阳台上，远处传来阵阵鞭炮声。“突然，邻居家的灯亮了。我急忙回屋，真的来电了！”楼道里和窗外响起人们的奔走相告声：“来电啦！来电啦！”整个冯家小区都沸腾了。

从腊月廿八开始，居委会组织冯家小区的居民上街除雪，谢云清和女儿积极响应。“年前，我们就除过一次雪，主要就是把进出小区的路清理干净。很多邻居都来参加，都被冻坏了。”

社区工作人员把铲子、手套发到了居民的手中，因为心疼女儿，谢云清并没有让女儿参加。除了清除本小区的积雪外，谢云清还跟着去附近的五里堆路，甚至到107国道上除冰。“冰冻得可硬了，铲子都弄坏了几把”。到了初四，郴州市区的积雪基本清除干净。

由于亲戚大都在衡阳，谢云清母女俩在年后基本上没有亲戚可走，大部分时间都待在家里。“只是打了个电话拜年，报个平安。本来每年都该回衡阳走走的，只能等天气好转了再说。”

2008年2月6日，来自河南省电力公司的工程人员在湖南郴州东成线被冰雪压塌的137号塔处搭建新塔。（赵众志/摄，图片来源：新华社）

昨天，正在同学家玩耍的范丽娟，接到了仍在广州的父亲打来的电话：“爸爸那边的工作又要开始忙了，明年春节再回家。”

太阳出来了，冰雪消融的郴州迎来了生气，谢云清家也恢复了正常的生活。

刘学纲在2月5日上午又路过了一次广州车站，他发现那里已经平静了下来，前几日的喧嚣和纷乱似乎完全消失殆尽，只有那一个个曾经人满为患的临时候车大棚一下子空旷了起来，立在车站上，似乎在昭示着刘学纲，自己曾经经历的那一切都不是梦。

接到返回命令的民警们终于松了一口气——每个人的嗓子都是哑的，鞋被雨水泡烂了，脚都是肿的，好多人在感冒，有的甚至发烧了。

然而这一刻每个人都在笑，他们穿着军大衣或者是警服、一次性雨衣，站在这个他们曾经战斗过的车站前合影。

闪光灯闪亮。这是值得纪念的瞬间。

2月4日，杨梅把车子停在自家门前，看到爸妈迎上来，她哇的一声哭了。

像离家多年的孩子，把满腔的委屈全都用眼泪发泄了出来。

滞留在广东、湖南境内的最后6 000多辆车已于3日24时全部疏散完毕。

至此，京珠高速目前已全部恢复畅通。

“你家来电没？”这句话成了农历2007年除夕郴州最热门的问候短信。

湖南电视台的赈灾义演“爱心大融冰”在三个小时内募资两亿元，主持人和父母官在台上泪流满面，好不感人。

2月7日，郴州火车站开门营业。部分学生和在外地工作的人拥入火车站购票。

2月8日，部分地区贴出告示，初三还会停电。

2月9日，基本恢复供水，环卫工人开着推土机走上街头，开始清理枯枝败叶和断瓦残垣。

2月10日，郴州市城区逾6成已恢复供电，生活逐渐回归以往的正常秩序。

郴州某公司的总经理齐峰对着自己倒塌成一片的工厂，欲哭无泪。

刚刚投资300万元兴建的新厂房去年才建好，谁想到一场雪灾，一切化为乌有。

快过年时，齐峰还和几个同事一起爬上厂房去亲力亲为地扫雪，但在初一的时候，眼睁睁看着房子就在自己的面前瞬间塌陷。

齐峰不是唯一的倒霉蛋，郴州市郊到处是七零八落的倒塌房舍，满目疮痍。

雪灾给郴州带来的，远远不仅仅是那十天的断电与生活不便。

灾后盘点损失，灾难的影响渐渐浮现。官方估计全国因雪灾损失逾千亿元，其中在郴州这个重灾区，市政府初步核算，雪灾造成直接经济损失173.49亿，这包括95%工业企业停电停产，70%矿井被冰雪淹没，152 000亩的农作物受灾，164 900只牲畜死亡，11 923间厂房民居倒塌。

郴州的郴字，意味着“林中之城”，林业是其支柱产业之一。然而林业在这场雪灾中损失惨重。郴州的这些树木都如同牙签般拦腰折断，有的恢复起来可能要10年或者20年。1 600多万亩森林普遍受到了破坏，森林覆盖率由64.8%降到了百分之三十多。森林的毁坏还在很多方面将给郴州带来长期的影响。

春节过后，大批新时代的“雷锋”从全国各地赶往南方诸省，奔赴最艰苦、最困难的地方，用爱心与行动，为“一方有难，八方支援”书写新的动人篇章。

2月17日上午10时，郴州桂阳县阳山岭63号铁塔抢修工地上，13位河北唐山市玉田县东八里铺村的农民，扛着20多公斤重的器材，在山路上来回奔走。他们年龄最大的62岁，最小的才19岁。大年三十的下午，他们备上锹、镐，租了一台中巴车，日夜兼程，抵达郴州义务救灾。

“30多年前，唐山大地震时，全国人民都支援我们。现在南方遭了雪灾，我们也应该来出点力。”这支“编外”突击队，每天早上6时开工，晚上7时收工，食宿交通全部自理。十余天转战十多个山头，参与近20座铁塔的抢修。当郴州市委常委、宣传部长李荐国代表郴州人民向他们转交慰问金时，他们全捐给了郴州市福利院。

全国上下纷纷向灾区捐款捐物，社会各界募集资金超过12亿元；海外华人华侨以各种方式表达爱心和关切。经过一个多月的连续奋战，全国交通运输逐渐恢复正常，大部分受损电力线路和变电站得到修复，居民生活用电基本正常，电煤库存稳步回升，受灾群众生活得到安置……

郴州，只是具有特殊代表性的一个缩影，在中国南方这场突如其来的雪灾中，有更多难以忘怀的瞬间。面对灾难，更多的国人开始明白，拯救自己的只能是勇气、希望和信心。

然而，我们更加希望的是，这一场漫天风雪能够向中国提供另外一种经验：那就是如何让各级政府部门对于应急体系展开思考和反思。应急储备不足，与我国经济的快速发展形成了鲜明对比，折射出应对灾难的意识和能力还有待提高。那么尚处于发展阶段的应急体系建设，应如何不断完善？

恩格斯说：一个聪明的民族，在灾难和错误中学到的东西会比平时多得多。

雪灾已经过去，然而在这场雪灾中所留下的辛酸、感动、思考和希望还长久地留存在人们的心中。那一场风雪连绵，是历史的记录，是记忆的沉淀。

2008年的冬天，雪落无声。

（选自2008年第4期《报告文学》，作者：吕辉）

“网络暴力第一案”真相调查

2007年12月29日晚上，北京一个31岁的白领女子姜岩，从24楼的家中纵身跳下，用生命声讨她的丈夫和“小三”。在自杀之前，姜岩在网络上写下了自己的死亡博客，并在自杀那天开放了博客空间，“死亡博客”顿时成为2008年网络第一大公共事件。从此网络上一片肃杀之气，很多网友自发来到姜岩的家中追思，甚至有很多网友聚集在姜岩丈夫的家门口，分发谴责王菲的大字报，在墙上写下“无良王家，害死贤妻”“血债血偿”等字样。

爱情至上，孤傲白领情陷姐弟恋

姜岩在博客上最后的话是：如果有来生，要做一棵树，站成永恒，没有悲欢的姿势。一半在尘土里安详，一半在风里飞扬，一半洒落阴凉，一半沐浴阳光。非常沉默非常骄傲，从不依靠从不寻找。

张乐奕告诉记者，姜岩1976年出生于北京，在大学里与同学张乐奕谈了四年恋爱，毕业前两人和平分手。张乐奕留在北京，后来成为某外资公司的高级技术顾问，而姜岩毕业到农业部工作并被安排到非洲工作两年。回京后姜岩只身一人去深圳教授法语，不久之后返回北京。之后姜岩结婚，张乐奕渐渐很少再跟姜岩联系。在博客中，姜岩留下这样的话：四年的初恋，我在大西洋岸边亲手埋葬了它，如果说那个时候我所有的爱情都结束了，那么，五年的感情和我的婚姻，我又可以将它带到哪里？生命之火熄灭后还可以点燃么？博客重开的那一天，将是终结的那一天。我清楚，我是一个很有计划性的人。即使离开，我也会将一切安排好，不会让任何意外发生。

姜岩性格内向而固执，回京后虽然念念不忘她的初恋，偶尔与大学时的初恋男友张乐奕有所交往，但此时已是物是人非，很难再走到一起了。没有爱情的女孩姜岩，生活过得单调而枯燥，而网络游戏和网络聊天成了姜岩的最爱，她沉浸在网络虚幻的游戏之中。

2000年5月的一天晚上，姜岩的QQ里突然闯入一个陌生人，两人很快在网络上聊了起来，他们从网络游戏聊到中外流行音乐，从爱好聊到各自的联络方式。当得知对方的真名叫王菲时，姜岩开玩笑地说："你不是唱歌的王菲的'粉丝'吧？是不是因此才改名的？"

王菲连忙解释说："嘻嘻，我妈妈生我的时候希望我是女儿，所以就给我起了个女孩名。"在网络交谈中，姜岩感到王菲不但善解人意，而且字里行间跳动着善良和灵气。当姜岩得知王菲仅仅是个初中生时，她以为王菲在骗她。当她得知王菲比自己小四岁时，她理所当然地把自己当作了姐姐。

随着"姐弟"的相认，两人的距离一下子拉近了。王菲告诉姜岩，他从小喜欢画画，因为痴迷于画画，他的学习成绩直线下降，初中毕业后他就辍学在家，买了一台电脑专攻平面设计创意。除了整天趴在电脑前，几乎很少出门，跟别人也没有别的交往，在进行网络设计之余也喜欢上网打游戏、聊天。当王菲听说姜岩毕业于名牌大学，又在国外工作过之后，对她很是崇拜。那天晚上，两人聊了很久很久，直到天亮。王菲的出现给姜岩平淡枯燥的生活增添了一抹亮色，甚至是一种牵挂。每天跟王菲联手玩游戏、倾心交谈之后，姜岩都会兴奋很久。两人在网上只要一碰面，就会聊上几个甚至十几个小时。熟悉之后，两人惊奇地发现，他们不但都在北京市，而且两人的家住得不远。

两个沉迷于网络的年轻人，由网络相识到交换电话号码，之后，又交换了照片。而照片上戴着学士帽的姜岩显得比实际年龄年轻很多；留着长发的王菲让人一看就是一个具有艺术气质的年轻人。于是，两人不约而同地提出了见面。当姜岩听到王菲提出约见的要求时，一种初恋般的激动顿时袭来。对22岁的王菲而言，这可是他第一次跟网友在现实生活中见面。

2002年秋天，姜岩的爱情又一次降临了，她爱上了比她小4岁的北京男孩王菲。这也是一直封闭的王菲第一次与异性的亲密接触，单纯的王菲让姜岩在历经爱情波折后找到了亲密感觉。在姜岩眼里，王菲是一个具有艺术气质和极具天赋的天才男孩，她的母性被单纯的王菲激发出来，两人很快陷入了热恋之中。

王菲只有初中学历，离开学校后一直在家自学广告设计，而姜岩是毕业于名牌大学的高材生，又有国外工作的经历，两人又相差四岁。这些差距在外人眼里，无论从年龄、外形、学识和家庭背景来看，两人都不太般配，但是对爱情至上的姜岩来说，爱情是没有距离的。虽然姜家开始不接受王菲，觉得他年龄太小，为人处世还很幼稚，还是个只考虑自身感受的小男孩，并且没有什么一技之长足以成为将来家庭的顶梁柱，但看到他们甜蜜牵手的恩爱样子，大家很快就接受了王菲。姜岩的父母甚至把他当成亲儿子，呵护备至。姜岩在以后的博客里曾追忆热恋时的美好以及承受家庭压力时的坦然："我看中的是他这个人，他很高很帅，笑容如孩子般灿烂，对艺术的感觉尤其好。这一点和我很像。我爱他，要爱就是一辈子！"

很快，姜岩和王菲开始在外面租房同居，由于同居初期王菲还没有工作，于是姜岩承担了主要房租、家用并给予王菲很多生活补贴。后来，为了谋求一份体面的工作，王菲决定上一个自费的大学学习广告设计，于是，王菲的父亲出学费供王菲去读书。当时，姜岩刚刚应聘到雪铁龙公司上班，一个月大约3 000多元的工资，她负担起房租和两个人的主要生活费用。

为了王菲，此时的姜岩几乎将所有的心血和钱财都放在了他的身上，宁肯自己吃点苦也要保证王菲的花销。尽管姜岩吃着廉价的饭菜，每天坐一个多小时拥挤的公共汽车上下班，穿着十几元从地摊上淘来的衣服，但是，在爱情滋养下的姜岩的内心是幸福和快乐的。她之所以这么节省，是为了让自己的男友体面地去上学。因为姜岩比王菲大四岁，他们的爱情中，王菲很快适应了被照顾的生活。在姜岩的博客里，她这样记述当时的状态："我愿意把所有的好都让给他。给他买几百元的T恤，上千元的牛仔裤，看着他在人前人后像个优雅男人那样。我真比自己受人夸赞还欢喜。"

正如姜岩所认可的那样，王菲这个天才男孩虽然年龄小，只有初中学历，但是他的艺术天赋一旦被激发出来，很快就会变成源源不断的创作激情。在学校读书期间，王菲就屡获大奖，一参加工作就进入外企上班，因为学习成绩优秀，毕业后王菲被著名的奥美广告公司挑中。

后来王菲的表现更坚定了姜岩的判断，王菲一参加工作就在广告设计方面表现出极高的天赋，在奥美公司一年连升三级，工资也拿到了近万元，一个刚刚毕业的学生开始配上了助手。但是，王菲毕竟还是个大孩子，在与人交流上显得很幼稚，更不知道怎样处理与姜岩的感情。

在他们的爱情中，在姜岩眼里，王菲就是她的全部，她心甘情愿地为自己的爱人付出一切。在她的世界里，王菲就是中心，就是那根指挥她的指挥棒。两人的大

判官图 图/冯印澄 新华社发

事都是由王菲来决定，为了给他们的爱情一个小窝，2002年王菲和姜岩商量购买一套住房，得到了姜岩的赞同。于是，他们在北京东四环远洋天地购买了一套期房，经过两人的精心设计和装修，2004年初两人高高兴兴地搬入了他们的新房。姜岩在博客中写道：“今天，2004年3月2日。我们住进了远洋天地，这是属于我们的真真正正的爱的小窝。卧室里小碎花窗帘随风飘舞，厨房里可爱的瓶瓶罐罐盛满了生活的温情。空荡荡的客厅虽然只有可怜的沙发和电视，但我分明看见，空气中弥漫着甜蜜的爱的气息，生活能够这样，就已足够。”

由于两人刚刚购买房子，经济压力比较大，所以搬家后两人并没有多少财力购买家具。有一次姜岩的姐姐姜红去他们的新家，发现偌大的客厅里只有一套大沙发和电视，便问：“你们怎么不再添置些家具？”姜岩回答：“我也想啊，可是王菲忙着赚钱呢，总加班没时间。再说，我们也没有那么大的财力啊。”

尽管经济状况紧张，但是，姜岩依然以满足王菲的需求为首要任务，因为王菲喜欢木制的玩偶，省吃俭用的姜岩硬是花了好几百元买了三个限量版的玩偶。

然而，年轻的王菲却并不像姜岩那样懂得为对方付出，他更在乎的是自己的感受，作为二十出头的男孩，他的思想还不够成熟，也缺乏一个成熟男人应有的责任感。

在工作上，王菲是尽心尽力的，甚至是出类拔萃的，我们看到的很多名牌的广告都出自王菲之手，而且一个小男孩每月的月薪能够拿到2.5万元，超过普通白领很多倍。但是，初恋中的王菲还不懂得怎样考虑女友的感受。有一天，王菲拿着一张10万元的存折得意地对姜岩说：“看我能干吧？我攒下了这么大一笔钱。”姜岩刚想夸他几句，可是她没有想到接下来的话却让她如坠冰窟。王菲晃着脑袋天真地说：“你的钱是我的，我的钱还是我的。”敏感的姜岩心里一阵收缩，但她没有表现出来。

间隙渐生，小丈夫移情别恋

2006年初，姜岩已经和王菲谈了五年的恋爱了，看看周围相同年龄的女人早已结婚生子，姜岩便想在30岁前结婚，可是她没有想到王菲居然不同意，伤心的姜岩提出要么分手，要么结婚。刚刚25岁的王菲虽然不想这么早就结婚。但想到要放弃和姜岩五年的感情，心中实在不忍，于是答应了。但王家提出了一个条件，就是不举行仪式，不摆酒席。姜岩感到非常委屈，可是为了自己坚持了五年的感情，她最终同意了。在姜岩的死亡博客里，她含泪追述了自己委屈的结婚之路：“那是怎样的婚礼呐，没有宴席，没有婚纱照，没有结婚旅行，甚至没有喜糖，没有通知任何人，也没有任何祝福。我呀，要嫁的那个人——当我对他笑时，他会觉得快乐，当我对他哭时，他会感到心痛。当他看着我时，他会觉得世间无可取代，当我离开他时，他会痛不欲生。他的眼里只有我，他的心里也只有我。一生一代一双人，这就是我心里想嫁的那个人。我这样企盼着，向往着，在心里描绘着。”

2006年2月22日，姜岩和王菲仓促完婚后，王家因为与姜岩在结婚问题上的分歧，与姜岩关系开始冷淡，双方很少直接联系。

姜岩和王菲婚后的生活并不如意。婚后的王菲作为一个男人也希望能够尽力承担起供养家庭的重任，刚开始由于姜岩的收入比王菲高，这多少让他有点抬不起头来，他希望自己能全身心投入到工作中，作出成绩挣到更多的钱来养家。王菲从事的是广告行业，这个行业压力很大，而且作息时间不固定，工作繁重的时候加班加点是常有的事情，有时熬个通宵更是家常便饭。然而作为一个女人，姜岩期望丈夫能在身边相守，她不愿意独自面对冷冷的房间，屋里没有王菲就仿佛没有了家的温暖。姜岩在博客上记录了这种感受：“今晚，照例是孤独陪伴着我，小区的暖气突然停了，看着窗外清冷的月光，我竟然毫无睡意。我又加了一床被子，还是很冷。寒意从足尖慢慢向上侵蚀，直入我心。辗转反侧间，我看到了床头柜上他的照片，他笑得那样明亮，那样青春无邪。我把照片拥入怀中，胸口居然有了暖意。能抱着他的感觉，真好！"

独守空房的姜岩难免对王菲有几分抱怨，而这种抱怨对王菲来说则更增加了他在工作和家庭上的压力，矛盾随之产生。

这边姜岩抱怨王菲，而王菲对姜岩也满是抱怨。尽管他们两人是通过网络认识的，但是在相识之后，尤其是结婚之后，因为王菲的工作常常需要加班，独守空房的姜岩就靠玩网络游戏打发无聊的生活，而且烟抽得越来越凶，有时候一个晚上能抽一包多，加上姜岩偶尔也参加一些网友的聚会，这让王菲感到很不爽。王菲多次劝说姜岩离开网络，不要再沉迷于网络游戏，但是，姜岩总是不听。

有一次，王菲下班回家已经是凌晨1点多了，一进家门，闻到满屋子全是烟味，姜岩还在聚精会神地打游戏。王菲忍着怒火说："我还没吃晚饭呢，你给我弄点饭吃吧。"但是，正忙于网络拼杀的姜岩根本不理王菲。王菲一赌气，走进卧室，"哐"的一声重重关上了门。为此，两人发生了激烈的争吵。

两人结婚后，姜岩多次向王菲提出邀请自己的前男友一起吃顿饭。但是，每次都被王菲拒绝了，王菲觉得三个人在一起吃饭太别扭，于是赌气地说："要吃你自己去吃，我不去。"而姜岩也不示弱："去就去。"说着扭头就要走，两人为此多次发生冲突。

2007年王菲进入了盛世长城广告公司，虽然在公司里担任比较高的职位，手下有几个助手，但王菲毕竟还是个年轻小伙子，而且他的心理年龄比实际年龄要小很多，在工作上遇到了些难题，不善言辞甚至有些口吃的他没有去辩驳，他深知自己作为主管的责任并承担了下来。工作上压力越来越重，但夫妻间的矛盾一直没有解决，妻子希望丈夫能更关心自己和这个家，而丈夫却希望妻子能够理解自己的工作压力，姜岩和王菲没有冷静地进行交流沟通，他们开始互相指责和争吵，矛盾不断升级。

巨大的内外压力让王菲在工作时病倒了，送到医院后医生告知姜岩，王菲得的是轻度抑郁症，一定要杜绝一切精神压力，需要在家中静养，等待病情好转。但是，姜岩认为王菲是在装病，博取她的同情心。后来姜岩70岁的父亲陪王菲去看病，检查的结果是王菲身体一切正常，病是神经性的轻度抑郁，由于工作压力而致。姜岩在博客中记录下这次冲突："什么时候，爱情突然撕去了完美的表象。纵然他发怒，他摔掉了我的电话，甚至在争吵中对我说出了很难听的字眼，但我还是深深爱着他。

我宁愿相信，他对我作出这些时，他的内心，也是在痛苦滴血的。工作是个恶魔，险些杀了他！而我，只有站在他的身后，在他需要时为他抵挡风雨。”

当姜岩当着很多人的面说王菲是装病时，王菲的眼泪止不住流下来。他觉得，妻子一直迷恋于网络的虚幻世界里，而且跟前男友藕断丝连，根本不顾自己的感受，即使自己为了这个家庭累倒了还在指责自己，实在太令人伤心了。

而姜岩是个憧憬完美爱情的女子，在她的世界里，爱情是唯一的，是至高无上的，当她沉浸在自己爱的世界里时，她也不知道需要用更多的包容去对待自己的爱人。而当她还不明白很多男人无法承担太沉重的爱时，令她无法接受的是，病中的王菲接纳了来自另外一个女人的感情。

23 岁的东方在同事的眼里是一个还不成熟的小女孩，做事不够稳重，缺少踏实努力的工作态度，但在王菲眼里却是一个热心的小女孩。在王菲生病期间，东方热情地抱着鲜花到医院去看望王菲，而且时常买一些王菲爱吃的食物送到医院，这令王菲感动不已。

相比姜岩而言，东方是另一种类型的女孩，姜岩成熟内敛而重情，她的爱对于王菲来说过于沉重，姜岩的美，需要一个成熟稳健同样有内涵的男人来欣赏，而王菲只是一个尚不懂情感、贪玩、不成熟的大男孩。遗憾的是，姜岩选择了具有艺术气质的王菲，选择了不能欣赏自己的男孩。而没心没肺、年龄相仿的东方对于王菲而言是能玩到一起的那种伙伴，让王菲感觉轻松舒服，互有好感的两人很快就走到了一起。

2007 年“十一”假期，盛世长城公司组织工作人员到意大利旅游。临走之前，王菲对姜岩说：“我们要到意大利旅游，需要去换点欧元。”正巧姜岩手头有一些欧元，于是，王菲从姜岩手里拿了 600 欧元。姜岩记录了王菲出发之前与自己的对话：今天（2007 年 9 月 29 日），王菲对我说：“我们要到意大利，可是我没有欧元，你有吗？”我赶忙把自己明年准备去巴黎参加年会的欧元都给了他。那晚，王菲似乎特别高兴。我调侃他：“拿了我的欧元至于这么兴奋吗？”王菲神秘地一笑说：“不告诉你！”

姜岩当然不会想到，王菲拿着自己的钱与东方在意大利结伴同游，并拍下了亲密照片。后来有知情人透露，在罗马时，东方晚上来到王菲的酒店房间赖着不走，气得同房间的同事出去“躲避”，期间还打电话催问“她走了没”。

也就是这次意大利之旅，王菲与东方有了第一次亲密接触。当然，此时的王菲还没有忘记自己的妻子，他专门从意大利给妻子买回来妻子喜欢的极品香烟等物品。

但是，2007年10月21日，姜岩还是发现了王菲与东方的亲密合影。姜岩马上质问王菲怎么回事。王菲一开始极力否认，只说是和同事闹着玩的。但姜岩根本不相信，她本能地预感到王菲和那个女孩关系不一般。她悄悄地找熟人去王菲公司打听，反馈回来的消息让她的心坠入冰窟。她知道了丈夫已经出轨，而且第三者是个年轻女孩。在姜岩的逼问下，王菲终于承认了和东方的婚外恋，但他说话前后矛盾，还提出了分手的话。两人开始陷入无休无止的争吵中：“一再地问，你始终含糊其辞，我是越加怀疑，到底有什么事是你要隐瞒的，你到底为什么一定要分开？又为了什么让你在几天内态度发生这么明显的变化？我可以清楚地看到你对分手这件事，从一开始的犹豫到现在的斩钉截铁。我相信，一定有原因，说我是没有根据胡乱猜想也好，说我偏执也好，我的预感告诉我，一定有事。果然，果不其然，真没有想到，你始终都在跟我说谎。

“你这人，一边说着要求着：再给我一次机会，我要尽力做好；我没想过和她在一起；我已经和她说了，两个人不会再继续；我真的现在没有想跟任何人在一起，我只想一个人。一边却又可以和她通宵待在一起，盼望着能跟她双宿双飞。

“好啊你，真是明白了我的意思了，我说如果真的没有感情了，那我们就离婚，但是你要是为了跟她在一起而要离婚就要放弃一切，你就能想出这么个着来蒙骗我，想瞒天过海，等轻轻松松地跟我分手以后立刻就和她在一起么？真是个如意算盘。

“真的是感情不和的话，两个人的事两个人来解决，怎么都好说，你想要自由，我死都能成全你；但是出现第三个人就不一样了。我为什么要委屈自己去成全别人的企图啊？你口口声声替她说着好话，说她多善良、单纯，真是个可笑的人呐，原来屡次当第三者的人也可以叫单纯。”

2007年10月23日晚，姜岩和王菲终于心平气和地躺在自家床上，两人都很清醒。姜岩在博客里这样记录了当晚的场景：他对我说：“你该去修修眉毛，剪剪头发，化化妆啊，你怎么不爱打扮自己呢？”被爱情煎熬得心力交瘁的我无语了。他继续自顾自地说道：“你怎么没有外遇呢？是啊，你有外遇就好了，嗯，你不是我老婆多好啊。你怎么不说话了？我觉得我的心真冷啊。”我依然无语，只在心里说道：“你想我有外遇么？我有外遇你就解脱了吧？我不是你老婆的话，还能帮你找姑娘，对吧？你不是心冷，你只是变心了，心冷的是我。”这一刻，姜岩看到自己沉在深海海底的心已经万劫不复。

姜岩是个完美主义者，对这段感情投入太深，付出太多。所以，当她需要的忠诚感情遭到背叛时，对她来说这是不可原谅的事情。怎么解决这件事，姜岩不知道，她没有向亲人朋友们透露这件事，也没有寻求大家的帮助，就像她最后的留言一样：非常沉默非常骄傲，从不依靠从不寻找。

姜岩是一个孤傲清冷的女子，在她以后尝试和王菲进行的沟通中，她总是欲言又止，始终没有敞开心房和王菲进行彻底的交流。最终，姜岩选择了孤独，只在关闭的博客里和自己对话，用文字记录了点滴忧伤的思绪。也许在这场爱情中，姜岩更爱的是自己对爱情的一种信念，为了捍卫这个信念，她不惜以生命为代价。

策划死亡，情已逝覆水难收

从姜岩的博客中可以看出，在心伤到最痛的时候，她已萌发了死的念头。2007年10月22日，姜岩正式记下死亡博客的第一篇：博客即将关闭。是个终结，也可以说是个开始。不过，本来希望不要有重开的那一天。用脚想想也能知道，事与愿违的事情总是比较多的。10月28日她又写道：从今天开始，到未来的两个月间，这里记载的，将是我最后的日记。两个月后，是我离开的日子，就像我说的那样，去一个没有人认识我，完全陌生的地方，那里，将不需要电话、电脑、网络，没有人可以找到我，没有人，任何人。之后，她锁定博客，使得他人无法浏览。

不过，姜岩依然对王菲抱有一线希望，不愿离婚。

2007年10月29日晚上，姜岩和王菲一起吃饭。两人再次就王菲出轨的问题展开了讨论：“昨天下班，你说我们出去吃饭，喝点酒，聊聊天。你跟我说：你和她交底了，说结束了，她立马同意了，并且说‘我还年轻，有的是机会’。你说你很郁闷，你说她其实同时和好几个人交往着，现在正打算跟另外一个人交往，你说你自己真够傻的，我笑。你问我高兴吧，我笑了。笑就一定代表高兴么？我没什么好高兴的。我面前的人，曾口口声声地说着我们俩其实根本就不合适，我跟她更合适，我还是很喜欢她，我觉得我们以后还是会分开，那个谁谁也说了觉得我们俩不是一类人，觉得我跟她更合适。

“整个晚上，你口若悬河地说着，我尽到一个聆听者的本分，听着，笑着，你现在是想打开我的结么？为以后作好准备么？你说，下次你就知道怎么处理了。你错了，你其实不很了解我呢，下次？不会有下次的。你知道么，自以为对一个人很了解真的是致命的错误呢。我这次不是就摔倒在这里了么？

“真是好笑呢，一个出了轨的人，原来真的会想尽办法为自己开脱呢，原来他的借口真的都是这么千篇一律呢。我何尝不清楚男人，自从20岁以后，需要的永远都是20岁左右的年轻女孩呢。原来，原来，原来，永恒的感情真的不存在呢，当热情退去，眼里看到的只有对方的缺点呢。”

听了这样的话，姜岩没有说什么，只觉得心如沉在大洋深处。几天后的一个晚上，姜岩再次找到一直避而不见她的王菲理论，但是两人没有谈出什么结果：“又是一个不眠的通宵，又唱了一晚上的独角戏，又面对一个只晓得反复念叨着离婚的男人一整晚。这个男人，在凌晨5点半，带着一脸的便秘样，对我说：我真的不知道该怎么办，我回家跟我爸商量商量可以么？心灰意冷。挥挥手，您请随意，我什么时候限制过干涉过您的行动么？干什么一上来就弄得一脸的怨妇样，现在有婚外情的是你，坚持要离婚的也是你，好么？该哀怨的是我啊！独自站在阳台上，寒风中，烟不离手，就这么笑了出来。我还真是好眼光呢，这么懦弱的一个男人，却又坚定地要婚外情并且离婚的男人。一个28岁还抱着头要找爸爸哭诉的男人，真的，是我挑的么？认了啊，我真的认命了。来吧，我闭上眼睛，仰起头，怎样的结果，我都接受了。”

姜岩并没有被王菲的话打动，可她在心里也留存着希望他真能回头的想法。很快，更沉重的打击接踵而来，11月11日，王菲搬离了远洋天地的家一去无影踪。“下午3点多，回到家，还算是家么？支离破碎，钥匙插入锁孔一转……锁了，没人？进屋一看，果然，空空荡荡的。呼吸瞬间仿佛停顿了一样。疯了一样，反复地拨他的电话，不停地打，通了，可就是没人接听。机械地不停地按下重拨键，不知道打了多少次，终于放弃。浑身一点力气也没有，站不住，就那么瘫倒在地上，万念俱灰。散了吧，散了吧，走吧。

“晚上，关了灯，大开着落地窗，坐在地板上，背靠着墙，只是坐着，看着外面的雾，看着雾中忽闪忽闪的导航灯，最近眼泪太多，想来就来，模糊了周围的一切，谁能救我？哭到无力，止不住地痉挛，心脏急剧地跳动，胸腔像要炸掉一样，氧气忽然变得稀薄，任凭怎样张大口都呼吸不到，几近窒息。却有种解脱的快感。让我孤独地走吧。”

正当姜岩在孤独中像个困兽一样无所适从时，她突然发现家里有些异样，很多东西不见了，“在屋子里转来转去，不知道该做些什么。打开抽屉，随便乱翻，护照、港澳通行证，都只有我自己的那份，就那么孤单单地躺在抽屉里。总觉得少了点什么，又翻了翻，恍然大悟。存折！原来他除了拿走了自己的衣服，还把存折拿走了。是怕我去取出来啊？真是小人之心呢。这是个什么人呐，不说这么多年一直花我的钱，也不说这么多年来，一分钱的家用没有出过，更不说跟我要走欧元和新欢去罗马玩，最后竟然把存折拿走，难道我还会自己去把钱取出来不成？在这个时候，我想到的只有荒谬，只想说：真是个混蛋！”

从此，王菲一直住在父母家中。王菲搬走后，姜岩的希望全部破灭，自杀的决心牢不可破。但即使到了这时，姜岩为了自尊仍然隐瞒着亲人和朋友、同事，所以她身边的大多数人都未能及时发现她的问题。

当天晚上，姜岩上MSN聊天时，突然发现前男友张乐奕也在线上，她跟张乐奕聊了起来。姜岩问：“你在哪儿，在北京吗？”

此时，张乐奕正在上海出差，他如实告诉姜岩自己正在上海。姜岩把王菲离开家的消息告诉了张乐奕，张乐奕久久无语。最后，姜岩隐晦地说：“等你回北京后我们见一面吧，事情变化很快，这次不见面不知道以后还能不能再见。”张乐奕也感到姜岩的话语里隐约表现出一种不好的情绪，答应了姜岩的要求。

下线后，孤独的姜岩独自住在公寓里，烟不离手，巨大的精神压力让她食无味寝不安，虽然姜岩见了不少很久没见的朋友，但是她没有吐露自己情变的半个字，而是有意无意地谈论着死亡，笑着说也许明天我就会死掉。没有人看出她的苦笑，也没有人听出她的弦外之音。

11月15日的博客上，姜岩记下了这样的话：“一上午短消息不断。综合起来一个意思：你要懂事理，你别再闹了，你在折腾我们。我真想大笑两声呢，果然怎么都是自己的孩子好啊！出了什么问题都是别人的错，自己儿子就是完美的，永远没错的。原来错的就是我，就是我，讨伐吧，假如讨伐我可以让你觉得心情舒畅的话，对于这样溺爱着儿子的不客观的父亲，我不想再说什么。向一个父亲告他儿子的状，我也真是糊涂了，越活越回去了，该着让人家一条接一条短消息地骂啊！就算人家先挑衅，也要忍啊，百忍才能成钢，不是么？

"让大家都舒坦，什么叫让大家都舒坦啊？我乖乖地二话不说地去签了字离婚，啥都不反驳啥都不说，你们就舒坦了，是吧？归根结底不是因为婚外情，而是感情破裂，而是我们从一开始就不合适，多好的离婚理由啊！多舒坦啊，你们真的是舒坦了，全都顺了你们的心意了。"

2007年11月22日，张乐奕从上海出差回京后，给姜岩打了电话，两人约好在国贸附近的俏江南饭店吃饭。此时，张乐奕只是发现姜岩情绪不高，但并没发现有什么异样。在聊天过程中张乐奕问："你最近还玩'魔兽'吗？"

"不玩了，再也不玩了。"姜岩回答道。

"为什么？"张乐奕不解，因为他们都是网络玩家，而且沉迷于魔兽世界。

"我是为了老公才不玩的，老公埋怨我玩游戏，回家来没饭吃，为了老公我也不能玩了。"听到这里，张乐奕也不好说什么。两人聊了一些网络游戏的事情之后就各自回家。望着远去的姜岩娇小的身影，张乐奕心里很不是滋味。但是，他不知道这是他见到姜岩的最后一面。后来，张乐奕在博客上记录下了这次见面的遗憾：最后一面的你还是那样巧笑嫣然，还是抽着七星，那个我们抽了四年的牌子。你坚决地拒绝了我邀请你再来玩魔兽世界的请求，现在我才知道原来这也是你心里面的痛啊，才知道你为什么这么坚持，你坚守了自己的诺言，但是那个混蛋呢，他在干什么，你一定要为了他这样吗？你为什么不说，你为什么什么都不说呢？为什么啊？"

11月26日，姜岩在网上看到了网络红人"3377"的事。她只觉得心里发苦，多么相似啊，她能体会这种切身的痛苦，眼睛看着网页，却不由得想到王菲。她想，如果不是因为出现第三者，她会无条件同意离婚。但是，第三者的出现让她感到忍无可忍。经过这些天与王菲的争论，姜岩心力交瘁，身体也日益衰弱。她不停地咳嗽，有时还发烧。可她根本不去理会，孤傲的她白天仍强打精神照常上班，抓紧时间与她留恋的朋友同学们见最后一面。她的好友在姜岩死后，痛心地在网上撰文说："是我太疏忽，还是你隐藏得太好？我竟然没有在你一成不变的微笑中，发现你的决绝……"

万念俱灰的姜岩计划用安眠药自杀，一晚上几乎未眠。第二天晚上6点多，依然不死心的姜岩决定死马当活马医再见王菲一面。见面后，姜岩吃饭的时候要了啤酒，因为姜岩没有把握能够力挽狂澜，心想就当作最后一次见面吧，希望可以借着酒劲，把心里的话说出来。但是当看到有些不修边幅的王菲时，姜岩有些不知所措，仍然没有将心里话说出来。

姜岩只是隐晦地说：“我的等待是有期限的，我的最后心愿已了。”这样隐晦的提示，不知道王菲能不能听懂。姜岩走出门转角后才回头，空荡的街道，姜岩只看到自己孤独的影子。

“进入倒计时的我，还可以再有希望么？还需要再做最后一次的努力么？还是就这样算了？很累啊，老公出轨了，我要这样在后面一再地追着，拉着，甚至求着，这样的我还是我么？这样求回来的是什么啊？感情可以是这样乞求来的么？谁能告诉我？未来可以有多远？有谁能告诉我？”

然而，多次与王菲谈心，他执意要离去。终于，姜岩不再犹豫了。“星期三晚上终于还是跟王菲见了面，无论他怎样的不情愿，我坚持。事情不可以这样无限期拖延下去吧，我几乎是百分之百地猜测，这些天过去了，他并没怎么想过我们该怎样，该走向哪里。如果真的是这样，我不想再这样耗下去了，一个人承担这些真的很累。尤其是当你在苦苦煎熬的时候，另一个人却不看不想不考虑，只是得过且过地一天天混过去，这样还有什么意义？我也不想和别人分担这些，我能想到的可以与之分担这样痛苦的人，都是我所在意的人，关心我的人，何必多拉些人来跟我一起经历这些不愉快呢，把压力转嫁给别人，不是我所愿。

“果然，王菲真是让我很失望，仍然是一副茫然的表情。问到想法，只说没有；问到打算，只说不知；问到将来，只说没想。问到想什么了，只说工作很烦，别的什么都不想。逃避现实，永远有借口，为自己活着，一如既往。我也不过就是陪衬，一个点缀而已，怎么值得去费心，哪需要在意我的想法呢？这就是和我交往了五年多，结婚将近两年，弃我于不顾的人了。真是失败啊。没有什么好留恋的了。我起身，道别，不说再见，亦不想再见，从此萧郎是路人。”

没有人知道那些天姜岩究竟是怎么过来的，她在迅速地由内而外憔悴着、衰老着。出现在人前的她，表面繁华，内里悲苦，只有在夜深人静的时候，面对一室凄清，那种痛楚蚕食着她，一寸寸不留余地。

12 月 26 日，去意已决的姜岩在博客上贴了最后一张照片，就是引发夫妻大战的王菲和东方在罗马的那张亲密照。爱到极致便生恨，姜岩看过“3377”的帖子，张美然曾经在博客上贴出了自己和“77”的照片，而被前妻的朋友认出来，引发了一场网络大追杀，使“3377”在现实生活中也无所遁形。所以她临死前贴出了照片，一是证明自己不是瞎猜疑，二是发出了一个“网络追杀令”。

跳楼自尽的姜岩当然不会知道，就是她记录下的“死亡博客”和这张贴出去的照片，不但引发了2008年中国网络界第一大公共事件，而且引发了中国网络暴力第一案。

纵身一跃，红尘俗事终难了

2007年12月27日，姜岩打开已经关闭两个月的博客（注：博客关闭时，博主能写但不对外公开），她写了最后一篇日志：不说再见，向我的朋友们。向这个华丽又肮脏的世界。在夜深人静的时候，安静地，孤独地等待。这一天，她在MSN上最后的话是：如果有来生，要做一棵树，站成永恒，没有悲欢的姿势。一半在尘土里安详，一半在风里飞扬；一半洒落阴凉，一半沐浴阳光。非常沉默非常骄傲，从不依靠从不寻找。

随后，姜岩吞下了300片“舒乐安定”自杀。自杀前，她把自己博客的密码告诉了天津的一位网友。晚上9点多，姜岩的那位天津网友找到姜岩的姐姐说打姜岩的手机一天都关机，感觉有点不太对头。于是姐姐马上打电话给王菲问：“你们是不是闹别扭了，姜岩在哪儿？”王菲听后莫名其妙，连忙给家里打电话，一听姜岩在家但听声音不太对，于是众人立刻赶往姜岩家。

姜岩被送到医院后，经过一番抢救后终于醒了，清醒之后的姜岩指着王菲说他搞婚外恋，和一个叫东方的女人一起去罗马，姜岩的姐姐这时才知道他们婚姻出了问题。在药物的影响下，姜岩的情绪很激动，医生问她都吃了什么，吃了多少，什么时候吃的，她不说，并且拒绝洗胃，坚持要离开医院回家。姜岩光着脚穿着单衣冲出了医院，此时，天上飘落着雪花，姜岩的姐姐只好跟着她一起打车回到远洋天地。

回家后姜岩情绪非常激动，质问王菲“十一”和圣诞节都和谁出去了，是不是和东方。王菲只好都承认了。姜岩大受刺激，扑上去和他扭打成一团，姐姐好不容易才将姜岩拉住。

经过一天的哭闹后，由于药效发作和精神极度疲惫，姜岩从28日中午睡到晚上，

29日又昏睡了一整天。姐姐又将姜岩送到了医院，姜岩的父亲也赶来了。姜岩醒后还是很狂躁，一直哭闹，大家只好又把她送回远洋天地。

再次从医院回家后，姜岩继续和王菲对质，姜岩的家人这时才知道事情的大概。姜岩的姐姐一直陪着姜岩，劝她想开些。就这样，姐妹两人一直谈到凌晨4点，姜岩对姐姐说："我已经做过一次傻事，不会再做了。"情绪稳定后的姜岩洗了个澡，然后就躺在床上睡了。

2007年12月29日下午5点半左右，姜岩醒了，但她的精神并不太好。这时她的手机上突然收到一个短信，姜岩看后忽然情绪激动起来，一把将手机摔在了地上，穿上衣服就冲出门去。姐姐和父亲不知道怎么回事，赶紧追上她，问："你去哪儿？"姜岩头也不回地说："我要去找王菲和那个第三者！"父女俩根本拦不住姜岩，只好跟在后面。

到了王菲的公司后，当时王菲在公司里工作，很多人在加班。姜岩冲了进去，第一句话就质问王菲："你和东方一起爽吗？"两人爆发了激烈的争吵。姜岩问王菲和东方有没有上过床，王菲当众承认了并且央求说："你就放过我吧。"姜岩气愤地说："我们认识五年，结婚两年，我供你上学的时候怎么不要我放过你！"

后来，王菲趁乱躲到了洗手间。经过一番折腾，姜岩等人回到远洋天地的家后，由于一直瞒着姜岩的母亲，父亲必须要回家去。姜岩的姐姐觉得一个人陪着姜岩没问题，因为有了前一个晚上的经验，加上姜岩曾经许诺不再做傻事。不过，姐姐还是有点不放心她，就一直陪着她说话，想让她放松下来。由于姐姐这几天基本上没睡，感觉非常累，姜岩就说，你去休息一下吧。于是姐姐去卧室躺下，但还是没敢睡。

接着，姐姐听到姜岩在打一个电话，当姐姐听到姜岩说了一句"你不用来了"后便再也没有声音。姐姐冲出卧室，却发现客厅的落地窗打开了，客厅里却空空如也。姐姐焦急地喊着姜岩的名字，一个屋子一个屋子地寻找，却没有找到人。

最后，姜岩的姐姐在楼下找到了妹妹的尸体。

同声谴责，人肉搜索引擎启动

姜岩自杀后，她的博客首先被网友"撒加的橡皮鸭"转贴出来，并很快被网友转贴到各大论坛，引起网友们的极大关注。因为博客中公布了王菲和东方的照片和姓名，很快，王菲和第三者的工作电话、家庭住址等信息，都被网友们"扒"了出来，众多网友留言谴责王菲及"第三者"，并表示要支持姜家打官司。

2008年伊始，一篇《从24楼跳下自杀的MM最后的BLOG日记》便在各大论坛开始流行，天涯、大旗等各大网站以及全国各地的地方社区门户都在讨论这个话题。一个女人因为第三者的介入，最终义无反顾地选择了死亡，这背后究竟有多少值得我们深思的故事？大旗网还对这件事展开调查……

姜岩自杀事件在王菲所在的公司成为爆炸性新闻，公司高层马上就采取了危机处理措施。2008年1月11日晚，王菲和东方所在的公司在天涯网站发表声明：《盛世长城国际广告有限公司的声明》，声明中称"在得知此事原委之后，公司即决定让王菲、东方两名员工暂时停止工作，以妥善处理此事。其后不久，他们二人即向公司提请辞职，公司已予以批准。深望王菲妻子的家人节哀顺变，善自珍摄"。

2008年1月8日，张乐奕突然接到姜岩姐姐姜红的电话，姜红告诉张乐奕一个对他而言几乎是灭顶的消息："岩岩去了，但她一直没有忘记你，一直念着你。"

张乐奕大吃一惊，忙问："怎么回事？"

"你去看看岩岩的博客就知道了。"说完，姜红哭泣着挂断了电话。而张乐奕随即上网浏览了姜岩死后留下的死亡博客。在泪眼蒙眬中，张乐奕在自己的博客上写下了第一个祭奠姜岩的帖子。

"你走了，在2007年的年底，而我到今天才知道。因为是你姐姐打来的电话，所以我一点儿没有不相信。你姐姐说，'岩岩一直没有忘记你'，泪水，在一刹那奔涌而出。

"那一年第一次看到你，你从录像放映室转身飞奔出去的身影，你在花坛旁边的长椅上手中烟的亮光，我们第一个晚上的彻夜游荡，我们的教室，我们的水房，我们的乒乓球台，我们四年的时光，我现在还保留着那时候长长长长的信件。我们争吵，就跟我们后来那么多年无数次的争吵一样，我们分手，就跟你在生前面临的最后一次分手一样。

"这个世界对你来说太残酷了，你那么坚强，坚强到连拿走自己的生命也如此义无反顾。有些人以为自己是多么超凡脱俗，他们不知道敢说敢做敢爱敢恨的你才是最脱俗的，你走了，你不打算看到2008年这个熙熙攘攘热热闹闹的北京，我知道，那会让你更加难以承受。

“我想，你应该走得毫无痛苦，至少在你张开双臂纵身跳入黑夜的那一刻，天堂的那边会有你喜欢的烟和酒，没有伤你心的人，因为他们在地狱。

“没有悲欢的姿势，一定不是你想要的，如果有来生，你仍然是会要大喜和大悲的吧，因为，青春透明如醇酒，可饮可尽可别离。我们可以痛快地畅饮，也可以痛苦地别离。祝你新年快乐。”

2008年1月9日，姜岩的姐姐开始在网上留言说：“很多人都说不值得，也许。但是能被这么多认识和不认识的人牵挂和思念是否也算值得？作为2007年末的一个网络事件，不是名人，没有组织，没有炒作，纯粹是网友自发发起而造成这么轰动的后果，恐怕也是个空前绝后的异数吧。”

也就是这一天，张乐奕约见了姜红，两人聊了一些关于姜岩的事情。这时候，姜红告诉张乐奕，王家的一些做法导致了姜岩至今没有下葬，姜岩死得这么惨，应该推动事态尽快进展下去，让姜岩能够顺利安葬，以慰姜岩在天之灵。

与姜红分开后，张乐奕决定自己建立一个网站，让大家对姜岩死亡博客事件有一个全面了解。于是，张乐奕用姜岩博客的名字申请了一个域名，在缴纳了十元钱域名使用费之后，2008年1月11日晚上，“北飞的候鸟”网站正式开通，张乐奕独自担任网站管理员，负责上传相关内容。在网站名字下方写着“向北的最远方，唯一的救赎”。在“关于网站管理”条款中，张乐奕提出：请不要在这里报复性地贴任何人（包括王菲以及东方）的通信方式、家庭住址，网络上有太多地方可以搜索到，不要再让他们出现在这里。

张乐奕之所以要做一个祭奠网站是想给后来的人一点点启示，不要让这个悲剧再次发生。就如同祭奠网站上所说的“要汇聚所有讨伐道德沦丧的斗士”。在张乐奕的个人空间里，那里原本正常的生活因为姜岩的逝去抹上了沉重的色彩，正如张乐奕自己所说：“其实我之前一直是一个吊儿郎当的人，可她的离开让我沉重起来。”张乐奕在博客中说，当我看了越来越多的人到你的空间留言，越来越多的人知道你的事情，我的想法改变了很多，你用生命给大家上了一课，其实之前也有很多的人给我们上课了，但是，至少对于我，你这课是最醍醐灌顶的，是能够让我毕业的点睛之笔。orionchris.cn不仅仅是纪念你的地方，也不仅仅是为了惩戒谁，那里要教会我们怎么样去做一个男人，怎么样去保护那些落下凡间寻找自己翅膀的天使们。

1月12日，姜岩的姐姐在网上留言，对事态的进展进行了描述：因为王家的态度，你迟迟不能下葬。昨天下午，我考虑再三，决定还是主动给王菲的父亲打一个电话，七天前他在爸爸妈妈面前痛哭流涕，还说王菲以后还是你们的儿子。虽然他们做了那么多对不起我们的事情，但我还是寄希望他能有一点点良知，毕竟你已经去了，我不希望活着的人再出什么事。在电话里，王父一如既往地说以大局为重，还许诺说以前的承诺有效，会尽快给我回复。

王菲和东方两人被盛世长城公司辞退后，2008年1月14日，在天涯论坛的留言中一位自称是王菲同事的人写下一个帖子《我所知道的一些事情》，描述姜岩自杀当天王菲的细节：在2007年12月29日之前，王菲正常上班，很开心的样子。每天工作、和东方一起吃午饭、在公司打游戏（公司提供游戏给员工放松的，属于正常活动）等。直至此时，Saatchi的同事都还不知道王菲已经离家出走两个月了。关于王菲和东方意大利度假的事情属实，有知情人透露东方晚上来到王菲的酒店房间赖着不走，气得同房间的同事出去“躲避”，其间，还打电话催问“她走了没”。

这个帖子无异于一枚重磅炸弹，立即在网上引起巨大波澜。立即有网友跟帖称：WF的父母也太让人不齿了，即使对媳妇再怎么不满，在没有离婚的情况下让“小三”住到自己家里，是怎样的愚昧无耻！这家的素质也太差了点，不然，1980年生的人就念到初中，是弱智还是有心理疾病啊，和时代社会脱节啊！有病！！！！！！！！！自己老婆死了还能若无其事，心理太强悍了，应该早点灭了，不然，社会上就多了个冷血杀手啊！！！！！！！

此后，“暴力”行为不断升级：最初，网民只是以道德卫士的姿态质疑王菲和东方的人品；随后，有人通过种种渠道调查出王菲的个人资料和联系方式，并将其公布到互联网上；接下来，对王菲的攻击开始从虚拟世界延伸至现实生活，不断的骚扰电话使王菲及其家人的正常生活受到严重影响，王菲所在单位无奈之下要求王菲和东方辞职，接着是网友们怀抱鲜花到王菲和姜岩在远洋天地的家门口祭奠亡灵，甚至还有新加坡赶来的网民参与其中。此后，网民参与了姜岩从火化到下葬的全过程，并有多拨网民赶到王菲父母所在小区，在王菲父母家门口写下“血债血偿”等字眼，一些网民轮番在王菲父母家楼下袭扰王菲，致使王菲成为惊弓之鸟。随后，一些“通缉令”“追杀令”“悬赏令”更是让人看得胆战心惊。

姜岩的姐姐1月15日在网络上发表过一份《姜岩事件最新进展　姜岩姐姐最新

声明》，声明称“我们对网友的同情和支持表示由衷的感谢，但我们并不赞同对无关人士的人身攻击”。其实，类似的“暴民行动”并不是第一次了。在此之前的“虐猫事件”“铜须门事件”“3377事件”，都有网友自发调查，在短短几天之内，网友们就锁定了当事人，并把相关人员的工作单位、联系方式等个人信息在网上公布。

随后，“撒加的橡皮鸭”联系到大旗网，大旗网对姜岩的姐姐以及姜岩的前男友张乐奕进行采访，进行了简短的通话。通过电话，大旗网了解到：姜岩的妈妈目前身体状况非常不好，冠心病发作，刚进行了抢救。而在说到王菲及其家人时，这位在网上一直给我们冷静感觉的女士，也忍不住气愤。她说，王菲的父亲还打电话过来威胁，认为是他们在网上发帖，让王菲失去了工作，并要找律师。

针对由网友提出的遗产问题，姜岩的姐姐说，她从来没有想要得到什么遗产，而所谓的遗产也只是当初结婚时王菲父母买的那套房子，她没想过要这套房子。姜岩也没有什么遗产，姜岩的钱之前全部用来补贴家用了，她的遗产也只是单位给的公积金、社保这一类。而让人气愤的是，王菲家就连这些也想要分得。

在被问到有网友猜测当初姜岩和王菲结婚是不是王菲父母不同意时，姜岩的姐姐说，并没有这回事，当初王菲父母是同意的，并且非常感谢姜岩家人的照顾，因为王菲当时正在念书，是姜岩在照顾王菲。

姜岩的姐姐说，她只想把姜岩的后事办好！但王家却连这点要求也不能满足，姜岩的尸体停在太平间已经20多天了，还没有火化。此前王菲的父亲提出的要给一些补偿，也一直没有兑现。在此过程中，作为丈夫的王菲本该承担起自己的责任，但他却完全没有露过面。

而针对网上出现的所谓澄清的帖子，姜岩的姐姐说：“现在他们居然想把第三者的存在都抹杀掉，但是这些证据都是存在的。我们失去了亲人，没有想找他们打官司，可现在他们却先找我们打官司了。”

最后，姜岩的姐姐表示，她只想把妹妹的后事办好。如果王家能真诚安慰一下，并主动、大度地把丧事办得妥当体面，事情绝不会闹到这个地步。

随后，大旗网联系采访了张乐奕：“在通话结束前，电话那边传来短暂的沉默，好一会儿，才传来语不成调的声音：‘你不知道吧，我其实是姜岩大学四年的男朋友……’那一刻的悲伤，在电话这头的我也能够感受到。这时才能如此深刻地体会，姜岩，你的解脱给关心你的朋友们带来了多么沉重的伤害。在我的要求下，他描述了自己眼中的姜岩：‘坚强，但是她一直在压抑自己，弦绷得太紧才会断的……’”

2008年1月19日这天，正是姜岩去世后的“三七”，很多网友自发来到姜岩生前居住的小区悼念她。当天中午，网友们陆续赶到小区。他们看上去彼此陌生，只是低声交换着网上流传的消息。三三两两的居民在远处观望。在和物业沟通后，大家有序地来到姜岩家门口，依次献花。为了不打扰到邻居，整个过程都在无声中进行。在表达了自己的悼念后，大家带着悲伤纷纷离去。有网友用帖子记录下这次悼念活动“因为带着花，不让进小区。之前去的网友们可能太多了，所以原本就是用门禁打卡进出的小区看管得更加严格。我们把花放在小区南门和稻香村那个门中间的地方，那里已经有很多花了。这应该都是很短时间内的。后来好心的物业管理告诉我们，因为花太多，影响了附近的住户，所以摆放在小区内的花都被收走了。到68号楼下，有个好心的男生还带了一个大纸盒，里面放的是暖宝，他怕大家冷，所以带来的。给每个人分发。很亲切。

“物业很好，正在给大家介绍情况，据说我们去之前他已经领着网友们去过24层了。后来他又带领我们去看了姜岩坠楼的地点，楼下住户的院子。住户也很好，他们可以关闭院门不接待任何人的，但他们没有，他们只是请大家不要打扰到他们，其他并没有多说什么。

“姜岩没有照片了，她的家人只有一张她小小的一寸证件照，是个端庄清秀的女子，可以说，比我们想象中的她，要更加美丽。大家自发地向照片鞠躬。

“姜岩的朋友们其实一直都在，没有人要求的，却来为这个已经逝去的朋友的未曾谋面的网友们做服务工作。他们可能不止是接待我们这一拨人了。和好心的物业一样，在寒风中，耐心地给大家讲解，也如姜岩的姐姐所提出的要求，请大家不要再打扰生者。”

此时，网友们的行为还是克制的。追思过后，来到现场的张乐奕向网友们表达了谢意，他表示希望网友们能够克制住自己的情绪，不要作出过激的行为。而前来悼念的一位网友则表示：其一，他们会尽量克制自己的情绪，不作出过激的行为，也会劝导其他的网友；其二，他们希望生者能够平安，希望姜岩的父母都能保重好身体；其三，希望姜家能够及时给网友发布一些新进展，不要让网友们瞎猜，也让关心这件事的网友能够了解事件发展的结果。

针对这件事情，小区的物业也表达了自己的看法。一位保安说他们非常能够理解网友的心情，但是希望网友们能够采取其他的追思方式，今后不要再来小区的楼里面献花和点烟。楼里住着很多老人和孩子，网友经常来会打扰到他们。最后这位保安说："姜岩其实是个很低调的人，我们楼下的保安都认识她，在姜岩吃安眠药后的第二天，有保安看到她问起这件事，她还笑着说没事。相信她也不愿意因为她而打扰到其他的人。"

而对于为什么要自发来参加追思会，关注此事进展的大旗网也采访了几位前来悼念的网友。他们纷纷表示，对姜岩的离开非常惋惜，希望能够通过这种方式表达对她的悼念，同时对于姜岩迟迟无法安葬表示气愤，他们希望这件事情能够圆满解决。

1月20日，姜、王两家通过代理人达成一致，双方在墓地选择、赔偿等方面已无异议，但由于双方签订的是保密协议，双方都没有透露赔偿数额。

于是，1月21日姜红亲自去为妹妹选定了墓地，下午从墓地回来，姜红又去了远洋天地姜岩的家，并在博客里记下了这次的感受：狼藉的茶几上有烟，你最爱抽的柔和七星和三五。我抽出一支七星，点燃，将自己陷入沙发中，体会你在最后的两个月里，每个孤独的夜晚，就这样一个人，在空荡荡的屋里，抽着烟，看着动画，听着歌，那种无助，那种凄凉，那种无边无际的黑。烟雾的弥漫中，好像看到你就像28日那个晚上，坐在我的身边，一脸的绝望，却平静地诉说，我的眼前一片模糊。我想说，乖，不要难过，来，抱抱，可是，当我伸出手去，我触摸到的除了空气，还是空气。

今天是你的三七，LY（注：张乐奕）说，姐姐，再写点什么吧。其实心里很乱，不想写，但LY坚持说，写吧，和岩岩说说话，哪怕几句也好。

2008年1月25日，在姜、王两家代理人就赔偿等事宜达成一致后，姜岩终于下葬。姜岩的遗体告别仪式在北京盛唐法医学司法鉴定中心朝阳分部举行。参加告别仪式的二十余人多为姜家的亲戚或姜岩生前的同窗好友。尽管此前姜家拒绝透露仪式时间和地点，但当天仍有不少网友探听到消息并赶来吊唁。

王菲没有出现在告别仪式上，而是由他哥哥出面。姜岩的姐姐说，王菲可能有顾虑才委托他哥哥来捧骨灰盒，但姜岩的姐姐表示"只要岩岩能安息，我们就如愿了"。

一位见证这场葬礼的网友记下了这次葬礼的情节：来的人不多，二三十个吧，没人说话，很快到了遗体告别室。姜红主持的仪式，她努力压抑自己的情绪，她们姐妹只相距了十米，可是已比天涯还远。那一刻在想，小黑何其残忍。终于到了向遗体告别的时间，我们这几个人排在最前。

这个女孩子是有怨气的，不安详，就如她生前的性格，爱就爱了，恨就是恨，不妥协，不顾一切。和家属握手告别，到姜红的时候，她终于压抑不住地失声痛哭，撕心裂肺，所有的悲伤在那一刻逆流成海。大家都出了告别室的时候，工作人员收殓姜岩的遗体，姜红大哭失声：“不要带走我的妹妹。”

告别仪式结束后，灵车将姜岩的遗体送至大兴区殡仪馆火化，骨灰被送到香山金山陵园下葬。姜岩的墓碑是她父母立的，背面刻的正是姜岩生前最喜欢的那首诗：“如果有来生，要做一棵树，站成永恒，没有悲欢的姿势。一半在尘土里安详，一半在风里飞扬。一半洒落阴凉，一半沐浴阳光。非常沉默非常骄傲，从不依靠从不寻找。”

此时，我们可以理解姜红和张乐奕以及众多网友的心情。他们只是不希望那么多的努力之后，换来的只是王家对姜家一个交代，而应该是王家对所有为此努力、为此操心、为此奔走相告的人们，对那些在电脑前流泪的网友们一个交代。道歉信也好，哪怕是让人们知道王家最后妥协的条文也罢，至少可以让所有努力过的人知道自己的辛苦没有白费。如果能公开协议，万一网友们觉得姜家还是吃亏了，网友们还在，网友们的热情都还在，姜家还有网友们在保护。然而，由于这些网友们的这些期望都没有得到满意的答复，网友们无法知道协议的内容，甚至也没有被通知去送姜岩最后一程。这些网友聚集在网络上的时候，“自豪的正义声音”如此响亮，可最后却有些尴尬和仓促，没有震撼，甚至没有余音。

于是，网友们开始着急、失望，继而变为愤怒。

其实，无论通过“控诉”王家的主要目的是为了让姜岩早日下葬早日安息也好，让姜家获得应得赔偿以保证能渡过目前的难关也罢，姜家的状况很清楚地被描写在姜红的文字里了，对于一个正在照顾身体不适的孩儿的母亲，对于一个正在照顾丧女心痛中的二老的长女来说，我们没有理由再要求姜红忍住悲痛、心平气和。但是，如何能尽快让姜岩入土为安，让老人早日从悲痛中走出来，才是姜红的当务之急。

然而，许多网友并不这么认为，他们的目的是“唤回社会的道德底线”，是批判第三者的无耻和人情的冷漠。他们希望最后的结束能定格在最强音最高潮，让“道德沦丧”的王菲体会到什么是切肤之痛，体会到什么是民间力量的惩罚，用这样的最强音来警告所有挑战道德的“无知无耻”的人。他们所要求的一切都不关乎自身，为了素未谋面的一个女人向往的干净的世间。

网友们最大的失望来自王家不发出任何声音，来自王菲在妻子自杀后采取避让的态度，网友们认为王菲“像个缩头乌龟”。其实，网友们不知道，王家已经身心俱疲，家人的平安和安静是他们在经历了这样一次浩劫后唯一的愿望。对于很多网友坚持的“正义”，他们已经无能为力了。再说，王菲的声音太微弱了，没有人听他解释。

因为签订的是保密协议，所以这个协议至今没有公开。但是，记者看到了这份协议，应该说，这份包括赔偿费和购买墓地在内的协议，王家做得并不差，甚至已经做得仁至义尽。只是由于这份协议没有公开，才让网友们愤怒。如果当时及时公开这份协议，想必大多数网友不会再迁怒于王菲。

网络声讨，众口谴责背后的隐情

在我们的现实生活中，第三者介入事件频繁发生，但没有任何一件像姜岩之死这么震撼人心，在网络上引发了一场关于爱情婚姻道德责任的大讨论。

对于姜岩的行为，大多数网友表示同情，并强烈谴责王菲和东方，认为姜岩是一个勇者，在这个拜金主义和“小三”盛行的时代，姜岩以她的完美主义和执著捍卫了自己的爱情信念，她是用生命在抗争。她丧失了一切乃至于她那年轻的生命，唯有尊严是她永远值得自豪的。

但是姜岩选择死亡确实是一种过激的行为，姜岩带着满腔的爱恨走了，留给亲人的却是永远无法愈合的伤口。也有不少网友认为，姜岩将痛苦留给了自己的家人，因为一个不爱自己的人和“小三”而选择放弃生命，是不值得的。

如果说王菲的外遇是让姜岩自杀的外在原因，那她自身的性格就是造成她走上这条路的内在原因。在人的一生中，我们常会遇到坎坷和不如意，常常令人沮丧痛苦，甚至失去信念，但是活着就是最大的坚强，姜岩本来有机会选择再次迎来美丽精彩的全新人生。爱情并不是人生的全部，姜岩的选择是自私绝望的！这样的做法我们不需要鼓励！如果姜岩能够退一步，如果她能有意识地去寻求别人的帮助，如果她的性格不是这么固执，不是这么追求完美……那这个悲剧就不会出现！

正如姜岩的姐姐所说，虽然我理解我妹妹所做的一切，但毕竟生命是宝贵的，无论如何都不要轻易放弃，也请今后遇到类似问题的小弟弟小妹妹不要步她的后尘。

但是，已经狂热的网友们不会这么思考问题，他们只会考虑到能够从网络中得到的信息。他们愤慨的是：王菲的妻子姜岩还在冰柜中没有火化，但王菲一不出面，二不签字，还借口说忧郁症，自己要自杀，结果带着东方在北京逛街。

在姜岩下葬前后，一则附带着照片的消息更加刺激了网友的神经。在这条王菲认为是编造的帖子中称，王菲在姜岩下葬之前，就带着东方到上海购物逛街，甚至在这则消息上还附带着几张并不清晰的照片。但是，记者在采访王菲时，他流着泪说："那时候我如同惊弓之鸟，哪有心思去上海？其实我连门都不敢出一步，因为时刻有网友在我家楼下走动，我不知道哪个是杀手，哪个是好人。"

此时，在网上有网友发出了对王菲的"网络追杀令"，但是，网民的这些行为已经超越了网络的范畴，一位支持网民的律师在网上发出忠告：看到了大家组织的一些正义的活动，我深受感动，但作为一名法律工作者，我感到我有必要提醒有正义感的朋友们一下：千万不要与王家发生正面冲突，特别是肢体语言方面的。首先这个是法律管辖的范围，其次是不值得。大家想一下，如果我们被疯狗咬了，我们能再反咬疯狗一口吗？我们要讲究策略与方法。首先我们要明确我们的目的：让王家后几年甚至几十年生活在唾骂中，让他们求生不得，求死不能！那我认为最好的方法有以下几条，归纳出来与大家商榷：第一，想办法让该王家人及其社会关系的领导同事知悉此事，这会让他们颜面扫地，无脸见人。第二，每天给王家送一个花圈，摆在楼道门口就可以。不用多，每天一个，让他家常常有个念想。第三，把他们所有的联系电话都做成小纸条，纸条上写明"办证"，让他们尝尝"呼死你"的滋味。最后提醒一句：千万不要指名道姓地谩骂，更不要写在文字上，我们要广泛利用网络这个媒介，充分发动群众，让王家人感觉"处处是鄙视的目光和唾沫"。每天生活在自己挖的棺材盒子里。

网友在网上祭奠姜岩的同时，对王菲一家的声讨仍然轰轰烈烈地进行着。天涯网友甚至贴出了《网友到武圣东里王家的讨伐行动》。

显然，这并不是姜家人所为，而是网友的独立行为。姜家律师回应这次行动说：此事是网友的自发行为，姜岩的家人及生前同学、好友均未参与此事。律师代表姜家对网友在网上的悼念、同情、支持表示感谢，同时也吁请广大网友在表达感情时要理智，将行为控制在法律允许的范围内。

对于此事，一些网站也开始反思。大旗网也咨询律师网友行为是否违法。江苏当代国安律师事务所李育新律师的说法是：网友出于一种同情心去王家讨说法，是可以理解的。但是在理论的过程中，要注意尺度。如果超过了一定尺度，就要承担一定的法律责任。比如：捏造事实或者将没有充分的证据证明的事情进行传播，情节严重的，可能构成诬告陷害罪、侮辱罪和诽谤罪。另外还要注意不能违反社会治安的相关法律规定。如情节严重，影响较大，公安可以根据王家的报警介入调查，通过IP找人是很容易的事情。

2008年1月24日，中央电视台《大家说法》栏目对“死亡博客事件”进行了报道。这个报道是客观的，毕竟央视是慎重的主流媒体。那些为姜岩惋惜的人也算成功了一步。既然央视都报道了，说明央视也认为这事不是一个简单的事儿了，说明网友们这么多天没有白白度过。网友们在网上发帖子说：我们这些与姜岩素不相识的人为了社会的公德，为了她的一切也算没有白费。当然，我们不会要求任何回报，以后如果有类似的事儿发生，我想我们依然会出来声讨的。毕竟现在的社会像姜岩这样的女人少之又少了，我们都要珍惜身边的人啊！

同时，也有网友认为，网络的力量不可忽视，要是没有网友们的话，这司空见惯的事不可能上央视的。在央视的报道中，唯一让网友们“觉得刺耳”的是：主持人反复地问“你知道真相吗”？毕竟，这种敏感问题，央视不可能表现得倾向性太明显，提示大家这只是一家之言，不代表电视台的立场。这个也无可厚非。同时，央视也隐晦地指出了，姜岩之死可能另有隐情。

这些报道的关键是姜岩的姐姐或姜家人没有出面，王菲和王家人也拒绝接受采访。这样一来，说话的都不是当事人，观众不容易产生共鸣。只能说引起一些观众和网友的好奇心，然后大家开始上网去看。

在央视报道前后，凤凰卫视、《南都周刊》、《三联生活周刊》等媒体也都作出深度报道。但是，这些报道中都没有采访到事件的真正当事人，大多是一些外围的报道。在这轮网络和媒体的报道中，关键问题在于良心和舆论。很多网友认为：我们就是要凭着良心制造舆论，控诉目前种种在婚姻方面道德沦丧的现象，不能让目前仍然活着的众多姜岩妹妹再走上不归路，不能让更多的准王菲准东方成为真正的王菲和东方。借此清洗世人正在染上灰尘的心灵，使好人安安心心地生活，麻木的人找到心痛的感觉，迷失方向的人可以看到出路，使得目前的“华丽又肮脏的世界”

变成天堂。

暴力升级，网络声讨转为现实攻击

姜岩的安葬只是开始，网络上的讨伐也只是预热，为了“告慰姜岩在天之灵”，网友们在此后的日子里锲而不舍地要把讨伐坚持下去：不管谁和谁放弃，也不管谁和谁离开，只要还有一个人在，只要身体里还有一丝一毫的血性，我们也会把这个公道讨还回来，做到底！正义一定要伸张！

网友们的理由很充分，因为姜岩死后王菲一直称病没有出面。但据公司同事目击，在2008年元旦假期后，王菲和东方还一起上班，甚至有说有笑。接着网上爆出由于姜岩属于非正常死亡，公安部门需要丈夫的签字，而王菲躲着不肯露面，导致姜岩的尸体迟迟未能入土。随即，网上又爆出王菲带着东方到上海逛街购物。这些消息让网友们义愤填膺。于是，网友们从网络声讨改成了现实攻击。他们来到王菲所在的单位，追到东方的新单位骚扰，并多次集体到王菲父母家散发传单并在小区内广泛宣传“王菲逼死妻子”的消息。

王菲的一位同事在帖子上写道：上周日加班，几个小报记者来公司，他们走着你曾走过的路，站在你曾站过的大门前，由于公司只写了英文名，于是他们问这里是不是盛世长城，我毫不犹豫地说：不是。我们公司这些家伙，从一开始的偷偷上网看消息，到现在，每天7点多开始互相问：今天有什么新的八卦？上照片了吗？每天以一个不同的角度讨论这个事件。

更有网友时刻打探着东方的消息，一位网友在帖子中记述了一个路遇经历：“昨天，我的一个同事在三元东桥的地下通道看见了东方小三，当时还不敢确认，小三看见我的同事盯着她看，就开始狂跑，跑了一阵后回头看我同事没有追她，所以就停下来了。当时，东方小三就穿着她的白色羽绒服，个子确实矮，前面是齐刘海。很巧，某某公司跟我们公司就是一栋楼，所以我直接去某某公司了，但是他们二十八层的前台说没有这个人。我当时就相信了。

“不过，我的同事并没有放弃托人打听，结果今天他告诉我东方已经在某某公司市场部上班了，我想某某公司28层的前台MM真是会保护小三啊，估计已经被小三的前任男友买通了。我的朋友已经确定了，东方小三现在已经在某某公司市场部上班了。

“我昨天去找某某公司的时候，他们的前台还说没有这个人，看来，某某公司的人在掩护她！啊！为什么正统的女人要自杀，而风骚的女人却左右逢源！天啦！”

更令人不可思议的是，网友们居然通过“人肉搜索引擎”，找到了东方母亲所在的单位，一位网友寄给东方母亲一张明信片，上面写着：因为您的女儿东方插足王菲的家庭，又刺激刚刚服药自杀的王菲的妻子姜岩，使她绝望地从24层高楼跳下自杀身亡。人在做，天在看，您敢看天吗？天上有一双眼睛时刻在看着您！

姜岩自杀后，有网友在网站贴出了王菲父母家的住址。几名网友相约来到王菲父母家的小区里，在通过多种方式对王菲及其父母进行谴责的同时，在其家门贴上“无良王家，害死贤妻”的白色挽联，并在门边上用黑漆写下“血债血偿”的字样。一位自称“天津MM”的网友详细记录下这次“上门讨伐”的全过程：

参与者：安静MM、好口才MM、博士MM、慢走MM、天津MM（就是我）。

下午5点半下班，东三环奇堵无比，经过一路与其他车辆激烈的抢道，终于在6点半与其他MM会合了。她们都已经把条幅写好，双面胶、毛笔和墨汁也准备得很全。

一进大门，我们看见有个卖报纸的大哥，好口才MM一个箭步跨过去，就问：“您好，请问9号楼怎么走？”

大哥：“从这里一直走到头，然后左转走到头，然后再右转就是了。”

好口才MM：“哦，就是那个把自己儿媳妇逼死的那家住的那栋楼吧？”（抓住机会就做宣传是好口才MM的行动宗旨，而且她真的总能找到机会宣传，向她致敬！）

大哥：“什么？逼死儿媳妇儿？”

好口才MM：“对……”

在好口才MM给大哥做简单介绍的同时，我们在幕后抓住时机就做配音和旁白，把大哥和他旁边的大哥听得直皱眉头，我想他俩一定在想这家人真是猪狗不如哇！

进入三单元，我们按照原计划先去敲四楼的门，很快，一个和善的大姐把门打开了。

好口才MM就问：您好！请问这是王某家吗？

大姐：不是，你找错了。

好口才MM：那么，请问王某家在几层？就是那个把儿媳妇逼死，逼儿媳妇从24层楼上跳下的王家，他家有两个儿子，一个叫王fei，一个叫王lei。

大姐：啊，跳楼了？

好口才MM：对，跳楼了。去年10月……（省略2 000字），其他MM继续配音加旁白。

大姐：哦，他家在楼下。

这位大姐一看就不是好事儿的人，刚开始不愿意说出王家住哪儿，还是个比较仗义的人啊。接着，我们又到二层，找了一家有人的住户敲门。这时出来一个大哥，这个大哥本来在防盗门里面的，后来听我们刚说几句就赶紧走出来，并且把里面的大门关上，然后继续听我们说。听完后大哥作为邻居虽然没有做任何评价，但是我能感觉到他认为王家做出这种事情简直太不可思议了，也比较气愤。

最后才上三楼302，果然不应门。那大家就各施所能，各自发挥了，谴责呗，每个人的音量都放到尽量大声。没说脏字，但也不好听。门里一直有小的响动，像老鼠一样，肯定有人。大家你一言我一语，有人说的时候，别人都停下来，这个人说完了，另一个人马上接着，反正就是要让所有能听到的人都听到，而且还要听清楚，大家轮流着来，能说的会说的口才好的就多说几句，口才不好的声音小的就少说几句，大家配合得天衣无缝。

他们家在中间，两边人家的门都开了一缝窥视，估计都是好奇。我们和其中一家又介绍了一下情况，并且说对不起，打扰您休息了，反正特有礼貌。大家在楼道里轮番轰炸了十多分钟，在门上留下痕迹后，我们就准备走了。

我们在小区院子门口，开始贴条幅。这时突然人就多起来了，主动问情况的人也多了起来。路过的都不走，要看我们贴什么。能说的就开始向群众宣传，不能说的就贴条幅和拍照，但还是说了几件我认为还重要的情况，比如《新京报》已经登了，王菲和东方已被辞退了，而且王家让小三就住在你们这栋楼里。有MM干脆说WF卷走了几十万，请律师，但不给老婆火化，还要打官司把房子抢到手。这个强。听的人有十几个吧，颇为聚精会神，八卦的精神大家都有。比较逗的是，我听到先头的胖大爷跟另一个来晚了的大爷说“我告诉你……”

至少我们证明了这里确实是王家，而且有人。其次，王家邻居原来都不知道，我们这次可是播了种子下去了，我不信他们家再出门没有异样眼光的，您就慢慢消受吧。胖大爷说了好几次楼房虽住一起但大家不走动的，看来是下意识地也要和他们划清界限。人都有羞耻感的，只有王家不知耻。

还有一个重要的就是，我们“人肉”到了王家那边居委会的电话……外地参加不了现实讨伐的“童鞋”，不要忘了打电话啊！

对于这种行为，甚至还有人“建议”下次再有这样的活动叫几个大爷大妈！宣传起来比你们厉害多了，关键是：人急了拿老人没法子呀！

至此，网友们的行为开始进入狂热，个别网友的极端行为也引发了王菲一家的恐惧。在这群二十多岁甚至年龄更小的网友面前，在这群冲动的年轻人面前，王菲只有偷偷躲在家里，每天在网上浏览着那些充满着污言秽语和暴力的讨伐帖子。他甚至连家门都不敢迈出一步，因为经常有三三两两的网友在他家楼下游荡。后来看到有网友发帖子说要请杀手限时干掉王菲的“网络追杀令”时，他开始彻夜失眠，在恐怖中挨过一分一秒。于是，他再度患上了抑郁症。

状告网站，引发中国网络暴力第一案

2008年3月28日，因网民骚扰再度患上抑郁症的王菲经历了四个月惊弓之鸟的生活之后，最终选择走向法庭。这次，王菲将北飞的候鸟、大旗网、天涯三家网站告上了法庭，并索要精神损害赔偿13.5万元。

在记者采访前后，姜岩的丈夫王菲一直躲在北京一个不为人知的地方，除了接受本记者采访，拒绝见任何媒体记者和所有陌生人，甚至连电话都没有，唯一与外部联络的方式只有一个电子信箱，包括法院开庭，他都没有现身。而姜岩的前男友张乐奕并未停下手中的工作，同时一直关注和推动着姜岩的后事，积极准备应诉，并在法庭上据理力争。

随着时间的过去，“死亡博客”事件已经逐渐开始淡化。但这四个月来王菲出乎意料地出名了，他仿佛经历了一场风暴，这场风暴彻底改变了他的人生。经过四个月的演变，这场由网络到现实的公共事件，最后随着王菲的起诉再次掀起高潮，并成为中国网络暴力第一案。尽管此前有“铜须门事件”“虐猫事件”等网络暴力事件，但真正进入司法程序的，在中国还是第一例。

3月28日，王菲委托律师起诉北飞的候鸟、大旗、天涯三家网站。王菲在起诉书中称：今年1月10日开始，三家网站纷纷发表和刊载对他及家人进行“侮辱诽谤”的文章。比如称姜岩是被王菲“逼死”，因此“抵制所有跟逼死结发妻子的贱男人王菲有关的产品”，“王菲是在父母羽翼下苟且的可怜虫”，“因为王家的态度，你（指姜岩）迟迟不能下葬”等言辞激烈的话语。同时，这些网站还把王菲及其家人的姓名、照片、住址等信息公开。这些行为给原告及家人的生活、工作、名誉造成极为恶劣而严重的影响：恐吓邮件不断；网上被通缉、追杀；经常遭到围攻、谩骂、威胁；因工作单位被骚扰，已被单位辞退，且其他单位也因之不敢聘用；父母住宅多次被人骚扰，门口两侧贴满诬陷恐吓标语……

采访时王菲称，事发后他被迫辞职，至今没单位要他。以往他接的广告业务都是大客户，现在为了生计，连很小的单子他都要接，而且价格很低。

王菲的代理人、北京市京都律师事务所张雁峰表示，本案有两个突出特点，一是网友使用了“人肉搜索引擎”公布个人隐私，二是通过“网络暴力”侵犯隐私权和名誉权。网民对未经证实的网络事件，发表具有攻击性、煽动性和侮辱性的失实言论，造成王菲及其家人名誉损害；公开王菲及相关人员现实生活中的个人隐私，侵犯隐私权。张律师还认为这种网络暴力与当年的“大鸣大放”“大字报”很相似，在当事人尚来不及解释澄清事情真相之前，就被无辜地打倒。而现在，在网络上的这一幕似乎有过之而无不及。

王菲认为，引发姜岩自杀的起因是由于家庭矛盾，但即使是姜岩所指称的王菲出轨，这也毕竟是家事，而跟自己毫不相干的网友们到家门口来闹，甚至影响了小区内的居民，于理于法都说不过去。王菲觉得网友们在不了解事实的情况下随意作出判断，甚至找上门来破坏，是对人权的侵犯。而且家务事是很复杂的情况，只凭前妻在网上自己的一面之词，怎能确定另外两个人的罪呢？

随着媒体的报道，王菲起诉网站的行为，在网上引发了新的一轮高潮，“倒王派”在网上对王菲的声讨更是激烈。“想起要法律保护了？当初怎么就没想到要遵守婚姻法？”“史上最不理智的起诉”“王菲不可能胜诉”……网上充满各种声音。

“北飞的候鸟”创建人张乐奕说：“我开这个网站，用来表达对姜岩的尊敬和悼念。至于王菲，我觉得他起诉很傻很可笑。”

大旗网法务部卜令慧律师称，大旗网收到朝阳法院传票时“感到很意外”。他认为大旗网对此事的报道是客观公正的，是正反面说法都具备的。

海南天涯在线法务部的苏雪映律师表示，天涯社区中的帖子原创者并非天涯，而是网友；况且如果受众认为报道有误可以投诉，接到投诉后，天涯的做法是核实情况后再删除帖子。

在王菲起诉后，天涯和大旗网上的很多帖子被删除。几乎与此同时，也有网友成为“挺王派”。网友“水军 4400”就把“倒王派”称之为“网络暴民”，他认为即使王菲有责任，他的名誉权和隐私权同样不容践踏。

王菲起诉后，在重庆天涯社区论坛上也惊现“倒王帖”：“北飞的候鸟我们支持你，1 人 1 元助你抗贱男。”发帖人叫“头一杆”，他告诉记者，他一直关注此事，属于“倒王派”，之所以发这个帖子，是因为听朋友说，北京很多网友自愿为三被告捐款，并提出“1 人 1 元”的口号，“认为自己也应该为此做点什么，为了那个为爱付出全部的灵魂，为了更有力地打击‘小三’们……”对于这个号召，网友响应迅速，已经有四十多人愿意参加“1 人 1 元”捐款活动。

而网上传播最多的帖子是“希望能去，多带一些臭鸡蛋，费用大家共同承担哦”。这个帖子被广泛认可，并有很多网友表示 4 月 17 日要到亚运村法庭去，一是要看看王菲到底是个什么样，二是要砸王菲“臭鸡蛋”，三是力挺三家被告网站。

庭审激辩，网友当庭哭声一片

4 月 17 日上午 9 点直到下午 3 点半，“中国网络暴力第一案”在北京市朝阳区法院亚运村法庭开庭审理，由于案情复杂，只进行了举证质证阶段。

上午 8 点，已有多名网友等在法庭门外，这些网友多为年轻女白领，她们告诉记者说：“很多朋友想来，但实在抽不出时间，所以就由她们回去转述庭审的详细情况。现实生活中背叛太多，王菲之所以让人愤怒是他做得太过分了。”网友们说，本来事情已经平息了，王菲又打官司挑起了这事儿，他的行为更加激起了大家的愤慨。

到上午 9 时开庭时，法庭里坐满了近 30 家媒体的记者和数十名网友，但依然有十几名网友没有领到旁听证，站在法庭外面焦急地相互交流着，有网友趴在窗台向里张望。

一名特意从上海赶来的女网友，得知姜岩去世的消息，患上了抑郁症，并两次来京。她说：“我从小到大都没来过北京，但为了姜岩我来了。”

令网友们失望的是，原告王菲并没有出现在法庭上。王菲的律师张雁峰说：“王菲之所以没有亲自到庭，一是因为担心网友们的‘臭鸡蛋’；二是他不希望以这种方式站在众人和媒体面前；三是因为网上披露的有关姜岩自杀前后的很多内容都是不实的，王菲打官司就是为了澄清事实。”当律师念及网络上骂王菲的词语时，旁听席上的网友笑出了声。

原告方称，姜岩跳楼自杀，在以三被告为代表的网站上肆无忌惮地宣传，形成了一股势不可当的网络暴力，深深伤害了王菲。原告律师还指出，将事件引向现实攻击的是“人肉搜索引擎”，此案是中国网络暴力第一案。

针对原告的起诉，第一被告人张乐奕答辩时直指王菲出轨才是姜岩自杀的起因。张乐奕说：“原告因为对婚姻不忠诚导致妻子姜岩自杀，对于上述事件进行陈述以及评价，是法律赋予公民的权利，不构成对原告名誉权的侵犯。”

而法庭上原告律师指称张乐奕在姜岩和王菲婚姻存续期间与姜岩藕断丝连，张乐奕辩解说：“我和姜岩十年未见，王菲和她六年朝夕相处，他们的感情怎可能因我而改变？说我和姜岩藕断丝连，是莫须有的罪名，是侮辱我们的人格！”张乐奕称直到姜岩自杀前两人才见了一面。

整个上午的举证质证过程，几乎全部围绕着是否因为王菲有“第三者”才导致姜岩自杀而展开。张乐奕的律师还当庭拿出了姜岩留给姐姐的遗书宣读。为能让双方观点充分表达，法官没有过多干预双方举证，因此，这场有关名誉的侵权诉讼，演变成了对王菲的挞伐。

按法律规定，法庭禁止网友们用笔记录、拍照和发送短信。但在庭审进行的同时，互联网上却展开同步“庭审直播”，每位出庭人员的发言在几分钟内迅速出现在网上。庭内的“倒王派”们不断用手机向外发送短信，没来的网友则通过“直播”了解庭审并发表意见。个别网友甚至中途出去，把座位让给其他网友进去听一会儿。

在法庭上，张乐奕出示了一份特殊证据引发了庭审的高潮，这是一份长达十几分钟的录像，姜岩的父亲讲述了姜岩自杀前后，说：姜岩是自己40多岁才得的小女儿，她聪慧、开朗、浪漫、孝顺，然而王菲执意与其离婚。王菲和东方的关系是不道德的，王菲当面承认过出轨等事实。最后，姜父感激网友对此事的关注，感激他们给姜家“无私的道德援助和精神支持”。在姜父讲述的过程中，几近病危的姜母哭着诉说对王菲的不满：“我们对他那么好，岩岩死后他却一直没来过……”

在法庭播放两位老人的录像时，大多数网友在默默地流泪，有的网友小声抽泣起来，悲伤的情绪很快感染了旁边的网友，于是数名女网友都拿出纸巾擦拭眼泪。最后姜母撕心裂肺的哭喊让一位女网友浑身颤抖，她边哭边冲出法庭，泪流满面地蹲在院子里抽泣起来。

上午的庭审在一片哭泣中结束。下午一开庭，证人吴某出现在法庭上，这位来自天津的证人是姜岩的网友。他向法庭证明姜岩自杀前把博客密码告诉自己，并委托其在12小时后将博客打开。2007年12月27日晚上，吴某通过QQ联系上了姜岩的姐姐姜红，并将姜岩的博客密码告诉姜红。但是，吴某称姜岩是通过手机短信告知其密码，因为手机丢失无法提供短信。

王菲代理人认为姜岩的博客密码后来转交到了张乐奕手中，张乐奕有可能修改了姜岩的博客内容。张乐奕的律师当庭表示：“在姜岩第一次自杀时，是证人提醒了姜红拯救了姜岩。这证明了博客的密码是姜岩给证人的。当时第一次看到的内容和现在是一样的，没有改变。”

接着，姜岩的姐姐姜红以证人的身份出现在法庭上。姜红坦言自己是姜岩生前最后两天唯一的见证人。她回顾了姜岩与王菲恩怨的前后，指称王菲在妹妹自杀后就再没有出面。为了祭奠姜岩，姜红表示“需要找一个懂电脑的人来管理妹妹的博客，我想到了张乐奕，他是妹妹大学四年的男友。后来他建了一个网站，就是为了纪念和祭奠姜岩”。在法庭上，张乐奕的表情始终很沉重，因为身体不舒服还申请到法庭外待了一会儿。

在法庭上，大旗网和天涯社区的代理人也均答辩称，姜岩姐姐的文章和网民的文章都是真实的，没有诽谤和侮辱，而网络涉及各方当事人各种立场的观点，不构成侵权，拒绝赔偿。

鉴于被告还有补充证据提交，下午3点法官宣布休庭。庭审结束后，很多网友表示他们会结伴再去香山悼念姜岩，北飞的候鸟和大旗网没有发布关于案件进展的信息，而天涯在线律师苏雪映称，只要不是骂人或者公布隐私的内容，关于王菲姜岩事件的帖子仍然可以发。

鲁迅说过，假如一个人处在辩诬的地位的话，他本身就已经受到巨大伤害了。

“死亡博客”事件还引发了海外媒体的关注。很多境外媒体激烈抨击中国网民的“暴力现象”。在西方人看来，这场虚拟事件正在演变成大规模群体性暴力，并已成为人类文明进程中的不和谐音符。

著名刑事辩护律师钱列阳先生认为：网友理性的观点、舆论的重压或许能促成当事人反思其行为，让事件的发展朝良性转化，最终得到妥善解决。但网友必须在法律规定的范围内进行评论和实施行为，如果超越法律界限，就容易越界为“网络暴力”。

换个角度讲，当姜岩自杀后，要是王菲能站出来痛哭流涕，跪在妻子家人面前，打自己几个大耳刮子，像当年成龙一样说：“我犯了所有男人都会犯的错，原谅我吧！”接着抖出那份将来总会让大众知道的保密的赔偿协议，然后站出来大声说我出轨了，绝对不会像今天这样变成过街老鼠被众人追打。

然而，这个事业上的天才男人，在处理生活问题上近乎弱智的大男孩，千错万错就错在没有及时止住那些谣言。比如王菲的父母竟然让第三者和儿子住在家里；比如王菲父亲一个电话刺激了姜岩，加速了姜岩的自杀；比如姜岩死后王菲不签字，还要若无其事地上班，继续和小三打游戏、吃饭，甚至说笑，接着还在妻子出殡当天被传到网上两人手牵手逛街的照片。这些未经核实并且被王菲认为虚构和伪造的帖子，实实在在地触痛了人们的道德神经。我们的社会没有那么高的宽容度，试想，妻子死了，作为丈夫，兔死狐悲都不愿表演一番，还是男人吗？

而姜岩的自杀无疑唤起了人们对弱者的同情，唤起了人们对一种美德的向往，这种被现代人久违的美德叫忠诚。

网络暴力，道德语境下的集体“狂欢”

发动这次网络暴力的网友们，不是揭竿而起的农民，也不是大字不识的愚氓，而是大批受过现代教育的白领，这些“城市哄客”以无名氏的方式，以话语暴力的键盘当作武器，围剿王菲这个被设定为“有罪”的道德“猎物”。网友的谩骂和攻击，根本不是在讨论问题本身，而是由于人们在网络里处于匿名状态，言行不需要负什么责任，从而助长了谩骂的风气。

对于网友而言，网络暴力其实是道德语境下的集体狂欢，只不过这种狂欢是披着悲愤的黑纱。

随着网络的迅猛发展，网民参与网络事件的程度正在加深。有例可证，2006年的“虐猫事件”“铜须事件”等，使更多的人认识了“网络暴民”这一新名词。由此，寻求网络言论自由与保护人格权的平衡，成了网络时代的突出问题，并且引起了新闻传播学界和法学界的关注。但是，在姜岩“死亡博客”之前，因为还没有涉及诉讼的具体案例，学术界对网络暴力问题的关注，更多的是从宏观视角进行探讨。而王菲的诉讼成就了“中国网络暴力第一案”，给我们提供了一个网络暴力的具体案例，也使我们不得不从法律法规角度重新审视网络暴民的言论侵权问题，进行冷静、理性的审慎分析，以探求网络舆论空间健康发展的路径。

“虐猫事件”和“铜须事件”被国内外媒体定义为“网络暴民”，然而，目前国内外学术界和网络世界还没有对“网络暴民”的内涵进行明确的界定，但我们可以感受到网络暴民有以下几个共同点：

一是动机主观。恶意制裁、审判当事人，并谋求网络问题的现实解决。二是采用方式。通过网络追查并公布传播当事人的个人信息（隐私），同时煽动和纠集网民以暴力语言进行群体围攻。三是导致结果。在现实生活中使当事人遭到严重伤害，并对现实产生实质性的威胁。

“死亡博客”引发的网络暴力事件，不仅仅发生在网络这个虚拟空间内，也延伸到现实世界，并且这种行为无论从公共利益的利弊角度考虑，还是事件对当事人造成的伤害程度方面，网络暴力已经造成了法律意义上的侵权。正是从这个角度思考，网络时代的言论与现行的司法制度之间的关系有了特别的意义。

当然，在法院没有作出判决之前，我们不能对这场官司的谁是谁非作出评判。然而，这并不妨碍我们从法律的角度进行评析。

在“死亡博客”事件中，对王菲的出轨和对第三者的谴责，如果只是在网络上表达一种义愤，这种表达方式未尝不可。但是，如果通过语言暴力甚至进入现实攻击，对当事人在现实社会的精神造成了极大的打击，几近崩溃，这便是侵权损害事实造成的一种严重后果。此外，由于当事人的名誉遭到不法损害，造成当事人被迫辞职、无法工作等损失，法律应追究其责任。另外，王菲平均每天接到数十上百个骚扰电话，遭到恐吓、勒索。这种诽谤他人的言行已经触犯了法律。而“通缉令”是刑事诉讼中的一种法律文书，只有公安机关才有权依照法定程序发布，并且只能针对特定的对象，即对于罪该逮捕而在逃的犯罪嫌疑人使用，其他任何机关、团体、单位、组织和个人都无权发布。也就是说，民间“网络通缉”不是真正意义上的通缉行为，而在“死亡博客”事件中，网友们在未弄清事实真相的情况下，运用网络进行侦查通缉甚至“追杀”，是谁赋予的权利？

王菲出轨导致妻子自杀，王菲当然是有错的，但这种错误只是道德层面上的，法律并未就此追究王菲的法律责任。换句话说，无论王菲对错，作为一名公民，他的人格是不该受到侵犯的。这种不被侵犯的人格，包括名誉权和隐私权。

从此案的分析中，我们也看到传统法律在网络面前的窘境。有人希望加强对网络言论的控制，这显然成本太高且一定程度上束缚了网络的发展。所以，北大法学教授贺卫方认为：“改革过程中出现的问题，需要通过进一步改革加以解决。一方面，我们需要建立负责的司法体制，另一方面，创造更多的途径，利用网络的巨大优势，让各种有益的言论都能加以充分表达，才是合理的解决之道。”

侵权网民其实具有盲从性，根据传播学中“沉默的螺旋”理论，人作为一种社会动物，总是力图从周围环境中寻求支持，避免陷入孤立的状态。当发现自己属于“多数”或“优势”意见时，他们便倾向于积极大胆地表明自己的观点。所以面对部分网友围攻当事人时，他们就会屈于环境压力而附和占上风的“暴民领袖”。加强网络道德教育，提升网民的媒介素养，已经成为现代教育中一项刻不容缓的紧迫课题。

被称作网络暴民的网友们也许会感到委屈：那么多媒体报道了，辨别真伪是媒体的事，我本人也是被假以公义和关爱的假新闻所蒙蔽的受害者，谎言和欺骗愚弄了我。那么通过这起“中国网络暴力第一案”，网民们是不是能够进行深刻的反省？是不是要有足够的警觉，要善待自己手中的话语权？是不是不要让自己手中的工具既伤害自己又伤害别人？

在当前的语境下，网络这个平台对普通公民的话语权是弥足珍贵的。每个生逢其时的网友，都需要好好尊重自己手中的话语权。

（选自2008年第7期《啄木鸟》，作者：丁一鹤）

反“藏独” 护圣火

——北京奥运圣火境外传递纪实

2008年北京奥运圣火在境外传递期间，“藏独”势力暴力干扰奥运圣火传递，西方媒体严重歪曲报道“3·14拉萨事件”，以及在奥运火炬传递活动中诬蔑中国人民的恶行引发了海内外华侨华人的强烈愤慨。海外的华侨华人组织了一系列声势浩大的集会抗议活动，支持北京奥运，反对媒体不公，表现出了炽热的爱国热情。

4月7日 巴黎
火炬接力排除“藏独”分子干扰

顾拜旦故乡传递梦想

北京奥运火炬接力境外第五站的传递4月7日在法国巴黎举行。传递活动排除了少数“藏独”分子的示威阻挠而完成传递。

火炬接力的起跑仪式12时30分在巴黎埃菲尔铁塔二层的埃菲尔厅举行。

北京奥组委火炬中心新闻发言人曲莹璞说：“外电关于北京奥运火炬在巴黎传递的过程中被迫熄灭的报道不属实。为了维护火炬的安全和尊严，并考虑到现场实际情况，奥运火炬在传递过程中暂时改变了传递方式。现在火炬已按计划完成在巴黎的传递，奥运圣火自始至终熊熊燃烧。”

他接着说：“根据国际奥委会圣火礼仪的有关规定，如有必要，奥运火炬可以主动熄灭，当需要点燃下一个火炬时，再从火种灯中引火点燃火炬。”

奥运火炬在塞纳河畔和香榭丽舍大街传递时，受到当地人民的欢迎。

在夏勒蒂体育场举行的庆典结束仪式上，北京奥组委执行副主席蒋效愚发表了讲话。

他说：“今天我们高擎奥运圣火来到巴黎，目的是传播奥林匹克精神，传达中国运动员和人民对奥林匹克运动的热爱，和对现代奥林匹克运动之父——顾拜旦先生和他的思想的尊重。21世纪的今天，我们和你们以及一切热爱奥林匹克运动的人们共同的责任，是维护奥运圣火的尊严和神圣，维护和平、友谊与进步的奥林匹克宗旨。我们要告诉大家的是：中国人民愿与各国人民一起，为建设一个持久和平、共同繁荣的和谐世界而努力。”

传播美好祝愿

塞纳河、埃菲尔铁塔、凯旋门、香榭丽舍大街、协和广场、卢浮宫、巴黎圣母院……这一长串令人向往的“经典”构成了巴黎的浪漫风情。4月7日，当第二十九届北京奥运会火炬传递到这里的时候，巴黎已是杨柳青青、百花吐艳的季节。追随着春天的脚步，圣火给这座迷人的城市点燃激情，传播美好的祝愿。

巴黎是顾拜旦的故乡，也是举办过两届奥运会的地方。顾拜旦于1892年正式提出恢复和创办现代奥运会的想法，唤醒了沉睡千年的希腊古奥林匹克。1894年，在顾拜旦的推动下，来自12个欧美国家的代表在巴黎召开了“恢复奥林匹克运动会代表大会”，通过了奥林匹克宪章，确定了现代奥运的宗旨。从此，现代奥林匹克运动会逐渐成为最大规模、最具影响的世界体育盛会，“和平、友谊、进步”的理念传遍全世界。

法国奥委会主席亨利·塞朗杜尔在迎接奥林匹克圣火的记者招待会上指出：“为什么奥林匹克火炬传递要经过巴黎，要经过法国？因为众所周知，是法国人顾拜旦复兴了奥林匹克运动，如果说希腊是奥运之母，那么顾拜旦就是现代奥林匹克运动之父。”

火炬接力起跑仪式在埃菲尔铁塔二层举行。北京奥运会火炬接力运行团队总指挥蒋效愚从护卫手中接过点燃的火炬，交给巴黎市政府代表，然后又被转交给火炬手。

约12时35分，第一棒火炬手、1997年世界田径锦标赛男子400米栏冠军、法国运动员斯特凡·迪亚加纳手持“祥云”火炬，从埃菲尔铁塔上快步而下，开始了火炬传递。参加此次火炬传递的还有法国著名足球运动员佩德罗·保莱塔、法网女单冠军玛丽·皮尔斯、橄榄球运动员克里斯托夫·多米尼西、法籍华裔羽毛球运动员皮红艳，以及旅法侨界代表陈胜武和吴武华、中国留法学生代表柳青和驻法中资企业代表阎飞等79位法中知名人士。

在火炬传递现场，法国著名运动员托拉恩·迈埃鲁瓦对本报记者说，奥运会是全世界人民的体育盛会，他对被选为北京奥运会火炬手感到高兴。他说，届时他将前往北京参加奥运会开幕式，他对北京将举办一届精彩的奥运会深信不疑。

中国留法学生代表柳青在火炬传递结束后对记者说，当点燃我手中的火炬时，我的心也被点燃了。我为能成为一名火炬手感到无比的骄傲和自豪，我代表全体留法学生感谢祖国人民对我们的关怀。当然，在这个时刻，我也意识到自己所承载的责任和使命是多么重大！他表示今后一定要好好学习，学成回国报效祖国。

第三十九棒火炬手法国华侨华人会主席陈胜武说，举办奥运会是中华民族的盛事，也是全世界所有华侨华人的期盼，这一天离我们越来越近了。今天，我能亲手传递北京奥运火炬，觉得祖国就在我心中。不管遇到什么干扰，我都不会害怕，都要保护好火炬，因为自豪和荣誉感早已超越了一切。

在卢浮宫前的火炬传递现场，TCL多媒体副总裁兼欧洲总经理阎飞激动地对记者说，25年前离开祖国到这里读书，总想为祖国做点儿事情。作为赞助商之一，他对中国品牌TCL能为全球奥运会观众提供优质的服务感到高兴。他强调说，这次能为北京奥运传递火炬，无论对个人，还是对TCL来说，都是一次难忘的经历。

法国潮州会馆常务副会长吴武华表示，传递北京奥运火炬的经历毕生难忘，幸福和荣誉属于全世界所有的华侨华人。

从埃菲尔铁塔出发，火炬手沿着塞纳河左岸西行，过伊西桥进入右岸，顺河畔快道溯流而上折向东方。流淌不息的塞纳河，与奥林匹克火炬同行，微波荡漾；两岸树木染上新绿、楼阁倒映水中。巴黎宛如一首赞美诗，又好似一幅流动的画。火炬手们在多名助跑人员的护卫下，途经塞纳河岸边的夏乐宫，取道凯旋门，经香榭丽舍大街、协和广场、卢浮宫、巴黎市府，再返回左岸，路过西岱岛上的巴黎圣母院，走近奥赛博物馆，行至国民议会大厦转弯向南，穿过拉斯帕伊和勒内·科蒂大街，走过巴黎的“精华”后，在当地时间17时35分左右到达巴黎火炬传递终点站夏勒蒂体育场，全程约为28公里。

巴黎是华侨华人聚集最多的欧洲城市之一。几天来，广大旅法华侨华人和留学生为迎接奥运圣火的到来翘首以盼。29个华人侨团联名在报纸上刊登整版大红广告，同时组织多种聚会表达心声，热烈欢迎北京奥运圣火传递到巴黎。他们共同的广告词是：“北京奥运，世纪盛举。奥运圣火带着‘同一个世界，同一个梦想’的全人类共同心愿，抵达巴黎，它象征着光明、和谐、团结、力量。我们旅法华侨华人满怀喜悦的心情迎接北京奥运圣火的到来，衷心祝愿2008年北京奥运会成功举办。”

法国华人进出口商会会长夏尚忠告诉记者，7日一大早他就和其他会员们一起来到埃菲尔铁塔下，进行舞龙舞狮表演，为北京奥运在这里举行火炬传递仪式喝彩助威。法中文化交流协会会长林品及全会成员放下手中的工作，从郊区赶到夏勒蒂体育场，为北京奥运圣火在巴黎成功传递“保驾护航”。

巴黎著名文化人叶星球先生在迎接奥运圣火现场即兴赋诗一首，以表达其感慨复杂的心境：“北京奥运画屏中，圣火燃情映碧空，春至还雪须晴日，巴黎无处不东风。”

人山人海中，许多留学生不停地高举、舞动着手中的五星红旗，在杂音不断的现场更是一种震慑力量。他们还自制法文传单向巴黎观众和路人散发，标题是《请听我们说》，其中有一段话很让人动情：“八年来，在奥运会筹备过程中，中国人民付出了巨大的投入。他们不求任何回报，唯一的理由是，为了让全世界人民能够相聚在一起，庆祝这个体育盛会。”“同一个世界，同一个梦想。奥运会将会让世界变得更加美好。”

“藏独”分子遭强烈谴责

北京奥运圣火4月7日在巴黎传递时遭遇少数“藏独”分子的干扰破坏，当地警方及时采取措施予以制止。在法国公众的热情欢迎下，北京奥运火炬在巴黎安全完成传递任务。“藏独”分裂势力的恶劣行径遭到法国公众以及火炬手们的强烈谴责。

北京奥运会火炬接力巴黎站的起跑仪式当地时间12时30分（北京时间18时30分）举行。当第二棒火炬手接过火炬准备进入一条隧道时，遭到少数“藏独”分子的阻挡，使火炬行进速度被延缓。当火炬传递进行到第十三棒时，“藏独”分子试图从火炬手手中抢夺火炬。这些行为均被警方及时制止。警方说，至少有五名扰乱火炬传递者被逮捕。

北京奥组委火炬接力传递中心新闻发言人曲莹璞说，为了维护火炬的安全和尊严，并考虑到现场实际情况，奥运火炬在传递过程中临时改变了传递方式。火炬按计划安全完成在巴黎的传递。

法国奥委会主席亨利·塞朗杜尔对少数“藏独”分子干扰破坏奥运圣火传递的行为予以谴责。他说：“圣火向全世界发出了和平信号，阻挠它通过是对传递圣火的运动员的基本自由缺乏尊重。”

法国奥委会成员德吕对法国电视3台说：“奥运圣火是和平、宽容的象征，不应受到任何人以任何方式的影响。”

法国中欧名流会所主席德斯特姆指出，一些人企图破坏在巴黎进行的奥运火炬传递活动“是不能接受的”，在“现代奥林匹克运动之父”顾拜旦的故乡出现这样的场景是“可耻的”，这些人的行为应该受到谴责。他衷心希望奥运圣火安全、顺利抵达北京，希望北京奥运会办成一个让全世界称赞的奥运会。

带着4岁女儿观看奥运火炬传递的法国妇女埃罗蒂对新华社记者说，火炬传递本来是一件值得庆祝的事情，这些人的出现破坏了现场融洽的气氛，他们的举动只会令自己蒙羞。

在巴黎埃菲尔铁塔前完成奥运火炬传递的奥运火炬手、残疾人运动员金晶说，“这些干扰圣火传递、将体育同政治捆绑的行为，令人愤慨”，“这些人的做法明显是别有用心，这些无耻的抗议和破坏活动是对奥林匹克精神的亵渎”。

巴黎火炬手、中国留学生代表柳青在完成火炬接力后对记者说：“我们传递的是包括藏族同胞在内的中国56个民族人民的希望，传递的是和平、是友谊，少数‘藏独’分子竟然利用这一神圣的仪式来达到分裂祖国的无耻目的，这是所有中国人民都不能容忍的，一定会受到中国乃至世界人民的唾弃。”

巴黎没保护好圣火

7日的巴黎天气晴朗，当地时间12时30分（北京时间18时30分），北京奥运会圣火在巴黎开始传递。圣火传递启动仪式在埃菲尔铁塔上进行，世界田径冠军斯特凡·迪亚加纳作为巴黎站第一名火炬手，从巴黎市政代表手中接过圣火，跑下埃菲尔铁塔，开始27公里的传递行程。

活动刚开始时，一切显得还很顺利。法国前总理拉法兰出席了启动仪式，他说："奥运会是全世界人民的盛事，圣火应该照耀全世界。全世界各个国家有不同也有相同，奥运会是大家达成共识的共同盛会。"

但不久，传递就开始受到阻拦，传递速度被延缓。记者在埃菲尔铁塔附近看到，现场特别混乱，路边有许多举着五星红旗的奥运支持者，但也有一些拿着"藏独"旗帜的人，还有人看到火炬过来就发出嘘声，或者喊着"西藏"这样的口号。而且闹事者特别嚣张，有些人不时冲入火炬传递队伍，导致传递过程特别慢。

巴黎警方表示，火炬手手持奥运圣火从埃菲尔铁塔出来后大约行进了200米，突然受到现场破坏分子的阻挠，火炬随后被熄灭并送上安全大巴保护。之后，火炬手下车继续沿着塞纳河传递圣火，但又一次遭到几名试图熄灭圣火的破坏分子的干扰。警方虽然制止了抗议者的干扰行为，但奥运火炬再次被熄灭送上大巴保护。

另据中新社报道，北京奥组委火炬接力中心火炬境外传递新闻发言人曲莹璞7日表示："起跑仪式顺利，传递过程中遇到极少数示威者，传递受阻，延缓了传递速度，出于安全的考虑，我们熄灭了火炬，放到了安全车上。"

美联社报道说，有大约500名抗议分子聚集在埃菲尔铁塔对面的特罗卡德罗广场，打出抗议标语。巴黎市政厅大楼上还高挂着保卫人权的横幅。当一位坐在轮椅上的运动员进行火炬传递时，她被抗议分子包围了。由于在传递过程中遇到了严重的干扰，出于安全考虑，官员们熄灭了奥运火炬，在警察的护送下送到了安全车上。这是官员们面临抗议浪潮第二次熄灭奥运火炬。美国有线电视新闻网还报道说，抗议分子与法国警察发生了混战，"并四次迫使火炬手熄灭火炬躲进车中"。

在传递开始之前，法国《费加罗报》渲染了火炬接力如何戒备森严，并详细描述说，巴黎出动3 000多名警察，从水陆空全方位戒备。火炬四周有400多人排着两百米长的列队护驾，32辆国家保安部队的军车、65辆摩托车、200多名穿着溜冰鞋的警察紧随其后，另有1 600多名警察沿途守卫，而空中是一架直升机，塞纳河上还有数艘船巡护。该报还评价说，整个保卫措施可以说是高于接待国家元首的级别。

然而，记者在埃菲尔铁塔附近并没有感到法国警方如何戒备森严，在火炬手周围的保护也没有像媒体说的那样里三层、外三层，路的两边站着警察，但他们并没有能够完全阻拦那些抗议分子冲向火炬传递手。

记者与一些抗议者进行了交谈，发现他们大部分都是不了解情况的法国人，他们中的大部分都没有到过西藏，甚至连中国都没来过，他们非常相信当地媒体的报道。在埃菲尔铁塔附近，记者碰到了一名法国老太太，她为了看火炬接力，上午9时就来到这里等着。她也戴了一个人权组织发给她的抗议标志，但她告诉记者，她觉得她这样做并不是反对北京奥运会，而是想提醒中国注意自己的人权。当记者问她是否觉得那个人权组织的标志上把奥运五环做成手铐的样子是对奥运会的污辱时，她想了想，也觉得不好意思，就把标志给取了下来。

记者还碰到一位从外地赶到巴黎来为奥运圣火传递加油的法国人，他自己动手做了一个木牌，上面有奥运五环标志及北京2008字样。他告诉记者，他来中国多次，很了解中国发生的事情，觉得中国完全不是西方媒体报道中的样子。他认为，那些抗议奥运圣火的民众大多不了解中国，才会听信某些人的说法。

记者注意到，在凯旋门、市政厅等火炬传递路线经过的地方，秩序比埃菲尔铁塔附近要好一些，一些中国留学生、华人华侨自发地组织了欢迎圣火的活动。记者遇到一位中国女留学生，她为了给圣火鼓劲，专程从南部城市马赛赶来，还自己动手做了一面巨大的中国国旗。

但对奥运圣火的干扰还有不少。据法新社报道，由于绿党成员在巴黎市政厅悬挂“藏独”的旗帜，巴黎市长宣布取消原计划在这里举行的迎接奥运圣火的庆典仪式。稍后，法新社报道说，由于安全原因，圣火在巴黎的传递被迫缩短行程，火炬在法国议会外被直接用车带到最后一段传递行程的起点。

记者在赶往火炬传递最后一站途中看到，几名中国留学生遭到情绪激动的法国学生的殴打，在混乱中记者也挨了几拳。

据法新社报道，北京时间23时30分，巴黎火炬接力在到达终点后结束。

“那一刻，我只想保护好火炬！”

“那一刻，我只想到要保护好火炬！”8日，记者收到了奥运火炬手金晶从法国巴黎发来的短信。

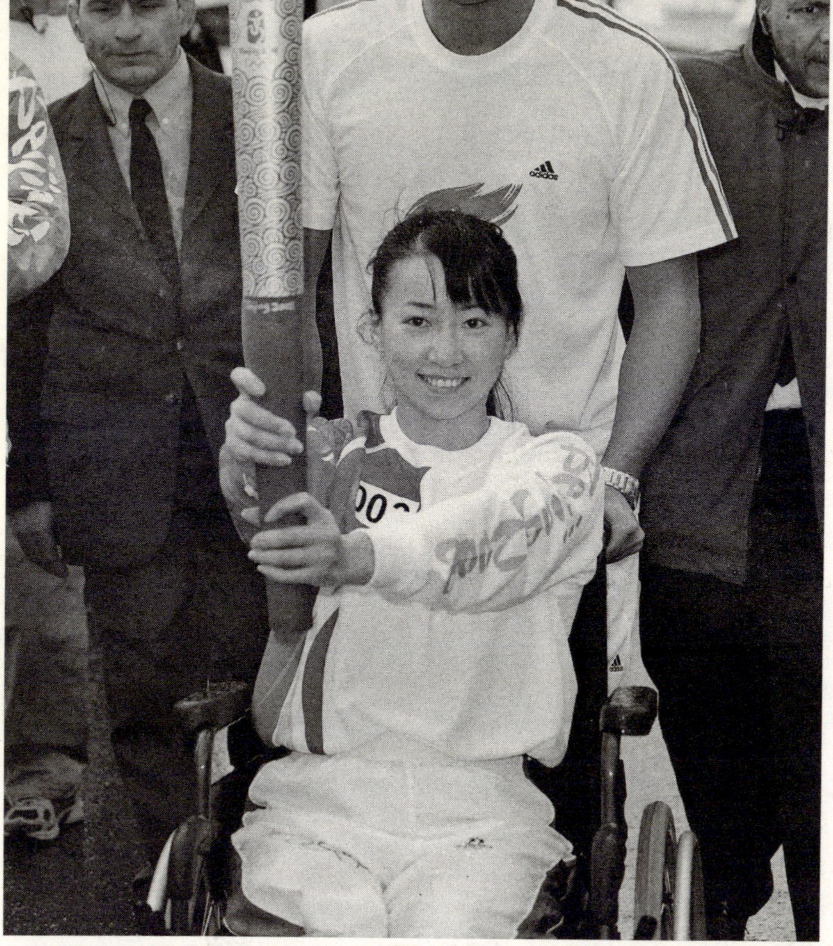

2008年4月7日，奥运火炬手金晶手持火炬传递。当日，北京奥运会圣火传递活动在法国巴黎举行。（戚恒/摄，图片来源：新华社）

金晶是上海姑娘，也是国家轮椅击剑队的队员，这次通过联想的火炬手选拔，光荣地成为一名境外火炬手。就在7日的奥运火炬传递巴黎站，金晶在等待火炬交接时受到了“藏独”分子的干扰，关键时刻，她不顾一切地保护了奥运火炬。随后，金晶护住火炬的照片和故事迅速在国内各大网站上流传，大家感动地称她为“用生命保护奥运火炬的姑娘”。

巴黎火炬传递，金晶是第三棒。那天金晶早早坐着轮椅，拿着火炬，静静等候在火炬交接点。

就在那一刻，意外发生了：一个“藏独”分子冲破重重阻拦来到金晶面前，企图从她手上将火炬抢走。金晶从来没有见过这种场面，但她的第一反应是将火炬紧紧抱在胸前。一位在现场的法国留学生后来这样描述：“那位姑娘把后背留给了暴徒，暴徒打她，拉她的手，但她就是把火炬死死保护住。”最终，暴徒被警察制服并带走，金晶的下巴却被抓破了，但她坚强地抬起头，举起了手中的火炬。

现场的中国留学生都流泪了，他们高喊着：“姑娘，要坚强！加油！中国，加油！”巴黎市民也被金晶感染，鼓掌欢送她完成火炬接力。

金晶的事迹迅速在国内各大门户网站和BBS上流传，数以千计的网民在第一时间留言，不少人直言自己看的时候流下了眼泪，他们说：“姑娘，你很坚强，我们为你骄傲！”“金晶人美心更美，我们都支持你，祖国万岁！”

金晶今年27岁，来自上海宝山区。她从小爱唱爱跳，但9岁那年，命运和她开了一个大玩笑：她被检查出右脚有恶性肿瘤——横纹肌肉瘤，被迫接受了高位截肢。

失去了一条腿，但金晶没有失去生活中的欢乐。她的活泼和开朗感染着身边的每一个人。2001年7月13日，就在北京申奥成功的那一天，金晶被教练相中，进入了上海轮椅击剑队，随后进入国家轮椅击剑队。“我从小喜欢打抱不平，喜欢看《佐罗》，所以我很爱击剑！”金晶说。

金晶和队友们一起获得过釜山亚运会的银牌，个人获得过世锦赛的铜牌。因为年龄原因，她无法参加北京残奥会，但为了圆自己的奥运梦，她报名参加了火炬手选拔的活动，最终脱颖而出。

谈起这次奥运火炬传递，金晶感慨颇多：“这些人明显是别有用心，这些无耻的行为是对奥林匹克精神的亵渎。”金晶说这话的时候有些气愤。但随即她欣慰地表示：“不过我从围观的巴黎市民的表情上可以看出，他们对干扰、破坏火炬传递的行为是不赞同的。”

金晶告诉记者，和她一起的火炬手都商量好，无论发生什么情况，都要微笑地面对众人，向全世界展现中国人的精神风貌。事实上，金晶和她的伙伴们也做到了。“我想，大家的眼睛是雪亮的，我们对奥运会的真诚，大家都看在眼里，任何人都破坏不了！”金晶说，“在那一刻，我感到祖国就在我的身后支持着我，我们的奥运会一定会圆满成功！”

4月9日　旧金山
五万华人护卫圣火

华侨华人热情迎接奥运火炬

当地时间4月9日一早，旧金山中国湾公园码头上就旌旗飞舞，鼓声震天。9时，当记者抵达时，周围几百米的道路和广场已被挤得水泄不通，人们用雄壮的口号喊出了对北京奥运的企盼：“和平、中国！成功、奥运！”

在中国湾公园码头的观众多数是从西雅图、萨克拉门托、旧金山和圣地亚哥等各地赶来的华侨华人、留学生。他们挥舞着中国国旗、美国国旗和奥运会会旗，汇成了一片红色的海洋。在码头大街两边，各活跃着一支腰鼓队，他们踏着整齐的鼓点，舞出激动的心声。

一名加州大学圣克鲁斯分校的学生说，他们早晨5点多就抵达了这里，参加火炬接力仪式让自己充满自豪，这标志着中国人在世界舞台上站起来了；一名学生说，奥运会表达了和平友谊的精神，可某些“藏独”分子却企图闹事，他们坚决不答应；另一名学生接茬说，不少西方媒体的报道歪曲事实、充满偏见，他们来就是要让世界知道青年学子的呼声。采访的时候，天空中飞过两架小型飞机，后面分别拖着一条巨型横幅，一幅写着：“西藏永远是中国的一部分。”另一幅上面写道：“前进北京，前进奥运！”

2008年4月9日，美国华人华侨热烈欢迎奥运圣火的到来。当日，北京奥运会圣火传递活动在美国旧金山举行。这是北京奥运会圣火境外传递的第六站。（安治平/摄，图片来源：新华社）

传递线路改变 路程缩短

中国湾公园码头背后是旧金山棒球队“巨人队”的主场。以巨大的环形体育场为背景，奥运火炬接力开幕式主席台上悬挂着的“点燃激情 传递梦想”的条幅显得格外醒目。13时20分，美国奥委会首席运营官诺曼·贝林厄姆宣布旧金山火炬接力仪式开始，接着圣火护卫手用火种灯引燃了火炬。贝林厄姆代表旧金山接受了火炬，然后交给火炬接力第一棒、前奥运游泳冠军林莉。

林莉身穿红白相间的火炬接力队员服装，高举火炬向全场观众进行了展示，然后开始起跑。出人意料的是，圣火没有按照既定路线传递。按计划火炬接力从中国湾公园码头出发后，将沿市区东部滨海大道向北，途经渔人码头后向南进入市区，最后抵达终点赫尔曼广场，并在那里举行闭幕庆典。

新的火炬路线除开幕地点相同外，与原路线没有重叠。火炬手们乘坐大巴车抵达市中心的商业街Van Ness大街开始火炬传递，他们两人一组向北行进，然后向西沿海滨大道，抵达金门大桥下的 Doyle 路，传递路程比原计划大约缩短一半。

传递过程没有遭到破坏

整个火炬传递过程没有遭到破坏，沿途受到了群众的欢呼。无论在接力前还是接力后，奥运火炬手们始终充满激情。

马拉松运动员迪恩·卡纳泽斯说，奥运圣火代表着“希望、鼓舞和团结”，“奥运圣火是在传递奥林匹克精神，是通过这种精神的传递将人们联合到一起，让大家缩小分歧。”45 岁的卡纳泽斯最近刚刚完成了一个马拉松壮举，用时 50 天，在美国 50 个州跑了 50 个马拉松，每个马拉松 45 公里。盲人门球选手杰西卡·劳伦兹说，奥运火炬代表了人们克服困难、勇于进取的精神。

16 岁的华裔残障运动员克里斯说火炬传递是他人生中的又一个里程碑。克里斯 3 岁时罹患小儿麻痹症，很多人都认为他永远不会走路了，但他战胜困难，反而成为中学田径队的队长。“100 多年前，我的曾祖父带着中国家乡的一罐土来到旧金山，他让后代把这罐土世代传递下去。成为一名火炬手，对所有华裔美国人，特别是有身体残疾的孩子来说，具有非同寻常的意义。”

最后一棒火炬手是美国游泳健将娜塔莉·考芙琳，她说火炬传递是一个奇妙的经历。“看到大街旁既有支持者，又有反对者，这种场面与众不同。旧金山警察部门和其他官员付出了超出我想象的努力，我向他们表示感激。我永远不会忘记这次经历。”

华侨华人租飞机护航

早晨 5 点多，举着五星红旗、美国国旗和奥运会旗帜的华侨华人留学生，就“占领”了将举行圣火传递开幕式的中国湾公园码头。记者在上午 9 时看到，周围几百米的道路和广场已被挤得水泄不通，支持奥运的人们有的在额头用口红画出了五星红旗的图案，有的在衣领上贴着“我支持北京奥运会”的贴画，有的把自己打扮成福娃的模样。

据了解，在这些北京奥运的支持者中，有近 2 000 人是专程前来助威的留学生。

学生们嗓音颤抖，振臂呼喊起“和平奥运，和谐奥运”的口号。在码头另一侧，一群“藏独”分子扛着雪山狮子旗和“西藏独立”等标语牌远远走来。他们马上被高举五星红旗的中国留学生们截住了。其他学生迅速从四面八方前来“增援”，将这些“藏独”分子包围。有的学生举着“藏独”分子在巴黎冲击坐在轮椅上的火炬手的照片，质问道：“你们口口声声说非暴力，这难道就是你们的非暴力吗？”

记者在采访过程中，还看到两架小型飞机在天空盘旋，后面分别拖着一条巨型横幅，一幅写着：“西藏永远是中国的一部分。”另一幅写道：“前进北京，前进奥运！”后来得知，这两架飞机是华侨华人专门租来为圣火保驾护航的。不仅在天上，水中还有北京奥运的支持者用喷水船预祝圣火传递顺利。据中国驻旧金山领馆的一名工作人员介绍，圣火传递当天到场助威的华侨华人大约有五万多人。正是在这种情形下，尽管有少数“藏独”分子声嘶力竭地聒噪，但是众多华侨华人“北京奥运会，GO，GO，GO！（前进，前进，前进！）”的呐喊声，立刻将对方的气焰压了下去。记者在现场看到，一名戴眼镜的华人中年男子，将一位穿着支持“藏独”T恤衫的白人拉到一边，语重心长地对他说：“你去过中国吗？你去过西藏吗？你知道达赖喇嘛在西藏时人们过的是什么样的痛苦生活吗？”

捣乱者自身难保

在旧金山的圣火传递改变了原定路线和时间，虽然这样做令圣火传递的支持者们略感遗憾，但也让准备沿途捣乱的“藏独”分子顿时失去了方向。个别捣乱者只能伺机向庆祝人群“开火”。记者看到，突然出现的一名“藏独”分子一把将一名中国女留学生手里印有五星红旗图案的纸旗夺去，并撕成碎片。他的蛮横做法立刻遭到了学生们的谴责，一名警察指着他发出了警告。这名来自斯坦福大学的女留学生说，她感到非常气愤，但终于克制住了。因为“藏独”分子就希望把事情闹大，“我们必须要冷静，显示中国人是爱好和平的”。不过也有忍无可忍的。《旧金山纪事报》说有一名中年男子窜入留学生中间，叫嚣“打倒共产党”，被愤怒的留学生们掐住脖子，揍了好几拳，直到警察介入才脱身。

旧金山圣火传递的整个过程中，支持奥运的华人华侨留学生们的呼声成为最响亮的声音。几乎没有“藏独”分子能混入开幕式现场，而当某些“藏独”分子企图进入原定的闭幕式现场时，早有几千名留学生守候在那里。一名“藏独”分子在和留学生发生口角后向警方抱怨：凭什么不让我进场？警方说，你可以进去，但安全无法保障。

红色海洋压“藏独”

“藏独”历来重视美国，因此早早就宣布要“打好旧金山这一战”。他们宣称全美国，甚至周边国家的“藏独”分子都往旧金山赶，西方媒体 9 日也大规模报道旧金山成了抗议者的聚集地。然而当地时间 9 日火炬传递一开始，旧金山现场的五星红旗大大压倒了“藏独”旗帜，华人支持奥运支持祖国的声音喊得比“藏独”口号响多了。美国《华尔街日报》10 日罕见地以“奥运火炬抗议者在旧金山栽了跟头”为题写道，圣火传递的前几站都有颇具暴力色彩的反华抗议如影随形，而在旧金山，众多美籍华人和亲华人士成了更抢眼的风景，他们站了出来，和反华抗议者针锋相对。尽管有的美国媒体仍把“藏独”的声音作为主要报道方向，烘托“藏独”的声势，但他们自己清楚，这一次他们对世界故意隐瞒了支持圣火传递者至少是抗议者数倍的真相。

当地时间 4 月 9 日，北京奥运火炬接力仪式在旧金山举行。接力路线在最后时刻突然改道，避开了大批支持和抗议奥运的队伍以及记者的视线，全程比原计划缩短了一半，并改在旧金山国际机场举行了结束庆典仪式。美国《旧金山纪事报》说，一些支持“藏独”的人得知改道后，立即到新线路去“拦截”，但没有对传递造成干扰。火炬在传递途中收到的主要是喝彩和欢迎。旧金山电视 4 台和 7 台采访的观众大多对改道表示不满，认为这是市政府懦弱的表现。一名支持“藏独”的旧金山市民说，旧金山市政府为什么要害怕示威？在赫尔曼广场等了几个小时的一名华人妇女则说，支持奥运的这么多，警方根本不必担心。

记者在开幕式地点附近看到，“藏独”分子没有达到目的，用中国前游泳奥运冠军、第一棒火炬手林莉的话说，那里是“一片红色的海洋”。虽然“藏独”分子把闹事重点放在了原本计划举行结束庆典仪式的赫尔曼广场，但由于几千名华侨华人和留学生“占领”了那里的码头大厦，“藏独”分子被驱赶到大街上，和那里支持奥运的华侨华人形成交错局面。双方言辞激烈，几度差点发生冲突。据记者了解，当天到场助威的华侨华人有五万多。

旧金山市市长纽森事后为路线改道表示道歉，但称改变路线是为了确保市民安全，他不想让坐在轮椅上的火炬手遭受伤害。美国奥委会主席尤伯罗斯赞同纽森改道决定，说奥运历史会为他这个决定而“鼓掌”。

《华尔街日报》说，火炬接力活动还没开始，人群中就传来“中国、中国”和“要奥运，不要政治”的口号声。这些人冲着抗议者大声呼喊，不时推撞他们。警方尽力拉开双方，并在火炬传递开始前就拘捕了一名抗议者。早些时候，许多支持中国的游行人士只是打出了诸如“体育不应被政治玷污”的标语，但反华示威似乎唤醒了许多亲华示威人士的民族主义义愤。

美联社的报道把旧金山火炬接力形容为“一团糟”，说火炬同抗议者玩了一场捉迷藏游戏，甚至没跟美国正式说声再见就离开了。《华盛顿邮报》认为将奥运政治化也激发了旧金山地区人们的政治热情。报道说，当天的游行极度多样化，有支持“藏独”的，有呼吁重视达尔富尔人权的，有谴责美国人权的，也有强烈支持北京奥运的。

奥运让华人更团结

很多西方媒体发现，对破坏圣火行为的厌恶，把很多华人团结了起来。《时代》周刊网站说，与以往不同，这次海外抗议奥运火炬传递活动激起了中国人大声疾呼要团结一致。旧金山一名华人妇女在网上写道：“从现在开始，我们是为自己而战。我们知道是祖国变得更加强大后使得西方世界感到害怕，是我们的发展和自信使他们感到恐惧。从某个方面来说，通过这次奥运火炬传递，一种新的价值观已经形成，所有中国人再次走出来团结在了一起。”

美国《基督教科学箴言报》说，几十年来，华人社区在旧金山已大致分为两派——大陆人和台湾人，来自台湾的华人在传统上对北京持否定和批评态度。然而这一次，包括来自台湾的许多美籍华人，都支持北京奥运、谴责那些人权抗议活动，这反映了在华人心中，基于民族自豪感的力量压倒了政治上的分裂。

《华尔街日报》8日说，对许多中国人来说，如今中国社会所享有的自由氛围以及这个国家的繁荣程度都是他们以往未曾体验过的。奥运会好似一场庆祝盛会，庆祝他们在经济、政治和社会领域取得的各项进步。火炬传递遭遇的种种麻烦似乎和中国人印象里的中国现实相去甚远。今年是中国实行改革开放的第三十个年头。几十年来中国社会发生了翻天覆地的变化。

不过，干扰北京奥运的声音依然不断。9日，美国国会通过一项议案，谴责中国“镇压西藏抗议”。欧洲议会周四也通过了一项无约束力的议案，要求欧盟各国领导人在中国政府与达赖对话之前拒绝出席北京奥运会开幕式。美国总统布什也敦促中国政府与达赖进行对话。事实上，布什是否出席北京奥运会开幕式似乎成了一个标杆，各路记者不断询问美国官方的最新表态。白宫发言人一句“不排除任何可能”立刻被美国媒体解读为态度“可能有变”。似乎担心受到别有用心的解读，英国首相府在表示英国首相布朗不出席北京奥运的开幕式时，特别强调这是因为一直没有这个安排，“不是抵制北京奥运”。

著名华裔电影人陈冲9日在《华盛顿邮报》上发表文章反对干涉奥运会，抗议诋毁中国。她认为美国国会批评中国的议案根本不顾现实情况，中国民众是自豪的民众。“过去西方帝国主义和鸦片战争所遗留的阴影仍然还在，中国民众不需要自己的国内政策被外部政权干涉。”文章说，“让我们为奥运精神的本质来庆祝：一座友谊的桥梁，而非政治的竞技场。”

（选自人民出版社《北京奥运圣火境外传递纪实》，
2008年5月出版，主编：新华月报）

“马旋风”席卷南北　台湾蓝天重现

2008年3月22日晚，台湾“总统大选”揭晓，马英九高票当选，台湾人民用选票向贪腐说“不”，台湾实现第二次政党轮替。

马英九狂胜221万票　台湾天空又变蓝

民生经济战胜意识形态，台湾选民22日对未来四年新“总统”的施政目标发出清楚信号，中国国民党“总统”候选人马英九有如狂风扫落叶，以巨大差距击败民主进步党“总统”候选人谢长廷，取得选民最有力的付托，并实现台湾第二次政党轮替。

自选战开打以来，民调支持率持续大幅领先对手的马英九，选票22日一路开出红盘，得票数高达765.872 4万票，相等于58.45%得票率，创下台湾推行“总统”“直选”以来的两项最高纪录。

——谢长廷：退出政坛

饮恨沙场的谢长廷力求操作“逆转胜”失败，其得票数544.523 9万票、得票率为41.55%，谢马之间呈现16.9个百分点的显著得票差距。马英九狂胜221万票。在败选后，谢长廷宣布兑现选前的政治承诺，从此退出台湾政坛。

继两个多月前“立委”选举所反映的投票率下降趋势，这次“总统”选举整体投票率首度跌破八成，仅达76.33%，比上届“总统”选举投票率80.28%低。这凸显台湾社会对政治正经历一段退烧过程。

——两项"公投"都不通过

而受到各方高度关注、由民进党和国民党分别提出的"入联公投"及"返联公投"，也皆因领投票人数不足而破局。"公投"需一半以上的合格选民投票，且其中有半数同意者才能通过，22日两项"公投"的投票率仅有约35.8%。

计票过程中，马英九的票数从未落后，情势在22日傍晚6时逐渐清晰，让国民党支持者无比兴奋。笃定当选、表情明显如释重负的马英九面对雀跃狂欢的民众，发表胜选感言时说："人民的心声，我们都听到了，国民党必须完全执政，才能完全负责。我们执政后，一定优先拼经济，改善人民的生活，并以最诚恳、最负责的态度，立即推动各项改革，落实选举承诺，以回应人民的改变期待。"

国民党如今同时掌握"立法"与行政权，马英九上任后，预料台湾将有机会进行更具决断性的政策改革。

——吴伯雄：没有"一党独大"问题

跨越蓝绿向全民诉求团结，马英九说："选举是一时的，人民的福祉、台湾的利益则是永久的。选举或许有蓝绿之分，但选完之后，执政就不能有你我之别，我们所有人都在一条船上，大家是命运共同体，必须携手合作。"

"我向大家保证，执政后的国民党，一定从感恩出发，从谦卑做起，努力倾听人民的心声，关心人民的苦乐，勇敢地反省检讨。只要是生活在这块土地上的人民，都是我们的头家，服务的对象。"

领导在野八年的国民党重新执政的党主席吴伯雄22日晚率全党感谢台湾选民，保证"没有'一党独大'的问题，因为人民最大。只有人民手上的选票最大，没有一个政党比人民大"。

民进党在"立委"选举中惨败，重创其"总统"选情，选举结果显示不可能任务最后还是不可能，八年的绿色政权终究必须画下句点。

——“中国牌”操作失灵

相较于四年前选举结果揭晓后的激烈对立，这次“总统”选举在毫无争议下落幕。在冲刺阶段不断被放大的“一中市场”“西藏问题”与“制衡一党独大”等议题，并不如预期能成功让谢长廷迎头赶上。

格外悬殊的票数落差，更意味执政两任的民进党近年来在选举中最可靠的各种“中国牌”操作，宣告彻底失灵。而它具有传统优势的民主诉求，也因过去八年政绩不彰、贪腐频传，无法获得选民信任。

民进党总部22日晚弥漫着落寞与凝重。谢长廷人生最后一场政治战役不敌强烈的民心思变力量，但他努力留下漂亮的身影。

他说：“我们选举失败，但我们还有更重要的任务，就是祖先留下来的民主火种不能熄灭。我们要转失望为动力，守护台湾的民主。我相信所有民主进步党的同志都会谦卑、反省，但是身为候选人，我要承担较大的责任。”

“我再次重申选举是我个人的失败，不是台湾的失败，今天不要为我哭泣，聚集我们的力量，继续热爱台湾。”

东海大学政治系主任傅恒德说：“国民党获得压倒性胜利，象征马英九时代来临，未来可正式预期：台湾经济发展更开放，两岸关系更和缓，而台岛对外关系也会更佳。”

马英九胜选原因与未来挑战

台湾“总统大选”，国民党“总统”候选人马英九与萧万长以221万张多数票，或58.45%对41.55%，超越民进党的对手谢长廷与苏贞昌，获得压倒性的胜利，成为“中华民国”第十二任“总统”与“副总统”。这无疑是台湾民主与台湾人民的胜利，不仅对台湾的未来发展、两岸关系、台岛与美关系至关重要，也对整个东亚的和平、安定与繁荣起积极与正面的作用。

台湾淡江大学美国研究所教授陈一新分析，马萧胜选之因不只一端，最重要的至少有以下数端。

首先，当然是陈水扁执政八年的成绩单太过难看，成为谢苏团队这次竞选的最大包袱。更重要的是，转型正义徒托空言。国民党执政50年固然有许多失政失德之处，但国民党早已在八年前付出政治代价。

台湾电视台播出的有关台湾地区领导人选举的节目。（图片来源：视频截图）

第一次政党轮替之后，民进党本应好好把握执政机会，许台湾一个美好的未来。不幸的是，民进党拼经济的结果，却是全民经济缩水，独厚陈水扁一家与他的亲信。

民进党"政府"的"烽火外交"，结果却是遍地烽火，本来要让台湾有尊严地走出去，最后却让台湾在东亚经济整合的过程中边缘化。

其次，马萧团队在当选之前就对未来执政作了充分准备，不但对当选与执政后的可能发生的问题与挑战都全盘掌握，也巨细无遗地提出对策。选举之前两个月，马萧阵营更陆续将所有政策白皮书公布并上网。

反之，谢苏团队直到3月初，一些政策白皮书还未上网，反而批评马萧阵营的许多政策白皮书是抄袭他们的。马萧团队有执政团队，人才济济，更有执政的准备；谢苏团队却看不出有多少人才能够治理"国家"，只会批评对手的政策，却拿不出自己的"治国"理念。许多选民看在眼里，自然知所选择。

第三，两场"总统"候选人的电视辩论，使马谢二人的"治国"理念与人格特质无所遁形，更让选民有一个比较的机会。在第二场辩论中，谢全力批评马萧的大陆政策，自以为成功地利用这场辩论，将大选变成一场支持或反对两岸共同市场的公投。但谢穷追猛打此一议题，却也让马不断有机会加以澄清。

事实上，正是民进党执政八年过度政治化，才使两岸经贸谈判陷入僵局。马阵营的"治国"理念与两岸政策是透过"一中各表"，暂搁争议，与北京对等谈判，进而与祖国大陆、东南亚、东北亚以及全球各国进行经贸合作。

以谢的“治国”理念，如果所有两岸与东南亚、东北亚的经贸合作都要在主权问题搞得一清二楚才能谈判，台湾可能将永远在东亚经济整合过程中缺席。过去八年，民进党“政府”的“烽火外交”已让台湾烽火遍地，在东亚经济边缘化。

谢的辩才无碍，辩论技巧高超，但善于闪躲问题。就政策面来说，马谢二人各有千秋，唯就解决台湾各项问题方面，显然马更能掌握未来的大方向。以幽默感而言，二人可以说机锋互见，不分高下。以人格特质而论，二人都维持一贯的风格，只是一个圆滑机巧，一个老实淳厚。

第四，在整个选举过程中，谢苏阵营从绿卡、护照、妻女、“非常光碟”“一中市场”到“一党独大”等问题，对马萧阵营紧缠不放，穷追猛打。选举到最后关头，就是比哪一个阵营犯的错比较少。最后十天，“踢馆事件”“西藏事件”与杯葛奥运风波让马萧阵营一阵紧张，但也激起蓝营选民的危机意识。

这些事件为谢苏阵营打“一党独大”“一中市场”与台湾意识等议题时有了较好的着力点，但却被“教育部主秘”庄国荣的“粗口事件”与华视总经理江霞“海外艺人返‘国’投票都不是人（台湾人）”的风波，大致抵消。这也证明历经八年民进党“政府”的无效治理，选民变得更聪明了，不再相信民进党的抹红与抹黑，人民只关切谁能带领台湾真正走出去。

胜选之后，马英九肩上的责任显然比选举时更为艰巨。选举期间，他的责任是全力以赴，勤跑基层，尽量不要说错话，约束手下与党籍“立委”少犯错，慎防对手“奥步”，做好危机处理，达到胜选目标。但是胜选之后，他必须弭平因为“总统大选”而撕裂的族群意识与“统独”情结，并负责兑现他在竞选期间所承诺的选举支票。

弭平撕裂的族群意识与“统独”情结，做一位超然的全民“总统”，可说知易行难，目标定得愈高，也愈难实现。以马对“二·二八”受难者家属的长期关怀，虽然赢得他们之中许多人的认同与支持，但是民进党与谢营仍有利用“二·二八”事件见缝插针的空间。

尽管马多次下乡长住与基层人民博感情，但是民进党与谢营仍意有所指地以“爱台湾”与“台湾人选台湾人”为选战诉求。

尽管谢长廷“和解共生”的两岸政策与马萧的两岸共同市场并无太大分别，但是民进党与谢营仍以“一中市场”猛打马萧阵营。由此可见，这些伤痕是多么难以化解，即使以马的诚心诚意与爱心，恐怕也很难在第一任期结束以前完全竟功，而可能需要一个时代的时间。

另外一项不易在短期内做到的，就是如何让过去八年不断往下沉沦的台湾恢复敦厚、老实、重然诺的固有道德。固然，马个人的高道德标准可以对国民党与许多人民起移风易俗的作用，但是如何影响台湾道德沦丧始作俑者且习以为常的民进党，却绝非易事。

胜选之后，人民也会期待马能够大刀阔斧地对“司法”与“中选会”等“机关”进行改革。他在选前的亲身感受，应有助于他在选后促进“司法检调”单位与“中选会”的全盘改革。

此外，人民会睁大眼睛看他如何兑现三万美元平均国民所得的承诺。的确，平均国民所得要在四年内翻一番绝非易事。这需要他的经济、财政、贸易、“国安”、两岸的执政团队通力合作，订定严格的时间表，定期严加考核，全力以赴，才有可能达到成功。

当然，要履行这项承诺，与大陆改善关系无疑是非常重要的。大陆观光客、更多农产品销大陆、常态包机、直航、两岸共同市场的谈判都会陆续上场，且影响会逐渐加大。如果两岸谈判顺利，当然有助于台湾经济的进步与空间的拓展。

今年1月12日，国民党在“立委”选举上大胜，取得“立法院”四分之三的席次，正式取代民进党成为本土的最大政党。这次胜选之后，再度证明国民党已进一步稳住其本土最大政党的地位。

今后，马与他的执政团队，以及国民党占多数的“立法院”，必须以更谦卑的态度面对“完全执政”后所要面对的责任与挑战。

成功的果实之中往往隐藏失败的种子，如果他们未能从感恩开始，从谦卑出发，未能融合族群团结人民，无法提振岛内经济、改善两岸关系和台岛与美关系，就会面对“一党独大”的讥讽与再一次政党轮替的可能性。

马英九最大挑战：快速振兴经济

台湾“总统大选”结果出炉，八年的绿色执政宣告落幕，长期政绩衰败的民进党被选民遗弃，台湾进入第二次政党轮替后的崭新局面，挟着“立委”选战大胜的国民党，一举获得近六成选票的强度托付，如何在掌握完全执政权下快速振兴经济，将是新任“总统”马英九任期内最巨大的考验。

马英九收复了2000年以来蓝营失去的执政权。而从两届台北市长选举到“总统大选”，马英九长驱直入南台湾，造成民进党南部大失血，铁票七县市缩减剩下五县市，他创造的选票奇迹，是在北南壁垒分明的台湾政治板块中，北部深度扎根、中部一片蓝海、南方沾染蓝色，已然成为民进党的选战克星。

这次大选，蓝绿两军不约而同抢攻得以左右选情的中台湾（台中县市、彰化县及南投县），选票显示，国民党掌握台中市的旧有地盘，并大举攻占其他县市。最值得瞩目的是，南台湾七县市的绿色大本营，被国民党拿下台南市以及高雄市，其他云林县、嘉义县、台南县、高雄县、屏东县的农业五县，被谢长廷的“一中市场”说发挥了巩固作用，反倒是谢长廷强打自傲的高雄政绩未能奏效，与高雄捷运施工过程引发的官商勾结弊案有直接关系。

回顾选战开始以来，民进党“总统”候选人谢长廷的媒体民调支持度徘徊在一到两成左右，与挟着“立委”选举大胜余威而保持五成多支持度的马英九对抗，虽在两岸政策及经济发展政见中激烈搏斗，却无法拉近支持度。

直到选前一个月，谢长廷炮火猛攻对手的两岸共同市场政见，加以包裹成为“一中市场”之说，催生“中国农产品倾销台湾”“中国劳工抢占工作机会”的“恐中”效应，加上“西藏事件”导引出的民族意识危机感，“恐共牌”接连发酵，原本相对明朗的选情在选前一周陷入高度不明的状态。

掌握执政资源优势的谢长延不仅未能胜出，“扁政权”长期累积的沉重包袱是惨败主因。民进党大败“是绿色执政团队所代表的人格特质不佳及应有的经济表现出现衰退的相乘结果”。绿色执政期间，让人民看到太多绿营权贵不可被信赖的特质，包含聪明、伶俐、善于整合选举资源，但实际“治国”的人格清廉度低，“谢长廷、陈水扁可以说是代表人物”。

而东海大学政治系主任傅恒德认为，选民彻底厌恶大选操作的省籍情结与统“独”议题的老调重弹，以选票表达唾弃民进党“锁国”的经济发展政策、对两岸关系的不合作态度，以及冲动式的“国际外交”政策。国民党提出的开放型经济发展、两岸关系和缓、以更弹性方式加入国际组织等政见，则获得选民高度青睐。

国民党掌握完全执政权，在全台人民渴望改变的高度期待下，经济如何快速发展是最大挑战。在全球性经济衰退以及祖国大陆崛起论的趋势之下，马英九及副手萧万长的当选，代表选民对于振兴经济对抗被全球边缘化的期望是很高的，若不能实现，反而将会很失望。

民进党“立委”败选，加上失去最后的执政权，出现创党以来的最大危机。依照民进党的惯例，败选的党主席必须辞职下台，谢长廷日后在党内的地位将会降低，其他三大天王（“副总统”吕秀莲、前党主席游锡堃）除了苏贞昌外，可能因为选举大败而被代谢。东海大学政治系主任傅恒德表示，民进党守住四成的基本盘，却流失众多的青年选票，若要在下届大选赢回政权，未来的路线应该会往中间靠拢，对于族群以及“统独”必须作出修正。

为台湾人民感到骄傲

《联合早报》驻台北记者吴佳蓓，作为台湾人，她见证了台湾的第一次政党轮替，和八年来走过的路。她执笔写下了目击台湾政党再轮替的感受。请读者与笔者一起来欣赏（为保持原汁原味，笔者只对个别政治用语略作处理）。

台湾人，辛苦了。

选后，谁胜、谁败都不再重要，擦干激情过后悲喜交揉的泪水，握紧希望的双手，告诉全世界：“我们准备好了，台湾来了。”

经过连续多月的折腾，台湾“总统大选”顺利落幕，“大选”报道工作也终于告一段落，但对于生在这块土地的我，内心的激动却难以言语，有如历经八年政治恶斗带来的波涛汹涌，终于找到一根救命浮木，狼狈地呼吸喘息。有这种感觉，并非因为国民党胜选，而是因为台湾选民终于用选票唾弃纠缠不休的省籍恶斗，向政绩不及格的政党勇敢说“不”。

“总统”选举投票前一晚，结束工作踏出办公室时，心里却是担忧大选的结果，可能不如先前外界笃定的那么分明。绿色执政遗留给台湾内部程度不一的旧痕新伤，人民需要喘息、需要尊严、需要生存的维生讯号如此强烈，国民党“总统”候选人马英九给了人民用选票抉择的机会，但这一切在对手谢长廷抛出“西藏”“一中市场”议题引发“恐中”“恐共”情绪后，变得脆弱而犹疑不明。选情民调无法公布的十天内，同事透过台湾媒体打听到蓝绿差距已拉近到个位数的消息，更让我无法释怀：台湾选民真的仍然愿意接受腐烂已久、丧失反省能力的民进党？

前天“大选”的结果显示，马英九所代表的温和、理性、开放竞选团队，得票超越对手221万票，证实许多人选前的担心都是多余的，台湾选民的判断如此独立坚定，相信是来自前三次选举“总统”的深刻学习，这样的结果，让我不禁要在内心呐喊：“身为台湾人，真的好骄傲！”

八年前，台湾人民骄傲地实现首次政党轮替，将出生三级贫户的台湾之子陈水扁送进“总统府”，以为可以就此挥别黑金（官商勾结）政治及贪婪政权的噩梦。但这个本土选民以血汗捍卫而成的本土政权，却仗着选民不忍扼杀之情，反过来成为绑架选民的怪兽政党。第一家庭多名成员卷入贪污官司，绿色权贵揽权自重与利益团体勾结，为官不仁祸延子孙的错误示范，让过去台湾人民对“向上提升、向下沉沦”的期待，蒙上厚尘。

马英九宣布当选，国民党主席吴伯雄发表胜选感言时，很多人内心都翻腾不已，吴诉说选举期间族群撕裂伤痕的不忍时，大家脑海挥之不去的是竞选造势场合中政治人物对敌营作出的人格谋杀刻薄指控，台下群众欢呼回应的画面。那些人并非盲目跟随，只是甘于被利用，令我害怕的是，台湾会就此迷失在族群对立中，从此万劫不复。

民进党在1月“立委”选举中惨败，当时写稿的手已与情绪分离，但选民对民进党作出如此严厉的惩罚，还是超乎我所预期，更多的感慨是，民进党终于走到必须深刻反省的时刻了，但直到“大选”投票前，都很难找到这种迹象。

政治评论者常抱怨马英九拙于打选战，回应对手质疑又太过温和，但比起对手的巧言令色，恐怕更多选民肯定了他的做法，这不仅和对手形成对比，选民长期看惯了绿营政客的心口不一，现在反而更想去珍惜这种一路走来的“不变”。

马英九竞选以来被质疑最深的是，虽然尝过失去政权的痛，国民党改革仍然不够彻底，“立法委员”问政质量也依然低落，现在拿下“立法”、执政双权，马英九团队必须立刻上路实现向人民承诺的政见，已无奢侈的蜜月期。四年之后，人民会再用选票制衡这位"没有借口的人民'总统'"。这是全民希望的开端，也是国民党压力的开始。

政党终于再轮替了，台湾真的可以喘口气、重新出发了。如果国民党真的不负全民所托，大踩"拼经济"的油门，希望很快可以跟前头的新加坡、韩国呛声说："我来了，你们可得小心点啦！"

近八成民众乐见马英九上台

台湾"总统大选"落幕，选后首波出炉的民调显示，近八成以上民众乐见新任"总统"马英九上台，超过七成对国民党执政及台湾未来充满信心。而有近五成民众认为现任"总统"陈水扁须对民进党选举大败负主要责任，六成一相信民进党将会东山再起。

马英九"总统大选"赢得了58.45%的得票率，创下"总统"选举以来近六成民意基础的历史新高纪录，另一方面显示41.55%的民众并未给予支持。然而从《中

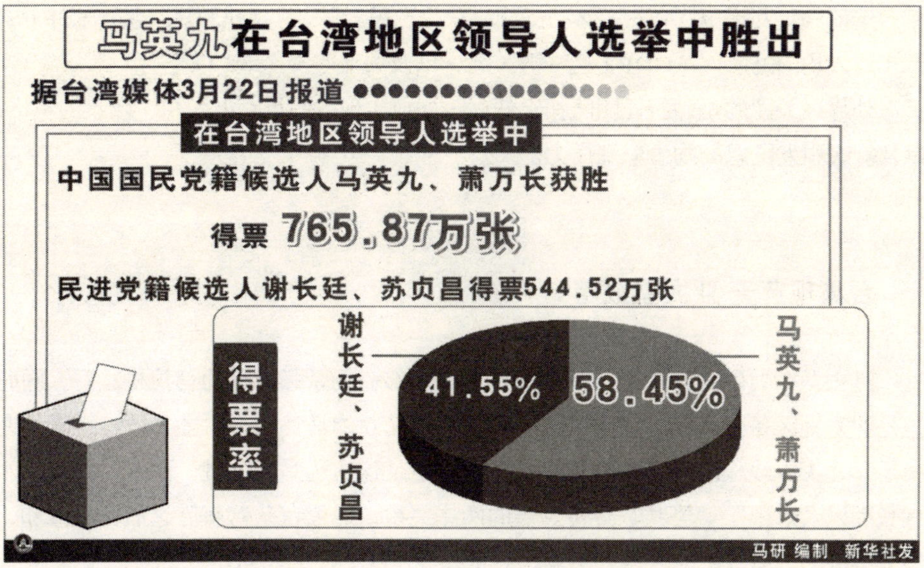

国时报》、《联合报》刚公布的民意调查，各有79%、86%的民众满意“大选”结果，与现任“总统”陈水扁在8年前缔造一次政党轮替后的民调数字：68%（《中国时报》）及56%（TVBS新闻）相比，被人民接受程度相对更高，也显示支持民进党的绿营民众多数愿意在选后接受新局。这同时反映在选举结果揭晓后首个上班日，全台各地恢复往昔的生活运作，选前的政治激情已在选后迅速立刻降温。

展望台湾未来新局势，《中国时报》指出，超过六成以上民众认为台湾的经济发展、两岸之间的关系以及族群和谐将会向上提升，比2004年对陈水扁续任“总统”时的期待感高出二至三成。整体而言，两家媒体调查分别显示，有70%及74.6%的民众对台湾前途怀抱前景，可望今后脱离空转，大步向前行。

而民众期待马英九执政团队上路后首要的施政排名，依次为经济发展、教育文化、两岸关系，其中“经济发展”占了七成左右之强，《联合报》则列出达16%的民众认为“政府”应该优先解决物价上涨问题。

新“政府”将于5月20日就任，马英九期许以“全方位内阁”领政，重振落后八年的经济竞争力。目前浮上台面的“阁揆”讨论名单包含：2005年以国民党副主席身份率团前往大陆担负“破冰之旅”的江丙坤，以及具有中南部本土民意、曾任马英九竞选总部总干事的詹启贤。

选前马英九提出“六三三”经济政策，获得选民青睐，意指执政后经济增长率6%、八年后人均国民所得（GDP）达3万美元，以及失业率降至3%以下。

外界最关注的是，新任团队在上任后，如何实现“假日直航包机”政策的承诺，以及舒缓引发民怨的物价飙涨压力。

台湾现蓝天 亚太望放晴

过去两个月以来，“总统”选举是台湾内部一场紧张万分的马拉松竞赛，同时也是亚太地区备受瞩目的一个政经晴雨计。国民党的马英九是否能击败民进党的谢长廷，让失去政权的八年岁月重见“蓝天”，是这次选举的关键。而饱受绿营陈水扁长期以“恐中”“恐共”宣传炮轰的两岸关系，能否在蓝营获胜之后得以缓和，萎靡不振的台湾经济能否得以翻盘，则是外界广泛关注的焦点。

22日的投票结果，让人看到台湾选民的明确意向。即使在南台湾七县市的绿色大本营，国民党也拿下台南市及高雄市。得胜选区，一片蔚蓝。马英九以221万票领先的差距，赢得决定性的胜利。尽管选前的预测一般也看好马英九，但得票的悬殊，说明了选民对民进党八年政绩乏善可陈的厌倦感。

当然，在任何民主选举中，选票未揭晓之前谁也不能肯定结果。在1月的"立法院"选举时，国民党大获全胜，民进党"总统"候选人谢长廷便曾打出"钟摆效应"的牌，提醒选民制衡的重要。此外他也猛攻国民党的两岸共同市场实为"一中市场"，以"中国农产品倾销台湾""中国劳工抢占工作机会"等恐惧效应，试图挽回票源。但这一切看来都未能奏效。

这回"总统"选举，另一个使人担心的地方是群众所称的"奥步"——亦即烂招。从马英九拉票时回避上次"总统"选举发生"两颗子弹"的现场，从国民党与民进党在竞选期间加紧约束本身的团队，候选人甚至对本身的粗野表示道歉的事件看来，选战可说是在如履薄冰的气氛下举行。

胜负悬殊的选举结果，显示台湾人民已经发出强烈的信息。民主、制衡固然重要，但再也没人愿意在贪腐当道、民不聊生的恶政中搞意识形态，搞"去中国化"运动，操弄族群省籍分化，以致局势长期动荡，经济出现空转。

除了"总统"候选人票数的悬殊之外，"入联"及"返联"两项参与联合国的公民投票，也以约35.8%的投票率——明显不过半而告破局。陈水扁时代试图以"统独"动作制造政治议题的三次"公投"六项提案，看来都在选民的唾弃中付诸东流。选举过后，美国布什总统随即向马英九道贺，希望他给两岸的和平相处带来新的机会，而不会给两岸紧张再作出"单方面"的冒进之举。显见国际上都乐见马英九中选所可能开创的新局面。

台湾这回是第四次"总统直选"，就事论事，最大的赢家是台湾的老百姓。与2000年、2004年两回选举的情况相比，这回显然是理性、成熟得多。选举结果一旦分晓，谢长廷立即承认失败，而马英九也表示尊重民进党对台湾的民主贡献，这预示着台湾的民主进程已踏上另一个里程碑。

台湾的政界、评论界不断指出，马英九为蓝营重夺失去八年的政权固不容易，但面对此后的任务，也诚然有百废待兴之感。然而平情而论，仗着强势的政治得分，接下来台湾将进入一个"马英九时代"，则是可以肯定的。

人们不应忘记，台湾其实是“亚洲四小龙”之中的佼佼者，在数十年刻苦经营之下，工农业都有扎实的基础。资信科技来临的时代，台湾也在晶圆体等领域一马当先。这都拜台湾教育水平的提升、民间活力的旺盛所赐。如果政治上轨道，两岸关系平稳发展、互利互动，台湾的经济重新起飞是指日可待的。台海局势不再紧张，台湾欣欣向荣，亚太区域出现新气象，这自然是值得我们期待的。

马英九以高票当选台湾下一任领导人，两岸关系面临新的机遇，也面临全新的挑战。台湾地区新领导人在可能为两岸关系带来缓和、开放的同时，也会对大陆的对台政策提出新的挑战。两岸关系如何发展，人们正拭目以待。

马英九宣誓就职　国民党重新上台

5月20日，马英九宣誓就任台湾地区新领导人，完成台湾历史上第二次政党轮替；国民党卧薪尝胆八年，终于夺回政权，重新上台执政。同时，也标志着“马英九时代”正式来临。

据《联合报》报道，马英九19日以“戒慎恐惧、临深履薄”形容即将就任“总统”的心情。他说，经过此次政党轮替，两岸关系可望以更开放的态度，发展更积极的交流。

20日11时，马英九以“人民奋起 台湾新生”为题发表了3 700字的就职演说。在两岸关系方面，马英九就职演说最重要的两个部分是重申将在“九二共识”基础上恢复协商；其次是呼应胡锦涛总书记最近三次有关两岸关系的谈话。

马英九在演说中表示，追求两岸和平、维护区域稳定，是台湾追求的目标，台湾也将为此努力，让世界刮目相看。他由衷地盼望，海峡两岸能抓住当前难得的历史机遇，从今天开始，两岸共同努力，开创和平、共容的历史新页。

马英九在演说中重申：“我们今后将继续在‘九二共识’的基础上，尽早恢复协商，并秉持4月12日在博鳌论坛中提出的‘正视现实，开创未来；搁置争议，追求双赢’，寻求共同利益的平衡点。两岸走向双赢的起点，是经贸往来与文化交流的全面正常化，我们已经作好协商的准备。希望7月即将开始的周末包机直航与大陆观光客来台，能让两岸关系跨入一个崭新的时代。”

马英九在讲话中，特别强调认同胡锦涛关于发展两岸关系的主张，他指出：“我们注意到胡锦涛先生最近三次有关两岸关系的谈话，分别是3月26日与美国布什总统谈到‘九二共识’、4月12日在博鳌论坛提出‘四个继续’，以及4月29日主张两岸要‘建立互信、搁置争议、求同存异、共创双赢’，这些观点都与我方的理念相当的一致。”

马英九在就职演说中明确提出，要在“九二共识”基础上，尽早恢复两会协商谈判，并呼应了胡锦涛总书记会见中国国民党荣誉主席连战时提出的十六字箴言，这些都有助两岸关系良性互动发展。

马英九的就职演说表明，两岸之间找到了共识的基础、发展的空间以及克服困难的方法。可见，两岸关系发展的前景很乐观，马英九开创新局有望成功，相信两岸明天会更好。

（选自台海出版社《世纪争锋：国民党与民进党决战台湾》，
2008年6月出版，作者：李立）

揭开天价油画的秘密

时下流行的平民选秀，圆了很多孩子的明星梦。但如果你的孩子没有当明星的天资，有人会为你指出另外一条路："学画画去，当上画家一样能挣大钱。"这样的说法似乎并不是没有道理，2008年，在香港佳士得春季拍卖会上，中国画家曾梵志的一幅油画最终以7 526万港元成交，中国当代艺术品的拍卖纪录被再次刷新。

就在各大媒体争相追捧中国当代油画又创天价的时候，一篇题为《当代艺术拍卖的"天价做局"，以及暴利游戏》的博客文章，引起了我们的注意。一位圈内人士为何在油画市场一片火红的时候，突然自暴黑幕？中国当代油画到底值不值那么多钱？

中国当代油画的拍卖价格动辄百万、千万，难怪人们要把画家与财富、身价这些词联系到一起。显然，"清贫"早已经不是画家的代名词了。

张晓刚、曾梵志、岳敏君、方力均，被认为是中国当代最引人注目的四位画家，备受艺术财经媒体和收藏家的追捧，这四位画家的作品起拍价通常都在百万元以上，人称中国当代油画的"F4"。

来自全球权威艺术品市场行情网站"艺术价格网"（artprice.com）的数据显示，2007年，全球100位当代艺术家排行榜上，中国当代艺术家占据了36席。张晓刚甚至超越了美国最红的当代艺术家杰夫·昆斯，位居第二。

天价油画是做局做出来的吗？

在北京朝阳区798艺术区一个不大的办公间里，我们见到了这位自暴黑幕的圈

曾梵志的作品《面具系列 1996-No.6》。（图片来源：互联网）

内人。朱其，42 岁，艺术评论家、独立策展人，从 1996 年起，先后策划过一系列重要的前卫艺术展，在国内外媒体上撰写了大量艺术评论和学术论文。他的这篇揭幕文章在艺术圈里引起了很大争论，有的不乏攻击性词语。

朱其告诉我们，他写这篇文章的动机，并不是没有挣到钱，嫉妒人家，他只不过说出了圈内尽人皆知的一个秘密：商业炒作。“我觉得它现在对社会影响比较大，因为它的天价表演，促使社会相信了这样一个谎言，就是中国艺术真的卖到几千万。这个危害比较大。”

朱其在他的文章里，详细透露了艺术拍卖“天价做局”的暴利游戏。假设我是一个艺术炒作人或炒作集团，首先，找某个在艺术圈有一定知名度并且市场价格在 10 万左右的画家，跟他签一个三年协议，他每年给我 40 张画，三年就是 120 张，每张以 30 万到 50 万左右收购。一年后就开始在拍卖会上炒作，每张 30 万收购的画，拍卖价标到 100 多万，两年后再标到 500 万甚至 1 000 万一张。标那么高的价格没有人买怎么办？我安排“自己人”和一群真买家坐在一起，假装举牌竞拍，制造一种“很多人抢着买”的现场气氛。“尤其是 2008 年这个春拍就很奇怪，非常奇怪，比如说这个作品它起拍价才50万、80万，然后第二个人马上就叫到1 000万。哪有这么傻的一个买家？这是一个笑话。”

上千万的拍卖，变成了笑话。朱其的指责真实吗？当代艺术拍卖天价做局是否有佐证？在我们采访的十多位业内人士中，绝大部分都不置可否。不过，还是有几位业内人士向我们透露了一些内幕。

“我目前在市场上的所有作品，大都跟我没关系，它们今天卖多少钱跟我都没关系。因为那是画廊当年卖出去的，我一分钱拿不到，我当年就拿到那么点儿，非常可怜的一点生活费。”唐志冈，云南艺术学院教授，在今年5月香港佳士得春季拍卖中，他在1999年创作的一幅油画作品《开会系列-No.2》以427万元的价格被藏家收入囊中。唐志冈告诉记者，天价也好高价也罢，获利的并不是画家。这些画都是由早年买断他作品的画廊卖出去的，当时价格都很便宜，最后分到画家手里的钱少得可怜，这样的状态一直持续了六年。唐志冈甚至认为自己“被画廊包了，不能有任何其他机会，画廊说了算，三七开，人家拿七，我们拿三，道理非常残忍。你就是被剥削，不停地画”。

作品天价跟画家自己没关系，那谁会是天价的受益者？熟知画廊经营情况和操作手法的皮力透露，的确有一些画廊在拍卖中做局。实际上，不少80后画家的作品价格就是被签约画廊人为炒作上去的。

“因为这些艺术家刚刚大学毕业，没什么大名气，他们跟画廊签约的时候（有的都没签约），价格很低，画廊把这些艺术家两年到三年的作品，全部垄断性地购买，一张画只给你一两万。但对刚刚毕业的大学生来说，就是很高的价格了。几年下来，画廊就有几百张画。几百张中只拿两三张去拍卖，把价格炒高，就能够赚到那个高价，这个情况跟朱其说的完全一样，而且很常见。”皮力说道。

在天价做局中，朱其和皮力都认为，拍卖公司肯定参与其中，他们是暴利游戏的重要参与者。朱其还说：“画廊要给（拍卖行）佣金，可以事先谈好一个很低的价格。比如说我这张画，假如最后拍卖师宣布的价格是1 000万，按照10%的规定，那么画廊就要交100万。但是，它可以在拍卖前跟拍卖公司说好，由于我这张画存在卖不掉的风险，因此画廊最多交5万、10万或十几万，不可能交100万。”

“按照一个正常的商业体制，在正常的艺术市场中，画廊不能跟拍卖公司有任何业务上的交往，全世界都很少有这样的情况，只有中国的这些画廊敢跟拍卖公司

唐志冈的作品《开会系列之二》。（图片来源：互联网）

坐在一起吃饭。”皮力说道。

在国外，一个成熟的艺术市场应该是这样运作的：画家必须把他的画交给画廊代理，收藏家只能去画廊买画，一幅作品通常要经历十年左右的市场沉淀，在得到了充分的市场评价和学术认可后，这幅作品才有可能被收藏家拿到拍卖行拍卖。如果一幅作品是由画廊送到拍卖行，那么画廊就很容易利用拍卖，通过做局，把自己签约画家的作品炒成天价。

朱其认为，油画在西方已经有上百年的历史，他们建立了一套成熟的市场体系。但在中国，全都变了味。“你收藏家跳过画廊直接去找艺术家的话，画廊就没有生存空间。所以最后，画廊只能被迫拿着它代理的艺术家的作品直接去拍卖行拍卖，以致整个一级市场无法操作，大家全部跑到拍卖行去交易。”

天价油画到底值多少钱?

朱其认为，目前这些天价作品至少有一半是靠做局拍出的天价，即使有一小部分是真实成交，这些天价作品的艺术水准和国际地位也被过于夸大了。我们先后联系了几位时下当红的画家，谈及天价艺术品值不值这么多钱的时候，出现了两种针锋相对的观点。

叶永青是四川美术学院教授，他是唯一一位愿意跟我们谈中国当代油画市场话题的画家。“最好的艺术家，一个时代其实就那么十几个人，你说他高吗？一点都不高。30 年来，我们整个中华民族总共也就只有一份不到 20 个艺术家的名单，这个名单被现在的市场做到了上千万左右，甚至将来很可能会突破 1 亿，我觉得也不高。”

朱其的观点与叶永青针锋相对。“我觉得最近十年的中国当代艺术作品，它的价格在 800 万比较合适，超过 1 000 万有些离谱。因为从艺术市场的成长规律来说，民国初期的作品至少上升到一定的价位以后，后面才可以依次跟进。而现在的情况是，最近十年的作品价格已经是民国初期一些大师作品的十倍，是人为炒作的结果。”

在我国近现代绘画史上，有“南黄北齐”之说。“北齐”指的是居住在北京的花鸟画巨匠齐白石，而“南黄”说的就是浙江的山水画大师黄宾虹。朱其说，查阅国画大师黄宾虹作品的拍卖纪录就可以知道，他的作品的拍卖价格目前大多不过在 500 万左右，而中国当代油画动辄就是几千万的天价，这种反差说明了天价作品的不正常。但叶永青说，做这种类比没有任何意义，“我们每个人都知道齐白石是大师，李可染是大师，我们有很多水墨作品和大师，但是这些人（的作品）我们拿到全世界去，没有人能看得懂他们，因为这是中国人自己玩玩的东西。日本曾经把它们的一些作品，像东山魁夷、加山又造等，把这些日本大师的画作，顶到最高的价钱，然后向全世界推出，但很失败。当时东山魁夷的一张作品在日本是 60 万美金，但拿到西方去，20 万美金也得卖掉。在西方没有人知道这些。”按照叶永青的判断，作为西方舶来品的油画，在进入国际市场时，自然要比东方传统的绘画形式更容易让国际买家接纳。但朱其显然不认同叶永青的说法，他认为中国油画画得再好，也没有超过同时代欧洲的绘画水平。中国当代作品之所以能够达到欧美顶尖艺术家的同等市场价格，明显是投机资本的恶意炒作。“我想这就好比日本人画中国山水画，他们从唐朝开始就在学中国的山水画，学了几百年都不可能超过中国人。”朱其说道。

对于天价艺术品到底值不值这么多钱，除了叶永青和朱其各持己见外，他们各自的身后还有不少支持者。中央美院的赵力认同叶永青的看法，他反复强调，历史是不能重复的，正是因为这批中国当代作品见证和记录了那段历史，留下了深深的时代烙印，它们才显得弥足珍贵。

同在中央美院工作的余丁教授却赞同朱其的看法。他说，现在的买家根本不在乎这批作品有没有历史价值，许多海外买家甚至连这些中国艺术家究竟是谁也不知道。余丁这样说：“中国当代艺术已经成为一个商品代号，或者是一个期货代号，或者是一个股票代码，这些人的名字成了一些代码。在市场上，大量的资金涌进来买这些代码，以期能够升值，这是中国当代艺术市场火暴的一个原因。”研究过世界艺术史的余丁分析，许多国际炒家看准了中国经济发展的机会，就是要借助资本运作的方式炒高中国当代艺术品，让跟风的中国买家在天价位置上接手。日本经济发展的过程中，就有这样的历史教训。上个世纪80年代西方的一些大拍卖行，让日本大量购买现代主义和印象派的作品，把凡·高的《向日葵》《加歇医生》这样的作品，炒到了8 000多万美元的天价。日本人一直认为，西方的印象派油画就是从日本传统的浮世绘中得到了启发，两者之间有着千丝万缕的文化关联。因而在上世纪80年代日本经济的鼎盛时期，对印象派油画情有独钟的日本人，用高价购买了大量的这类作品，但从此再也没有找到愿意在更高价接盘的人。这个教训，中国当代艺术市场应该牢记。

余丁的结论是：“中国当代艺术品最终的接盘人应该是中国人。因为只有中国人会买中国的当代艺术品。这是一个必然的逻辑规律。”

目前，关于天价艺术品值不值这么多钱的争论仍在继续，我们也相信，中国当代艺术品也许还会在争议中继续创出一个又一个天价。但是，新鲜的啤酒一定是有泡沫的，如果往好的方面想，正是因为有了天价作品的出现，才会让越来越多的人关注这个市场、参与到艺术品的收藏中来。

（选自2009年第4期《北京文学（精彩阅读）》，作者：付丹、刘娜）

两岸一家亲：大陆居民赴台旅游首发团

从2008年6月13日上午海峡两岸关系协会会长陈云林与海峡交流基金会董事长江丙坤交换墨迹尚未干透的《海峡两岸包机会谈纪要》和《海峡两岸关于大陆居民赴台湾旅游协议》那一刻算起，到7月4日800余名大陆游客兴奋地踏上宝岛台湾这片熟悉而又陌生的土地，中间不过短短的21天。而如果剔除休息日，实现大陆居民赴台旅游，两岸旅游业界的准备时间只有15天。这短短的15天，旅游人却实现了60年的梦想。

紧张的准备

最快的速度

两岸周末包机和大陆居民赴台旅游的实现，是推动两岸互利双赢的一个具体措施，是两岸和平发展的关键一步。

2008年5月28日国共两党领导人会谈时，胡锦涛总书记即表示要用最快的速度实现两岸周末包机和大陆居民赴台旅游。为了让这一目标在尽量短的时间内得以实现，大陆、台湾各方面都付出了巨大努力。周末包机和赴台游的实现，让两岸交流又跨出了一大步。

周末包机和赴台旅游的实现，意义不仅仅在于经济方面，更重要的是通过更多的接触，增进两岸同胞彼此的了解。大陆居民到台湾观光旅游，会实地感受到两岸同胞有着共同的血缘和文化，这是任何人都无法切断的。

以此为基调，所有的准备工作都紧张而有序地进行着。

北京：一天完成七天的工作

2008年7月1日上午，家住北京市的张先生向市公安局出入境管理处递交了《北京市居民往来台湾地区申请表》，成为第一个办理大陆居民赴台湾地区旅游签注的北京市民。而根据北京市出入境管理处负责人的介绍，7月1日提交申请的首批314名市民，7月2日下午前就拿到了《大陆居民往来台湾通行证》和赴台签注。

为了迎接首批于7月4日赴台旅游的市民办理证件，北京市出入境管理处开通了“赴台团队旅游”专柜。北京赴台旅游首发团涉及6家旅行社，共有300余人。中国公民出入境管理处处长介绍，根据公安部的统一部署，北京从7月1日起开始受理赴台旅游首发团的团队旅游签注申请。按照“急事急办”的原则，出入境管理处连夜加班，受理审批，赶制证件。而按照正常程序，办理证件需要七个工作日。大陆居民赴台旅游须持《大陆居民往来台湾通行证》及签注字头为“L”的签注，签注有效期为三个月，一次出入境有效。

同时，为了让首批赴台旅游的北京市民度过一个安全、愉快的旅程，中国人寿股份有限公司北京市分公司为团员们送来免费的旅行保险。据介绍，此次捐赠赴台游客的意外人身保险范围包括：人身意外保险、意外医疗保险、丧葬保险和飞机、火车、汽车、轮船等交通工具意外保险，保障金额共计每人120万元人民币，保险期限为10天。

在北京的所有相关人员，一天完成了七天的工作，为赴台旅游的如期成行打下了坚实基础。

航空：飞行骨干执飞台北航线

2008年7月3日，执飞南京赴台旅游团航班的东方航空公司负责人表示，他们已为旅客平安、舒适抵达台北作好充分准备，首航航班的旅客将享受到优质服务。

“为确保首航安全，我们在飞机维护等方面作了大量准备工作，并且配备了技术精湛的飞行人员。”东航江苏分公司宣传部部长林毅说。

据介绍，东航江苏分公司确定由空客A321执行首航任务，并按照专机条件安排了备份飞机，确保航班“零故障”起飞。此外，工作人员已提前完成对两架飞机客舱设施的检查，并对飞机进行了深度清洁，更新了所有的椅套和地毯。

首航机组成员与平时一名机长负责制不同，它由双机长飞行组执行任务。其中，责任机长奚文力是东航上海总部空客A321飞行大队副队长，已安全飞行1.16万小时，另外一名机长和副驾驶也是东航的飞行骨干，都具有两岸包机的飞行经验。

另据了解，飞机上的8名乘务员，是从东航上海客舱部近3 000多名乘务员中选拔出来的，她们不仅外貌气质好，而且都有着丰富的包机、专机服务经验。给旅客提供的是最高标准的专机服务。

这8名空姐中，有一位名字叫鲍凌，福建人，擅长闽南话，为给台湾旅客提供最细致的服务，东航专门将她从云南分公司抽调到南京，参加首航服务。2005年时任中国国民党主席连战到大陆访问，她就在包机上负责为连战夫人连方瑀服务。她说她会以平常心对待所有的旅客，为他们提供的都是最优质的服务。

2008年6月25日，国台办新闻局副局长、新闻发言人范丽青在介绍最近两岸周末包机和大陆居民赴台旅游的有关情况时指出，《海峡两岸包机会谈纪要》和《海峡两岸关于大陆居民赴台湾旅游协议》由海峡两岸关系协会和海峡交流基金会签署并生效后，大陆民航、旅游主管部门和有关航空、旅游公司及相关单位，高度重视，作了大量周密细致的准备工作，以确保两岸周末包机和大陆居民赴台旅游安全、顺利实施。

大陆民航主管部门在6月16日公布了大陆航空公司周末包机执行与分配方案。周末包机初期阶段仍指定国航、东航、南航、海航、厦航、上航等六家公司为承运人。大陆方面周末包机的班次和航点分配为：国航、东航和南航每周各四班（往返）；海航、上航和厦航各两班（往返）。并规定原则上国航、海航从北京始发，东航、上航从上海（浦东）始发，南航从广州始发，厦航从厦门始发。对于从新航点南京始发的航空公司未作限制。

执行周末包机的大陆六家航空公司，很快就完成了实施包机的各项准备工作。同时，各公司还加强了与台湾航空公司的业务联系，洽谈相互合作，确保为搭乘周末包机的旅客提供安全、优质服务。

台湾：对大陆游客一定要笑容可掬

台湾方面，在首发团确定出发日期之后，各界也紧锣密鼓地进行着最后的准备。17个“部会”及各县市政府通力合作，从“法令”修改、机场准备到人民币兑换，及至厕所清洁，在如此短时间内，从大到小，顾及各个领域。负责统筹工作的台湾交通部门毛治国说，他们遵循循序渐进的原则，“先求品质，再求数量”。

在台湾地区相关业务负责人赖峰伟看来，要达到马英九之前设定的陆客观光人数及由此带动的消费数额，还要非常努力。“这一次，对大陆观光客一定要笑容可掬。”

○各方通力协作，全面准备

为了给大陆游客留下美好的“第一印象”，台湾饭店、旅游业者更是煞费苦心。2008年6月中下旬，台湾海峡两岸观光旅游协会董事兼执行秘书长吴朝彦表示：“为迎接7月大陆居民赴台湾旅游，台湾主管旅游业发展的部门启动了相关配套计划，将以落实品质规范为主轴，加强查核旅行社是否遵守每人每日平均80美元的最低接待费用标准；会同相关协会组成查核专案小组，针对旅行社所报行程内容严格抽查，内容包括住宿、餐饮、游览车、导游、门票、购物等；同时，公布了检举电话，欢迎旅游业界及游客对不符合品质规范的情形进行检举。旅行社业、酒店业、导游从业人员训练课程也早已展开。”

台湾海峡两岸观光旅游协会提供的资料显示，台湾地区经核准可从事接待大陆游客赴台旅游业务的旅行社约达167家。

为了规范和保障旅游品质，各旅行社严格执行每人每日平均80美元的标准。80美元中，包含了住宿、餐饮、交通、门票、导游服务、杂支等及旅行社的合理利润。查核专案小组在抽查中一旦发现旅行社违反此标准，违反标准的旅行社将被处罚停止相关项业务1～3个月。发现导游违反行程安排擅自增加自费项目、餐厅没有进行营利事业登记、游览车使用超过7年、购物总次数超过团队行程总天数等现象，也将被处以每发现一起记1点，一个季度内累计6点则停止经营此项业务6个月，累计7点则行停止该业务1年的处罚。

○确保大陆游客的购物品质

如何保证大陆游客的购物品质、避免零负团费是台湾业界关注的问题之一。台湾旅行业品质保障协会秘书长陈怡全说，两年前，该协会就着手建立“旅行购物保障制度”，辅导购物店业者强化商品服务品质，建立完善相关问题处理机制，维护购物店业者及游客双方权益，构建“开心来、安心买、买个够”的优质购物环境。

截至2008年6月下旬，台湾地区已有七大类100多家购物商店获得协会认证，另外还有30家购物商店在申请中。这七大类旅游购物商店分别为珠宝玉石类、钟表电子产品类、食品农特产类、免税店类、精品百货类、木雕陶瓷艺品类及其他。每家获得协会认证的购物店必须交纳购物保障金。取得旅行购物保障资格的业者，要确保商品的品质，不得有货价与品质不相当，或以欺诈胁迫、违反诚信原则等不正当方法贩卖商品。一旦出现购物纠纷，业者应在游客提出后尽快妥善处理。若大陆游客离开台湾前提出，业者应尽量在游客离开前处理完毕。购物店可酌情收取退货处理手续费，但不得超过商品费用的5%。游客与购物店业者因商品质量发生争议，游客可向“品保协会”提出，由“品保协会”聘请相关方面专家共同审定。确属购物店责任的，须于十日内执行“品保协会”的处理决定。逾期未履行者，协会将动用该业者所缴纳的保障金对游客代偿。协会代偿后逾期未补足保障金的购物店，将被取消旅行购物保障资格。

相比旅行社责任险的赔付机制，“品保协会”的代偿制度更快速有效。旅行社虽购买了相应责任险，以旅行社经营不良倒闭为例，有保险公司负责赔偿，但却需等待法院判决后才能赔付，时间往往较长，对游客的保障不够及时。而“品保协会”实施的代偿制度，只需相关方面的专家组鉴定后即可执行，对游客的保障更积极、有力。

○台湾酒店业的准备

台湾的酒店业也作了一些相应的准备。台湾供游客住宿的旅馆分为观光旅馆和一般旅馆。其中，观光旅馆细分为国际观光旅馆和一般观光旅馆。仅从名称上看，大陆游客很难区分旅馆档次的高低。开放大陆居民赴台湾旅游，在合同中如何标示住宿等级，预防可能因此引发的纠纷，是两岸业界关心的问题之一。据台湾海峡两岸观光旅游协会副秘书长张锡聪介绍，为了使游客选择住宿旅馆时有客观参考标准，从2008年1月17日起，台湾开始推进星级旅馆计划，2008年年底前完成计划的宣传工作。2009年起分批进行星级评定，预计用5～10年的时间完成对现有旅馆的星级评定。同时，观光局将通过帮助一般旅馆申请贷款或直接予以补助等两种方式加强对一般旅馆的辅导力度。

○丰富多样的旅游产品

2008年6月中旬，台湾海峡两岸观光旅游协会推出了《两岸旅游业者操作手册》。《手册》中向大陆居民首推20条旅游线路，经典行程包括一定要去的阿里山与日月潭，特色行程则分别将台北故宫博物院、台北101、日月潭、阿里山、玉山、垦丁、高雄爱河、太鲁阁等台湾八景规划其中，既有科技时尚的、传统怀旧的、文化历史的，也有自然景观、精致美食、地道的风味小吃。产品类型包含十天九夜、八天七夜以及更短些的五天四夜，既可满足首次赴台游客体验台湾最精华的愿望，也可让再度赴台的游客深度感受台湾最精致之所在。

此外，台湾还可以为大陆游客提供多样化的旅游产品，如台北市、台中市、高雄市的“都会风情之旅”，东北角、花莲台东海岸的“海岸风光之旅”，太鲁阁、野柳的“地质之旅”，包括龟山岛、垦丁、楼兰、明池神木在内的“生态之旅”，台南、彰化鹿港小镇、桃园大溪古街构成了“文化古迹之旅”，台北故宫博物院的历史之旅，日月潭、阿里山的自然风光之旅，以及佛光山、大甲镇兰宫、中台禅寺等禅寺庙宇在内的“宗教之旅”和台南地区绿色的“休闲农业之旅”。

○货币兑换服务

在货币兑换方面，从2008年6月30日起，人民币可在台湾进行双向兑换。为了吸引大陆游客购物，台湾各地的大型百货公司都及时设立了货币兑换处。

台湾方面的细致、系统、全面的努力工作，给日后的大陆赴台首发团的台湾之旅留下了深刻的印象，有诸多大陆旅行业同行可以借鉴之处。

热烈的欢送

镜头一：北京首都国际机场3号航站楼

人物：北京出发的首发团成员有一半为旅行社的老客户，而最早的游客早在一年前就开始预约了。

航班号：CA185

北京：大陆居民赴台旅游暨两岸周末包机启动仪式

很幸运，镜头之一，就是作者自己所在的团队。

2008年7月4日，上午8时，大陆居民赴台旅游暨两岸周末包机（北京）启动仪式在北京首都机场举行，中共中央台办、国务院台办主任王毅，国家旅游局局长邵琪伟，交通运输部常务副部长、民航局局长李家祥，民航局副局长杨国庆，中共中央台办、国务院台办副主任孙亚夫，海峡两岸关系协会副会长王富卿，国家旅游局副局长张希钦，北京市副市长丁向阳出席。国家旅游局副局长王志发主持启动仪式。

王毅在致辞时说，今天，是两岸关系史上一个值得纪念的重要日子，是两岸同胞交流史上一个新的起点。当前两岸关系正在面临着难得的发展机遇，要开创两岸关系和平发展的新局面，首先要加强两岸同胞的直接交往，增进彼此之间的相互了

2008年7月6日，大陆居民赴台旅游首发团北京分团的游客冒雨在台湾著名景区——日月潭游玩。（陈建力/摄，图片来源：新华社）

解与感情。大陆首发团的旅客都是自愿报名参加的，大家来自不同的岗位，有着不同的经历，但是，今天聚集在这里，大家都怀抱着一个共同的愿望，这就是要把大陆同胞对台湾同胞的深情厚谊带往台湾。

国家旅游局局长邵琪伟代表大陆旅游界，对两岸所有为大陆居民赴台旅游和周末包机顺利启动付出辛勤工作的朋友表示感谢，并祝愿大陆居民赴台旅游开好头、起好步。他说，旅游是和平的使者、友谊的桥梁。台湾有非常丰富的旅游资源，还有2 300万热情好客的同胞，大陆居民赴台旅游的实现将为两岸人民架起一座友谊的桥梁，在海峡两岸之间架起一道越过海洋的风景线。他表示，相信有两岸民众的支持，有两岸旅游界的努力，大陆居民赴台旅游的工作将做得更好，为今后的发展奠定良好的基础；大陆旅游业界将和台湾同行携手双赢，共创两岸旅游业发展的新辉煌。

2008年7月4日当天，753人的大陆居民赴台旅游首发团分别从北京、上海、南京、厦门和广州出发并顺利抵达台北，开始十天的宝岛之旅。在我们出发的当天，北京口岸除国航的249人外，还有104人乘坐9点从首都机场出发的海航航班，与国航航班在当天下午先后抵达台北，开始七晚八天的环岛游览。

镜头二：南京禄口国际机场16号登机口

人物：江苏赴台旅游首发团100名成员，由旅行社工作人员、景区工作人员、星级饭店工作人员、旅游院校老师组成。飞机上的其他70名乘客，为自购票的台湾客商和经常往返于宁台两地、持有合法证件的人员。

海基会、国务院台办有关领导，江苏省市主要领导。具体组成人员有30名游客代表、20名台商代表、各界领导、机场、机组人员、媒体记者，以及当天其他航班乘客共300多人。

航班号：MU5001

机型：东航空客321型飞机

〇笔落南京

把笔触定格在南京，思绪便如那滴落在绢纸上的香墨一般发散开来……因为这里，承载了太多值得记忆和纪念的过往。

南京是国民党政府时期的首都，也是孙中山先生陵墓的所在地。孙中山先生是中国革命的先行者、伟大爱国者，国民党连战主席率访问团到大陆，首先便到南京中山陵谒陵。中国共产党和大陆的人民，都认同孙中山“振兴中华”的理想，都承认是孙中山事业的继承者。于此可见，对中山先生作为中华民族一面旗帜的认知，毫无疑问是两岸发展良性互动的重要共同点。开放大陆居民赴台旅游，以南京作为直航点，有着特殊意义。

并且在今天，江苏已是台商在大陆投资最密集的地区之一。台湾民营百强企业中已有60%以上在江苏投资设厂；到江苏投资的台资企业，80%以上已进入产出期，获得了良好的投资回报。南京与台湾经贸交流与合作，经过20年的发展，吸引和利用台资逐年增长，在全市合同利用和实际利用外资总量中占有一定比重。台资在南京投资领域在拓宽，投资规模在扩大，投资项目集聚度高。

原先从南京与台湾之间的货运与客运都需经第三地中转，全程需要六个多小时。南京首航点开通后，航程将缩短至三小时以内。由于南京在沪宁杭都市圈中特殊的交通地理优势，开通与台湾的周末包机后，将会让长三角地区的更多台商和居民享受两地通行的便利，大大节省时间，降低两岸间的运费成本，降低商务成本，两岸的经贸往来将跨入一个崭新的局面。

○“感觉离家越来越近了”

陈裕森是南京一家公司的总经理，台湾桃园人，在台湾是福特汽车的经销商，2004 年到南京，成为长安福特的第一批经销商，成立南京福联。福联抓住了大陆汽车市场大发展的机会，到 2008 年已经开设了五家长安福特的专卖店，生意已经扩展到扬州、南通等地。

从来到大陆的那天起，他就憧憬着南京直飞台湾的日子。“下午 3 点半从南京出发，以前要到晚上八九点钟才到台湾的家，现在不用转机了，同样时间出发，就能赶上回家吃晚饭了。”

按照公司的规定，陈裕森他们每三个月可以回台湾休假十天，以往不得不从香港或者澳门转机，全程要五六个小时，十天假期几乎有两天是要耽搁在路上的。早两年，其他城市开通两岸“中秋包机”时，陈裕森很羡慕。这次南京开通包机的消息着实让他兴奋，虽然目前直飞的票价比转机大约要高出 1 000 元，但是可以省下宝贵的两个小时，他觉得离家越来越近了。

陈裕森希望飞机能早日真正从南京直接飞到台湾，那样的话，用一个半小时就到台湾了，他双休日就可以回家了。

○“盼望已久，乐见其成”

两岸周末包机南京站首航日，在南京经营“24K”服装品牌的台湾老板魏先生和台湾的亲戚朋友，以及南京的同行与朋友，用八个字来形容他们的心情：“盼望已久，乐见其成。”他过去平均每年回台湾两次，但今后一定会增加往返次数。周末包机以后，两岸之间的往来和旅游活动一定会越来越多，他在南京的不少朋友想去台湾游玩，还请他介绍好玩、好吃的地方；台湾的亲戚朋友更是积极地想到南京来玩。

很多台资企业的负责人都认为两岸周末包机的开通，有助于他们的公司更有效地整合分布于台湾和大陆的各分公司资源。两岸周末包机可以大大缩短他们行程所花费的时间，对提高公司高管的工作效率十分重要。

镜头三：广州白云机场

人物：258名乘客（其中大陆游客106名），4名机组人员，22名乘务员。当日凌晨4点30分，白云机场候机楼举行了隆重的欢送仪式，广东省台办、省公安厅、民航中南管理局以及机场集团的领导参加仪式。

航班号：CZ3097

机型：空客A330客机

○远去的历史，渐近的两岸情

台湾游广东团是大陆居民赴台旅游首发团中最早离境的，被称为“首发团中的首发团”。广东团的航班于2008年7月4日上午8点10分抵达台北桃园机场，成为首个抵台的大陆居民赴台旅游首发团。

翻开整部中国近代史，几乎每一段历史都深刻地烙上了广州的印记。洪秀全、康有为、梁启超、孙中山、鲁迅、毛泽东、周恩来等革命先驱、历史文化名人的名字，紧紧地与广州这座城市联系在一起。今天遗存下来的广州近代史各种遗址和纪念馆，讲述着近代以来广州一幕幕惊心动魄的故事，其中：妇孺皆知的黄埔军校，创建于1924年6月16日，是第一次国共合作时期两党培养军事和政治英才的摇篮；中山纪念堂，始建于1931年10月，占地共6万平方米，是纪念孙中山先生的一座仿古宫殿式建筑，建筑艺术中的杰作；岭南文化，是中华文化中最年轻、最活跃、最“生猛”的部分，它折中中西、融合古今、勇于创新的特点，充分反映在岭南艺术中，其突出代表有粤剧、广东音乐、岭南画派及广绣、彩瓷、雕刻等。改革开放和在建立市场经济体制过程中的成功探索，推进了广州文化的不断创新和发展，使古老的城市焕发了青春。

对不少大陆同胞来说，周末包机的开通和台湾游的开放不仅意味着旅游经历的丰富，更联系起一段被海峡隔断的骨肉亲情。广东的一位游客，多年以来都盼望能够有机会到台湾去看望年事已高的兄长，现在终于可以以旅游的名义赴台，尽管还不能离团活动，但即使只和亲人在酒店见上一面，他也算是在此生有机会以慰骨肉相思之苦。

镜头四：上海浦东机场

人物：上海分团100名游客以中老年人为主，年龄最大的78岁，最小的仅7岁。上海台办和旅委举办了简单隆重的欢送仪式，上海市副市长赵雯出席并讲话。

航班号：FM801

机型：波音757

作为中国最大的经济中心城市和国际著名的港口城市，上海在中国的经济发展中具有极其重要的地位。上海周边的昆山、无锡、苏州、杭州等，有很多的台商投资企业。

在“大陆居民赴台旅游暨两岸周末包机”的启动仪式上，上海市副市长赵雯指出，大陆居民赴台旅游首发团的成行，在两岸交流史上具有特殊的意义，标志着两岸旅游翻开新的一页。她希望首发团的每一位游客弘扬“海纳百川、追求卓越、开明睿智、大气谦和”的上海城市精神，在台湾旅游期间自觉讲文明、重礼仪、守公德、爱公物，做文明旅游的模范，做两地沟通的使者，为两岸旅游的合作交流和上海旅游事业的进一步发展作出贡献。

自2008年6月13日海峡两岸关系协会与海峡两岸交流基金会签订《海峡两岸关于大陆居民赴台湾旅游协议》以来，上海市的旅游部门按照两会协议的有关内容，精心组织首发团，会同有关单位积极作好大陆居民赴台湾旅游的各项准备工作。上海赴台旅游首发团的100名游客以中老年

2008年7月4日，游客们在出发前打出“台湾你好！”的标语。
（高晓天/摄，图片来源：新华社）

人为主，年龄最大的78岁，最小的年仅7岁。在欢送仪式的现场，长者抑或孩童，都表达了他们去台湾的迫切与欣喜之情。

7岁的熊浩明说，他想到阿里山、日月潭去玩，还想看金鱼。说这些话的时候，他那天真无邪的脸上透出一种期待，与那些在隔岸思念与期盼中度过了几十年的人相比，孩子们是幸福的……

70岁的上海市民陈学琛对这次台湾之行非常兴奋，他说他等了几十年了，台湾的自然风光日月潭、阿里山，从学生时代就已经在自己的记忆当中，这次终于可以饱览祖国宝岛台湾的美丽风景。

此次首发旅游，陈老先生和太太一同前往台湾度假，他激动地说他是第一个报名的。而这个“第一”，是在三年前就开始排名了。2005年，陈老先生看到连战先生访问大陆，得知要开放大陆居民赴台旅游时，他就和国旅取得联系，说一定要去台湾看一看。

此次两会复谈确定了日程后，陈老先生着急地找到旅行社，在经过了一番程序性的工作后，老夫妇二人的名单就由国旅转到了锦江，他们成为赴台首发团的成员。在陈老先生眼里，台湾物产丰富、风景优美、人文素养也好，他一直就想和老伴一同去台湾看看。而其中还有一个原因，那就是他的姐姐在台湾，以前不开放大陆游客赴台，他始终不能去台湾看望姐姐一家，几十年只见过五六次面，每次都是姐姐到大陆来探望，现在，这几十年的赴台梦想终于可以变成现实了。

镜头五：厦门高崎国际机场

人物：福建首发团有109人，由省旅游局郭恒明局长任团长，厦门建发集团高管人员、厦门相关企业负责人、泉州旅游企业管理人员、福州相关企业管理人员等组成，其中企业主管54人，企业优秀员工14人、旅游业者18人、离退休人员16人，年龄最大的76岁，最小的17岁。福建省广播影视集团、厦门广播电视集团、厦门日报社等单位7名记者随行采访报道。

福建居民赴台旅游不仅有语言上的优势，容易与台湾乡亲交流，而且有地缘优势——厦门至台北松山机场只有1 100多公里，是大陆五个航点中行程最近的地方。福建与台湾隔海相望，80%的台胞祖籍福建，闽台两地渊源深厚。

在两岸包机直航大陆的五个航点中，厦门与台湾空中飞行距离最近，价格也最便宜。因此，作为其他大陆城市旅客前往台湾的中转航点之一，厦门的经济性方面极具优势。厦门作为往返两岸最具经济性的中转城市，可以为往返两岸的各消费层次旅客提供不同的选择。

○厦门之重

在台湾问题上，厦门具有重要的地理位置和战略位置。自 1987 年 11 月第一批台湾同胞踏上祖国大陆以来的 21 年里，厦门充分发挥“五缘”优势，积极拓展“六求”作为，做好四个“先行先试”，成为海峡两岸对台交流工作最为活跃的地区。

求两岸直接“三通”。发挥“五缘”优势，拓展“六求”作为，“三通”是重中之重，是根本，是关键。1997 年的 4 月 19 日凌晨，厦门轮船公司“盛达”轮，从东渡码头出发，直奔台湾高雄港，这是两岸隔绝 48 年后，海上货轮直航台湾的破冰之旅。2001 年 1 月 2 日，厦金实现直航。2005 年春节两岸台商包机直航，厦门航空参与执飞。2008 年 7 月 4 日，厦门一下子离台湾达到了有史以来的最近路程——一个半小时就到了。

求紧密经贸联系。作为台商集中区，厦门有别于“长三角”“珠三角”，在厦台商企业形成了出口型企业为主的特点。从台交会到食博会，从礼品展到科技产业联盟，厦门与台湾经贸往来频繁。

求农业全面合作。厦门、台湾同属亚热带，气候、环境等自然条件十分相似。厦门，不仅引进台湾现代农业，而且要着力打造成台湾农产品进入大陆的首选中转站和集散地。2005 年 5 月 28 日，首批进口的台湾水果抵达厦门大嶝，重量虽只有 460 公斤，但预示着厦门成为台湾农产品进口中转口岸的地位初步形成。台湾水果首次通过冷藏集装箱方式直航厦门之后，大陆进口台湾水果进入常态。

求文化深入交流。与诸多文化传播方式截然不同的是，闽南人迁徙到台湾，是把整个闽南文化都照搬到台湾去，两岸的生活样式几乎是一模一样的，这就使得厦门与台湾的文化交流非常顺畅。传统如歌仔戏、高甲戏等戏剧的交流，现代如图书交易会等项目的举办。此外，两岸青少年“闽南文化研习”夏令营等交流也时常在厦门进行。

求旅游双向对接。厦门成为大陆居民赴台旅游周末包机直航点之一，已充分说明厦门曾在这一进程中所作的不懈努力和充分准备。

求载体平台建设。让两岸间的政治、经济、文化交流的各种好戏在厦门演得越多演得越精彩，厦门对台工作的先行区作用就发挥得越淋漓尽致。因此有人干脆地说，厦门整个城市，就是两岸间的一个大平台。

无论飞多远、飞多高，有一条脐带将联系着祖国大陆与宝岛台湾，那就是两岸的“五缘”关系，闽台之间，地缘相近、血缘相亲、文缘相承、商缘相连、法缘相循。而厦门正是这条脐带上的关节点。

镜头六：海协会理事、南航董事长刘绍勇执飞首班两岸周末包机

〇董事长机长

南航董事长刘绍勇作为广东首发团的责任机长，亲自驾空客A330客机执飞CZ3097。据了解，上一次刘绍勇以机长身份飞行是在汶川大地震第二天，他率领救援机组前往四川救援，心情非常沉重，此次飞台心情完全不同上次，非常激动人心。

2008年7月4日早晨6时31分，两岸周末直航包机大陆首个起飞的航班南航CZ3097航班，由南航董事长刘绍勇驾驶空客A330飞机，载着258名旅客从广州白云国际机场起飞，经过100分钟的飞行，于8时04分平稳降落在台北桃园机场。南航成为两岸周末直航包机首个从大陆起飞和降落台湾的大陆航空公司。

大陆海协会理事、南航董事长刘绍勇是一位有着30多年驾龄的国家一级飞行员，清华大学EMBA毕业，此前曾任国家民航总局副局长，有着丰富的飞行和管理经验。刘绍勇在执行南航首航包机任务前表示，他此次以一名普通机长的身份参加飞行，以实际行动支持和呼吁两岸直航尽快实现常态化。他以“‘湾’路直行”四个字，期盼两岸航班早日实现真正意义的直航，每天都有直飞航班，简化乘机手续，造福两岸同胞。

为更好地执行两岸周末直航包机，南航从两个月前就开始进行各项准备工作，包括制订航班计划、落实航权、签订销售协议、航路申请、收集航行情报及运行动态、签订各机场的地面代理协议等66项准备工作。2008年6月23日，作为两岸最大航空公司的中国南方航空公司和中华航空公司，在广州签署了战略合作备忘录，针对两岸直航包机进行全面合作，为两岸同胞往来提供更加优质便捷的服务。

对执行两岸周末包机航班，南航精心挑选性能优良的机型，如空客A330、A320

飞机等，配备富有经验的飞行人员和保障人员，在“空”、“地”、销售等各方面服务上精益求精；特别选派能说流利闽南语的乘务员执行航班任务，如南航乘务员分别用闽南语、客家话、普通话介绍台湾及大陆著名旅游景点、风土人情等；餐食方面以“台湾风味”和“岭南特色”的餐食为主，有台式卤肉面、粤式萝卜糕等多种正餐和点心供旅客选择；包机上配备专门的音像节目，增加了闽南语、客家话歌曲和台湾电影；在头等舱休息室增设闽南特色小食品，为乘坐两岸包机的旅客提供量身定做的“尊贵之旅、无缝中转、专项贴心、随到随办、亲情连心、爱心便利”等六大地面服务。

○“‘湾’路直行”寓意

在执行飞行任务之前的2008年6月22日，大陆海协会理事、南航董事长刘绍勇会见了台湾无线卫星电视台（TVBS）著名主持人李四端先生，并挥毫泼墨题写四个大字赠送来宾：“‘湾’路直行”。

2008年6月23日，刘绍勇在南航与华航实行战略合作签约仪式上表示，这是他第一次为人题字，他对“‘湾’路直行”四个字所蕴藏的含意，进行了阐述。

其一，这个题词源于祖国大陆和宝岛台湾同胞经过几十年的隔海相望，终于在公元2008年7月4日实现了两岸周末“直航”包机，两岸人民正在创造着历史，书写着造福后代子孙的传奇。航空企业作为两岸交流的先锋队有责任挺身而出，而南航作为客运量世界第四、亚洲第一的大陆最大航空公司，更要担负起历史和两岸同胞的重托——7月4日，南航用空客A330飞机，执行首班台湾直航包机，为两岸人民架起便捷的“空中桥梁”。这一具有历史意义的飞行，将开启两岸同胞交流的新篇章，这不仅是参与直航包机的民航人的骄傲，也是全球华夏儿女的共同期待。

其二，“‘湾’路直行”中的“湾”意指“台湾”；“路”本为航路，意指两岸之间的物理距离；“行”既读“xíng”，也读“háng”。所以这句话的意义既指大陆同胞从此可方便地“到达”台湾，台湾同胞也可以方便地“到达”大陆，指两岸“直航”开启。

过去几十年，由于种种原因，台湾和大陆之间的往来并不对等，尤其是大陆到台湾的观光旅游受到严格控制，大陆同胞都是通过媒体了解到日月潭、阿里山等台湾优美的风光和迷人的风土人情。两岸周末直航包机和“陆客观光”的同步启动，将使大陆同胞能够便捷地到达宝岛台湾。南航已作好充分准备，为两岸旅客提供“可靠、舒适、便捷”服务，推动两岸交流进一步扩大。

其三，“‘湾’路直行”中的“湾”，亦谐音为“弯”，即期盼航路裁弯取直，实现真正意义上的“直航”。因为种种原因，目前两岸周末包机仍然要从空中绕道香港，是“绕飞”的“直航”，而不是“直飞”的“直航”，而且开航点和包机时间也有严格限制。以空客A330-200为例，按目前的绕飞航路从上海飞越上海管制区、厦门管制区、广州管制区，再飞越香港情报区后进入台北区域，要比从上海区域直接飞越台湾海峡进入台北每班多耗时1小时33分钟，多浪费燃油8 799公斤，更多地排放了二氧化碳——这不但使航空公司运营成本极大增加，也造成旅客旅行时间的无意义消耗，更是对人类环境的直接污染和破坏。因此，刘绍勇呼吁两岸尽快实现真正意义上的“直飞”的“直航”，而不是“绕飞”的“直航”。

其四，“‘湾’路直行”中的“直”与“弯”相对，寓意两岸前景无限美好。从“弯”到“直”——从对峙到合作，从不相往来到节日包机、周末包机，从绕道香港到直航直飞——两岸关系的日益融洽，彼此合作的日益紧密，对两岸民航运输业的发展提供一个难得的历史发展机遇。两岸实现真正意义的直航后，更多直航机场将会开放，直航包机的频率将会加大，航空业将受益更多。

其五，从“弯”到“直”，更是两岸同胞的心声和企盼。胡锦涛总书记在会见国民党领导人和海基会代表时提出“建立互信、搁置争议、求同存异、共创双赢”和“平等协商、善意沟通、积累共识、务实进取”的方针主张，以及两岸高层和协会接触日益频繁和卓有成效，尤其是两岸人民迫切希望加强交流的愿望，两岸关系会越来越彼此信任、越来越相互依存。两岸同胞之间的事情永远依靠两岸人民来直接解决，决不需要其他任何外来势力介入，两岸之间一定能从经济合作逐步到政治合作，最后走上一条造福两岸人民的光明之路。

（选自中信出版社《两岸一家亲：大陆居民赴台旅游首发团》，
2009年7月出版，作者：赵景文）

正龙拍虎：纸老虎打倒13官员

当2008年6月29日上午，陕西省政府新闻办通报“华南虎照片事件”调查处理情况，宣布所谓“华南虎照片”系假照片、“拍照人”周正龙因涉嫌诈骗罪被逮捕时，人们的第一反应是“欣慰”。

作为一起影响重大的公共事件，它的结局是“多输”的。一纸假虎照拉下一堆官帽，然而较之于被他们抹黑八个多月的政府形象，这些处分远远赎不回被“咬”得遍体鳞伤的政府公信力。

深藏在周正龙内心深处的纸老虎，是对重金悬赏的垂涎觊觎；而裹在众官员身上的纸老虎，则是对政绩、虚名、个人利益的急功近利。他们小觑了公众所具有的科学常识与判断力，挟政府公信力以妄为，一错再错地以谎言掩盖谎言，最终使政府形象受损，造成了一场深深破坏中国道德底线的“人祸”。如今，周正龙版“华南虎”束手就擒，其他地方和其他领域还有没有类似的“假虎”出没，我们不可不防！

天啊，陕西镇坪发现野生华南虎了！中新社一条新闻震惊天下，一个普通农民拍到了绝迹多年的华南虎

2007年10月4日，中新社发布的一条消息，让中国乃至世界都震惊：陕西省镇坪县城关镇文彩村农民周正龙，于10月3日下午，在文彩村神州湾拍摄到野生华南虎的珍贵照片。在拍摄地点附近，还发现了华南虎的洞穴及爪痕。陕西省林业厅组织有关专家对照片进行详细确认，最终认为，照片中的老虎的确是华南虎。这是43年来，陕西省秦巴山区发现华南虎的首次记录。

据调查，目前全球野生华南虎只有20余只，人工饲养的50余只，分别饲养在

我国苏州、上海等地的动物园。自1964年陕西佛坪山民猎杀过一只华南虎以来，陕西省已经40多年没有出现过华南虎的身影了。1983年在湖北一个林场发现的一只幼虎，是我国最后一次发现野生华南虎实体，距离现在也已经24年。1996年，华南虎被国际自然及自然资源保护联盟列为世界最为濒危物种和第一需要保护虎种。

10月3日晚9点钟，周正龙脖子上挂着两部相机，带着一身的杂草味，神情疲倦地回到家中。他一屁股瘫在椅子上，两眼望着天花板，呼呼地喘气。以往，周正龙打猎归来，第一句话就是对妻子罗大翠说："快点，我饿死了，快快。"这次，周正龙居然很反常地一言不发。罗大翠也没当回事，一边给丈夫张罗做饭，一边唠叨："你呀，就像神经病样的，天天找老虎，到现在连个老虎毛都没找着，还想要政府的奖金，做梦吧你。田地的庄稼活，你完全不管闲了。你找吧找吧，累死我算了。"

周正龙一下坐正了，双眼不停地眨巴着，他神神秘秘地向妻子招招手："大翠，你过来过来，我终于拍着老虎了，好几十张照片呢，这下不得了了。来，我放给你看。"罗大翠疑惑地走近，头挨着丈夫的头，只见周正龙打开数码相机，一张张地翻着屏幕上的老虎照片。罗大翠是个典型的农妇，对老虎没有丝毫兴趣，只看了几张就去做饭，嘴里却嘀咕了一下："老虎怎么那听话，总是一个姿势让你拍呢？"

周正龙热脸被浇了冷水，很不高兴："妇道人家，屁都不懂。哎，我累了，先去睡会儿再起来吃饭。"说罢，起身就向卧室走去。

周正龙是1981年来到文彩村的，来罗家之前，他的老家是上竹乡松坪村，那才是真正的穷乡僻壤，周家又住在山顶上。因此，周正龙当年很愿意当上门女婿。

1982年，经媒人介绍，周正龙与罗大翠一见钟情，随后结婚。用罗大翠的话说，丈夫虽然脾气暴躁，但对家很有责任心，对老人也有孝心，对一双儿女更是管教甚严。她对丈夫还是比较满意的。家中大事都由丈夫拿主意，他想做什么就做什么，她一般不过问。周正龙赚的钱都交给妻子管着，而妻子完全承担起了丈夫的衣食住行。他俩有时也吵架，吵完了就算了，床头吵架床尾和。

以前，政府对猎枪管理较松时，周正龙一直靠打猎补贴生活，每年可以赚几千元野味钱。后来，政府集中收缴枪支后，聪明的周正龙就在野外下套子，还是猎获了不少野味，比如，野猪、麂子、黄鼠狼，野鸡等。家里有两个大冰柜，他每次从山里回来，"战利品"一次就可以把冰柜装得满满的。

女儿周鑫成绩很好，儿子周松的成绩却一般，家有两个读书娃，生活压力加大了不少。周正龙更加拼命打猎，有时背着妻子准备的干粮，一进山就是十天半个月。回来时，就会肩挑背扛着各式野味，当然，人也会瘦一大圈。罗大翠也不甘示弱，常将自家种的菜，挑到县城去卖，夫妻俩齐力协心，硬是将女儿周鑫送进了西安国防工程学院。周正龙拍虎照时，周鑫已大学毕业，在当地一家变电站上班，没能读出书来的周松则在外学开挖掘机。周家的经济已有了一定的好转，但距离盖楼房的目标，还有“珠峰”要攀。

怎样才能赚大钱呢？周正龙苦苦思索。

罗大翠无限憧憬地说：老周，要是让你发现了老虎，咱家可就真脱贫了。随着71张照片的问世，周正龙，这个普普通通的农民名字，顿时以几何数字的态势被世人知晓

机会来了。

周正龙在镇坪县是远近闻名的猎人，以至于该县林业局野生动物保护站开展野外科考时，常常要请周正龙当向导。站长李坪介绍说：“周正龙打猎确实有一套，但他是无证狩猎，又无证销售野味。我去集市检查时就处罚他，次数多了，我们就这么认识了。我们需要进山科考时，就邀请他当向导，并支付一定的酬劳，他非常乐意，觉得找到了自己的价值。当我们告诉他，如果找到了华南虎，政府会给予重奖时，周正龙马上问奖金是多少。我说，如果能拍到华南虎的足迹、粪便、毛发等，便可得到千元至万元的奖励；拍到活体野生华南虎照片或录像，就可得到数十万甚至百万元以上的奖励……周正龙一听，眼睛当时就瞪圆了。”

周正龙回头就对罗大翠说了这笔巨额奖金，那兴奋的眼神，仿佛周家立马拔地而起了一栋三层楼房。丈夫的神采也引起了妻子的兴趣，这个与世无争的农村妇女无限憧憬地说：“老周，要是让你发现了老虎，咱家可就真脱贫了。前些年，你不是经常对我说，你在山上碰见老虎了吗？”周正龙微微叹了口气，说是啊，可这些年难找了。

随后，周正龙成了县林业局虎调队的一名向导，他开始积极打探关于华南虎的一些知识。华南虎在当地被称为“烂草黄”或“豹老儿”，气味很大，一出现方圆几里都闻得到。而周正龙此前也确实看到过，至少看到过疑似华南虎。2007年7月底，镇坪县政府因周正龙当虎调队向导时，成绩突出，决定奖励他，而且“规格”还很高。县长吴平冒雨步行了500米山路来到周家，亲手向周正龙颁发了1 000元奖金和一本鲜红的荣誉证书：周正龙同志在镇坪县野生华南虎调查工作中成绩显著，特发此证，以资鼓励！

县长亲自到一个农民家颁奖，这是何等的荣耀啊！这么大的父母官，瞧得起一个农民，还亲切地握着他的手，叮嘱他上山后要注意安全，周正龙感觉浑身的血液都沸腾了，恨不能为“革命”肝脑涂地，赴汤蹈火也在所不惜。他数着这10张红色大钞，连忙叫妻子收好，这钱相当于他两个月的野味钱。自此，周正龙真正患上了“老虎瘾”。

进入秋天后，周正龙每天上山寻找，为了证据确凿，他专程跑到镇坪县当经贸局局长的亲戚谢坤元那里借来了两台相机，一台是老式的“长城”胶卷相机，一台是崭新的佳能EOS400D数码单反相机。工夫不负有心人，华南虎还真让他给找着了，而且是左右开弓的两部相机全派上了用场。71张照片昭示着确凿的证据，一个农民找到了绝迹24年的华南虎，他想不出名都难，想不拿奖金都难！

但是，怀揣惊天奇迹的周正龙却表现了出奇的低调，而且也完全没有想象中的兴奋。人逢喜事，那是发自每个毛孔的快乐，无法掩盖，可周正龙相当镇定。尽管没吃夜饭，而且和衣睡了一宿，但第二天早上起来后，面对妻子“吃了早餐再走”的劝告，周正龙摇摇手：“不用了，到了县城有人请我吃大餐，你就等我的好消息吧！”

周正龙带着两部相机去县里汇报后，立功心切的林业部门迅速向外发布了这条惊人消息，中新社等各大权威媒体马上跟进。周正龙，这个普普通通的农民名字，顿时以几何数字的态势被世人知晓。

李坪冷着脸大声吼道：周正龙，你拍到华南虎了吗？我一看就是假的，我说你疯了，你哄鬼去吧！周正龙脸上讨好的笑容还未来得及褪去，就被这声怒喝震得一哆嗦

2007年10月12日，陕西省林业厅正式对外举行新闻发布会，现场奖励周正龙

2 万元现金，并郑重公布了周正龙拍摄的华南虎照片两张。当晚，中央电视台的《新闻联播》将这条新闻正面发布了。

瞬间，这几张华南虎的标准照迅速传遍了海内外。县经贸局也将这作为一大名片四处招商引资，县政府非常迅速地打出“游自然国心，闻华南虎啸，品镇坪腊肉”的广告牌，还成立了野生华南虎保护办公室。而周正龙俨然以英雄自居，面对再多的记者和领导，他也面不改色，时而谈笑风生，时而潸然泪下，诉说冒着生命危险拍下华南虎照片的艰辛。

出席完了新闻发布会的周正龙，被政府的小轿车送回家，进了文彩村后，鞭炮在沿途放得震天响。他摇下车窗，从小车里伸出一只手，微笑着对道路两旁的乡亲打着招呼，还大声邀请：“到我家喝喜茶啊，有好烟散给大家抽，县长给的。”

面对追随而至的记者，周正龙说，他必须要找到老虎，不然就没面子。因为村里人都知道他放下农活找老虎，如果找不着，就会惹人笑话和鄙视，还要被骂脑子有毛病。“我就要维护一个老猎人的尊严，尤其我还是一个上门女婿。”周正龙握了握拳头，“我干事，就一定要有结果，一定要有头有尾，善始善终。”他还不好意思地透露，说自己也是有私心的，因为县林业局的领导讲过，只要把野生华南虎的照片拍到了，就奖 15 万。省里的领导更大方，说哪个拍到了野老虎，省林业厅要奖励 100 万。“100 万啊，我这个文化程度的人，未必就数得清。作为一个农民，我也想钱，但也不能完全是为了要这个钱，我还是有觉悟的人，假如老虎把我吃了，我也无怨无悔的。我一个农民，第一个拍到被认为已灭绝的野生华南虎照片，一生都值得的，这种光荣，八辈子也修不来这样的运气。”

周正龙接着讲他的拍虎传奇，声音忽高忽低，抑扬顿挫，很像一个说书人，说话很有吸引力：

2007 年国庆节，大家都在过黄金周，我一个人背着两部相机上山了。由于老虎的嗅觉很灵，我就拿镰刀割一片青草，然后整个人在青草的断茬上打滚，让身上沾满浓重的青草味。我的口里还要嚼一些无毒的青草，直到整个身体与大自然合为一体，老虎嗅不出人的气息，我才去寻找老虎。由于我已摸熟了老虎活动的规律，10 月 3 日下午 3 点多钟，我就找到了华南虎。当时，我突然发现 20 米开外的山坡上有一个岩洞，附近卧着一团黄糊糊的东西很像是老虎。我定睛细看，没错，正是那只华南虎！它好几百斤重哦。大概是吃饱了，也可能是嫌我太瘦了，它虽然看见了我，

2007年10月12日，陕西省林业厅召开的新闻发布会上，周正龙展示了所谓“华南虎”照片，并获得2万元奖金。（丁海涛／摄，图片来源：新华社）

却没见有多大反应，反而像配合我拍照似的，凝神看着我。其实，我那时怕得要死，只要老虎有动静，我马上跳到身边的一块岩石后，老虎如果用力过猛，就会摔下悬崖。我屏住呼吸，慢慢拿出胶卷相机，对着老虎调好焦，并调到连拍装置，只见一阵阵轻微的咔嚓声过后，一个胶卷没了。老虎像傻了似的，还是望着我，我得寸进尺，大胆地举起手中的数码相机，又是一阵猛拍。拍着拍着，“啪”的一声，眼前忽然一亮，原来是林间阴暗的光线自动触发了电子闪光灯。我看见老虎动了一下，接着一声长啸向我扑来，我立刻闪身滚到岩石背后，本能地把照相机扔在地面醒目的位置，我却摔昏过去了。醒来时，四周一片安静，老虎的气味也变得很淡，我才知道老虎走远了。我连忙找到相机，发现完好无损，我忍不住大笑了几声，真是老天不负周正龙啊。

我就这样拍到了野老虎。用命换来的，不容易。如果让老虎吃了我，这会儿你们这些当记者的，就没法与我对话了。不过，相机里的宝贝会永远地留下来，成为后人的财富。也算是我这个老猎人对祖国作出的一点贡献，嘿嘿……

正在这时，周正龙的好朋友——镇坪县林业站站长李坪冷着脸来了，他大声对周正龙吼道：“周正龙，你拍到华南虎了吗？我一看就是假的，我说你疯了，你哄鬼去吧！”

周正龙脸上讨好的笑容还未来得及褪去，就被李站长的这声怒喝震得一哆嗦。

他有些结巴地说："李站长来了，屋里坐。正好有几个记者在采访，中午我老婆好好弄几道野味……"

李坪指着周正龙的鼻子说："我当初真是看错了人。我提醒你，你又不上网，又不看报，这事外面已闹得海大了，人家都说你造假了。你趁早投案自首，退回2万元钱，否则，一切后果你承担。"

周正龙渐渐镇定下来，用很气愤、很委屈的语气还击道："我九死一生才拍到的老虎照片，你竟然毁我。李站长，我是农民不假，你也不能这样欺负吧！"

眼见记者都围上来，李坪不屑地横了周正龙一眼："老周，有你后悔的日子，别说我没提醒你，我可是救你。算了，不与你这等人啰唆了，你好自为之吧。"说完拂袖而去。

中科院首席研究员傅德志公开质疑：敢以脑袋担保照片有假！周正龙则发出毒誓：我就要看傅德志的脑袋能保多久。如果我的照片作假，我可以坐牢，我儿子也可以坐牢

李坪以一个林业职工的良知向上汇报，极力陈述华南虎照有假，可正在兴头上的陕西各级领导并没理会。本省好不容易找出了华南虎的踪迹，正好借此向外界宣传陕西的自然环境好转，又可招商引资，这个李坪真让人扫兴，不理便是。于是，李坪的多次书面或电话汇报均无人理睬，他感叹个人的力量太小了。

李坪的一声震天吼，让周正龙的情绪受到了很大影响，再也不愿向闻讯赶来的记者耐心地描述他的传奇拍虎故事了。他还问一名带着笔记本电脑的记者，能不能上网看新闻。记者说看不了，没信号。周正龙说，我明天到县里去看吧。

周正龙到了县城后，径直去了县经贸局局长谢坤元办公室，还将数码里的所有照片全部拷到了他的电脑里。谢坤元说，"色影无忌"论坛已经出现了质疑虎照真伪帖子，说好说歹的都有，好像大多数网友都说是假的。周正龙的脸色更像猪肝一样地红了，他喃喃地说："我用命换来的照片，怎么说是假的呢？"

谢坤元说："怕什么，真的假不了。由他们去折腾吧，你这虎照，省里的好多专家都鉴定过了，说是真的。"

周正龙的底气一下足了不少，连声说："那是，我用命换来的嘛！"

2007年10月18日晚，在谢坤元办公室，记者看到了周正龙用佳能数码相机拍摄的所有40张照片，其中35张有老虎的踪影。陕西省林业局12日在新闻发布会上公布的华南虎照片，便是其中最清晰的一张，拍摄于10月3日下午4点38分。

谢坤元非常谨慎地拒绝了记者拷贝照片的要求，称这涉及版权。关于照片的使用，谢坤元表示，首先肯定要保证政府和科研机构的需求，其次才去充分开发照片的商业价值。被问及照片是否会高价卖给国际机构，他坦然回答："如果对方愿意出高价钱，我们为什么不卖？毕竟，我们已经对国家尽了义务。"

看来，谢坤元对周正龙拍到了这些虎照非常满意。作为周正龙的亲戚，他脸上也是很有光的，底气也很足。

没想到，就在当天，中国科学院植物研究所种子植物分类学创新研究组首席研究员傅德志，以"打虎派"的姿态公开在网上发言质疑，说"中国专家不是吃干饭的"，他公开劝谕拍摄者周正龙，早日坦白。他称自己以一个从事植物研究20余年的权威科学家身份，敢以脑袋担保照片有假！照片上植物与老虎大小比例不符，特别是那种叶子，哪有这么长，秦岭没有这么长的叶子，因为他参加过秦岭国家植物园的建设，对秦岭的植物相当熟悉。所以，周正龙拍的是假虎照。

此炮一轰，马上就有"挺虎派"接招，其代表人物之一就是陕西省林业厅信息宣传中心主任关克。他嘲笑傅德志不懂业务，因为陕西很多地方都有超过30厘米长的大叶子草。周正龙获悉后，如释重负，带着一帮记者赶到发现老虎的神州湾，发现到处都是这种超过30厘米长的大叶子草。周正龙还拿着卷尺，很夸张地量着叶子的长度，任凭记者狂拍。

相关新闻报道出来后，关克更来劲了，理直气壮地与傅德志打起了口水仗。而周正龙也强烈声援关主任，声称"以脑袋担保虎照是真的"，并发出毒誓："我就要看傅德志的脑袋能保多久。如果我的照片作假，我可以坐牢，我儿子也可以坐牢。"

这下热闹了，两颗脑袋，一颗"押"真，一颗"押"假，答案只有一个，终归有一人要"掉脑袋"。自从野生华南虎照片面世，一场前所未有的争论愈演愈烈，越来越多的人卷了进来，并且层次也越来越高，从普通的网民，到后来的政府官员和专家学者出场，一个个信誓旦旦、情绪激动。一个科学事件，眼瞅着似乎演变成了"娱乐事件"，甚至是"闹剧"。再这样吵下去，老虎就算是真的，也被吓死了！

已经有两个人把脑袋押了上来，究竟谁的脑袋将因老虎而“不保”呢？我们不必为谁的脑袋担心，但我们却不得不反思：一个严肃的科学问题，为什么闹到了如此地步？周正龙说的话有人质疑，即使当地政府和省林业厅的声明也无法平息争议。个中原因，究竟是照片根本就是假的，还是很多人缺乏对别人甚至某些部门的最起码的信任？不管事情的真相到底如何，关于诚信和信任的话题都沉甸甸地压在人的心头挥之不去！野生华南虎意义重大，理应给予足够的重视，应组织科学专家组进行虎照真假鉴定，不要让公众饱览这桩“一个虎头引发的血案”。

很快，支持科学家傅德志的网友就“长叶子”作出了解答，老虎是在镇坪县海拔1 900米的神州湾拍的，而神州湾并不属于秦岭，属大巴山区。傅先生是植物学家，不是地理学家，因此，傅德志没有错。只能说明，周正龙在说谎。

这时，当初主持召开新闻发布会的陕西省林业厅副厅长朱巨龙、孙承骞等领导，在接受各地记者采访时，也一口咬定虎照经过了鉴定，确系真照片。

孰真孰假，一时还没分出上下，当地政府好像也感到十分棘手，面对网上和社会各界的质疑，他们迟迟拿不出行之有效、令人信服的证据来。

六方专家给出联合鉴定：周老虎是假老虎！《人民日报》发出自己的权威之声：保护华南虎固然刻不容缓，但捍卫一级政府的诚信、保障公众的知情权，同样不容小觑

2007年11月6日，网友“攀枝花xydz”在“打虎派”的大本营——“色影无忌”华南虎临时论坛里发帖称：“老虎确是假的。我今天仔细看我家的一幅挂在墙上的老虎年画，除了耳朵有些微区别，卧姿完全一样，连老虎的纹路都是一样的。但我不知道怎么传图，我已经照下来了。”网友“小鱼啵啵啵”自告奋勇地接收了他的图，然后帮他将图片发到了同一论坛，标题是《人肉引擎搜索结果，请看四川攀枝花朋友给我发的疑似老虎原图》。这张照片刚一出来，到中午就已被上万网友关注浏览。各路高手更是立即将年画老虎与“周老虎”进行了比对，一致得出是同一只老虎的结论，“打虎”阵营一片欢呼。

记者第一时间与周正龙取得了联系，他表示：“有什么事当面讲，电话里不谈，

我还有事，不想解释这个事情。”关克却对记者说，他也看到了这张年画虎照，但他认为这是一张PS（用电脑技术修改照片）得很可笑的假照片，他提请某些人不要欺负农民周正龙。不然，这个可怜的农民就永无出头之日了。

傅德志急了，却也只能干着急，因为他无权去鉴定虎照的真假。就在他无助时，来自浙江义乌的一则新闻让这位科学家精神大振。报道称，浙江义乌威斯特彩印包装公司总经理骆光临找到了当年租用北京全景视拓图片公司图片的合同。在这份2001年3月27日与全景公司签署的租片合同书，清晰标明的租片中就有卧姿老虎。

当报纸刊发了原图后，所有的一切悬念似乎迎刃而解了。年画上的老虎姿势、神态与周正龙拍的老虎，比双胞胎还像啊！

本着治病救人的目的，傅德志在博客上表示，如果周正龙能从虎照事件中脱身出来，或者说醒悟，他愿出所有费用，请周正龙全家到北京玩，保证玩得开心，吃得满意。没想到，周正龙在他人的帮助下，也在博客中作出了回应，而且还很幽默：“听一个记者说，傅德志通过他转告我，邀请我全家去北京玩，说是包吃包住，有车接送。不过，我这几天还走不开，要打官司告一些网站，要种地，还要接待记者。最好请傅德志来我们镇坪看看，来找找那个大叶子，我们还可以一起上山去找老虎。我也保证吃住免费，虽然条件不如城里，但是像我们镇坪这么好的腊肉估计在北京吃不到。安全问题我可以保证，即使老虎吃人，也是先吃我老周。”

傅德志看到后，哭笑不得地摇摇头，觉得周正龙中毒太深，同时也为这个农民的前途担心。

这时，美国著名的《科学》杂志也刊发了“周老虎”照片，但只对这个真假争论的现象进行了剖析，而并没肯定中国发现了野生华南虎。华裔神探李昌珏也对虎照提出了质疑，表示不可信。“打虎”的浪潮已一浪高过一浪，傅德志更是频频更新博文，语气无限揶揄地评价当地林业部门：

我希望你们今后不要再拿我那山沟里面的“亲戚”老周说事，他已经被你们忽悠得够惨了。在“年画虎”现身江湖后，公众不知道朱厅和关克是否还能够代表林业厅说事。如果还能，请你们正式代表陕西省林业厅发表书面声明，请宣称你们仍然坚持你们组织伪虎门骗局中照片的鉴定结果，再请宣称你们仍然坚持你们10月12日现场会议发出的结论和新闻都仍然是有效的。我想组织部门可能应该是找过你们的了，你们应该也已经不敢、也不能再代表陕西省林业厅说话了。

朱厅、关克，你们不要得意忘形，不要再老拿我的农民“亲戚”当挡箭牌。揭穿伪虎门骗局，你们输定了。年画虎已经被各路网络豪杰证明早于你们的“纸老虎”出现和发行。年画虎证据的重要性是让中国老百姓和政府官员们形象理解了你们的造假过程！正告那个植物学知识给在下提鞋都不够资格的关克，伪虎照门，你输定了！

舆论虽对“挺虎派”越来越不利，但周正龙已完全进入了拍虎英雄的角色。湖北黄陂木兰天池北岸的朱家山寨，据称发现了豹子，木兰天池的一位负责人透露，有意请“华南虎”的当事人周正龙前来拍豹，并且已与周正龙洽谈过相关事宜。负责人说：“周正龙虽是个争议人物，但他对野生动物比较熟悉，也很有经验。”对于是否有炒作之嫌，他表示周正龙在全国的知名度，也是木兰风景区想邀请他的原因之一。周正龙闻讯表示，最近一两周比较忙，暂时抽不开空，但他对湖北发现“豹影”的事情很感兴趣，正在谈酬劳。周正龙表示，不久前也有地方请他去拍东西，还开价100万，但他没同意，他请木兰天池的负责人好好考虑一下价钱再商谈。

为假虎作伥　图/冯印澄　新华社发

消息传出后，网友们哀叹，这个鬼迷心窍的农民真的钻进了“娱乐圈”，成为大家娱乐的对象。2008年1月30日，剧作家隆学义、张良策在重庆宣布，“华南虎”被改编成新闻话剧《拍虎》，由帝都影视公司与金子工作室联合制作。总撰稿人隆学义表示：“搞《拍虎》无意针对某人或某集团，希望这部新闻话剧追踪事件，产生中国式的幽默。这种幽默不是想打倒什么，而是想恢复中国人应有的诚信。”

尽管剧中没有表现周正龙如何拍虎，但剧情里依然有段外乡人的假想：周正龙悄悄持一纸板老虎，置于林间，掏出两部相机轮番拍照，被人发现后夺路而逃……《拍虎》直面“华南虎”事件，如此一来是否会引发周正龙的非议甚至官司？总撰稿人隆学义表态：“一个是他告不了，一个是我们不怕，因为我们觉得理直气壮！”

只是，这个话剧还没来得及筹拍，事情就急转直下了。有六方专家给出了联合鉴定：“周老虎”是假老虎！参与鉴定的六方分别是中国摄影家协会数码影像鉴定中心，华夏物证鉴定中心，野生动物学家胡慧建，神探李昌钰，中国刑科协指纹检验专业委员会副主任刘持平，广东省图像图形学会副理事长、中山大学电子与通信工程系教授赖剑煌以及他的五人博士团队。

如此强大的阵容，从不同的角度与领域经过严肃的辨识和分析之后，得出了“周老虎”是假老虎的结论。

国家林业局已明确要求陕西林业厅鉴定虎照，但鉴定工作拖拖拉拉，一直没有公布最后的结果，这对周正龙是一个致命的打击。

2008年1月14日，国家林业局专家抵达镇坪调查。2月3日，陕西省通报批评林业厅草率发布华南虎照。虽说未公开承认虎照有假，但这话的潜台词一目了然。

更要命的是，《人民日报》第二次发出自己的权威之声，刊发了《“虎照”，又一个“无言的结局”？》，报道再也不提国家林业总局“值得尊敬”，而是婉转地提出批评，同时旗帜鲜明地提出“保护华南虎固然刻不容缓，但捍卫一级政府的诚信、保障公众的知情权，同样不容小觑”。

面对“打虎”浪潮，“挺虎派”们的日子非常难过，周正龙频繁在“挺虎派”们之间来回穿梭，根本无暇操心《拍虎》，而剧组似乎也有了难言之隐，渐渐没了动静。

周正龙明显瘦下去了，全国各地来的记者还是一拨又一拨的，但他的兴致再怎么也提不起来。罗大翠心里很不安，她凭着直觉，预感丈夫迟早要出事

2008年3月27日，周正龙再次接受记者专访时，爆出猛料，说他手头还有一批与已公开的虎照完全不同的照片要公布。他宣称，只要一公布，所有说他造假的人都会自动闭嘴的。他的话吊足了记者胃口，可他一直没能拿出所谓的新虎照而服众。

周正龙明显瘦下去了，全国各地来的记者还是一拨又一拨的，但他的兴致再怎么也提不起来。善良的罗大翠也看出了苗头，一次次地问丈夫："老周，你的老虎照片到底是咋回事？这样下去要把我们逼疯啊。咱们不出这个风头，一就是一，二就是二，我是你老婆，你给我个实话吧。"周正龙还是那句口头禅："你个妇道人家，别管男人的事。"

罗大翠曾与记者推心置腹地透露，丈夫自从发现了"华南虎"后，夜里睡觉总是不安神，一惊一乍的，全身有时像触电似的一哆嗦，有时半夜一个人爬起来坐在床上抽劣质烟，间或叹口气。黑暗中，红红的烟头亮亮淡淡，让这个身为妻子的女人心里很不安，她凭着直觉，预感丈夫迟早要出事。因为原本不爱说话和交友的丈夫变了，面对摄像机镜头侃侃而谈；面对照相机镜头神色自若；面对络绎不绝的记者应对自如，唯一不变的就是在他嘴里翻来覆去的那几句话："我拍到的华南虎是真的……真的就是真的……真的假不了……"

5月10日大清早，周正龙爬起来了，因为他昨天接到通知，镇坪县林业局虎调队需要他再次进山当向导，车子要过来接他。罗大翠像往常那样进厨房做饭，让丈夫吃饱后再出门。周正龙还未洗漱完，一辆写有"森林警察"字样的汽车停在家门口——以前周正龙当向导时都是这辆车来接。周正龙邀请司机一起吃早饭，司机却说你也别吃了，大家一起进城吃，好赶时间，周正龙也就顺从地上了车。小车悄无声息地滑出了村子，很快就消失在转角的尽头。

4天后的5月14日，夜里10点多，罗大翠已睡了，大门却被人敲响，听声音是林业局以前来过的一名干部。罗大翠只好穿衣开门。那名干部说："警察正在调查周正龙拍华南虎一事，请你配合一下警方的调查。"她愣了半天，看了看干部随行的几名警察，就站着没动。干部安慰说："没事的，很快就回来。"罗大翠只好上了车，随来自安康市的警察走了。最后连她自己也不知道到了什么地方，连夜接受警方调查，问她是否参与周正龙虎照作假案。她一下就傻了，很快就想到，丈夫四天前离家并非是当向导，应是关进牢了。

这位可怜的农妇真的对虎照毫不知情，只好有一说一，而且哭得相当厉害，既为丈夫担心，又为自己的处境害怕。46岁的她最远的出门也是到县城，何曾见过这种场面？跟电视上警察审犯人似的，她委屈极了。

好在罗大翠确实与假虎照无关，四天后就把她放了，但警察接着又将她分散两个地方的一双儿女请进了公安局，进行同样的讯问。事实证明，除了周正龙，其他家人都与假虎照无关。罗大翠心惊胆战地回到家后，眼泪再次涌出来，因为家里锁了四天门，饿死了好几只鸡，猪也饿得瘫倒在地，她干脆一屁股坐在地上，哭了个够。

警察随后又来了，在周家搜查，并从床头柜里搜出了老虎画和虎掌模型——这是华南虎照闹剧的道具，罗大翠趁机请求警察带了些衣服给周正龙。周正龙出事后，一直没能与家里联系，家人也不知道他关在哪里，想去探视也找不到地方。后来听说周正龙关在安康市看守所，儿子周松去探监，却被拒绝了。公安局宣传部负责人解释，因为目前周正龙还处于侦查阶段，根据我国《刑法》规定，案件要进入到诉讼阶段，家属才能进行探视，所以周家儿子探视被拒是“合理合法”的。罗大翠说：“老周是一时糊涂，我会耐心等他出来！他其实是个善良的好人，不知多少人都在我家白吃白住，他都要我热情招待，说客人就是客人，能来周家探访，就是瞧得起我们。”

华南虎照水落石出后，美国《科学》杂志第三次发文，标题是《华南虎，一个神话的终结》，文中嘲笑中国从此多了一个苦涩的成语——正龙拍虎

2008年6月29日上午，陕西省政府通报了“华南虎照片事件”相关人员处理决定，决定撤销林业厅去年10月作出的“周正龙提供的华南虎照片是真实的”和“对周正龙奖励2万元”的行政决定。据新闻发言人白少康介绍，公安机关介入后，通过周正龙所拍虎照进行分

2008年6月29日，陕西省政府举行新闻发布会，通报“华南虎照片事件”调查处理情况。经警方证实，陕西镇坪县农民周正龙拍摄的“华南虎”照片是一个用老虎画拍摄的假虎照。（丁海涛/摄，图片来源：新华社）

析研究，在距镇坪县城关镇文彩村15公里的神州湾马道子林区北坡，找到了“拍虎”地点，通过现场勘查和现场重建，排除了周正龙拍摄活体野生华南虎的真实性基础。鉴于周正龙造假涉嫌诈骗犯罪，遂立案侦查并依法传唤审查周正龙。在大量事实和有力证据面前，现年54岁的周正龙交代了其为骗取钱财用老虎画拍摄华南虎照片的犯罪事实。

发言人说，周正龙以给其堂哥的儿子治精神病为由，委托数名村民，寻找老虎画。去年9月中旬，受其委托的村民彭会财，在同村的曹远清家寻得老虎画1幅，交给周正龙。周将得到的老虎画，顺着老虎图案进行折叠，将多余部分折到老虎图案背后，用胶带纸粘贴，分别于去年9月27日、10月3日两次拍摄假虎照。

周正龙以拍摄虎照为由，向其妻的堂弟、镇坪县经贸局局长谢坤元，借用了佳能牌数码相机和长城牌胶片相机各一部。10月3日上午，周正龙来到神州湾，经长时间寻找，在马道子林区发现了一个地势相对平坦，地面杂草灌木丛生，覆盖大量落叶的地方，便将其作为拍虎地点。周正龙将上次拍假虎时使用的折叠后的老虎画放置于一棵小树前，用树叶遮盖住了老虎画的边缘，并于下午4时30分左右，从远近不同的位置，用胶片相机和数码相机交替拍摄了假虎照。晚8时左右，他回到家中，将拍到“华南虎”的消息电话告诉了谢坤元，并于次日将相机交给谢坤元冲洗。

照片洗出后，周正龙于10月12日，参加了省林业厅举行的新闻发布会，当场获得2万元奖金。今年4月初，周正龙在本村村民曹远清的帮助下，用事先制作的木质虎爪模具，在镇坪县北草坡的雪地里，捺印假虎爪痕迹后拍照，仍企图继续行骗。根据周正龙的供述，公安机关从其家中提取了去年10月3日拍摄假虎照时所用的老虎画一幅、木质虎爪模具一个，从为其提供老虎画的曹远清家中提取了同时购买的另一幅相同的老虎画。

白少康说，根据《刑法》第266条之规定，周正龙的行为已涉嫌构成诈骗罪，犯罪事实清楚，证据充分。公安机关按照刑事诉讼法的有关规定，依法追究周正龙的刑事责任。

另外，经陕西省政府批准，监察机关对省林业厅和镇坪县13名相关公务人员作出了严肃处理：对镇坪县县长吴平进行诫勉谈话；对镇坪县副县长杨高给予行政警告处分；对镇坪县林业局局长覃大鹏、经贸局局长谢坤元分别给予行政记大过处分，县政府已决定提请县人大常委会免去其局长职务；县野生动植物保护管理站干部李骞因虚造华南虎勘验报告等严重失职行为被开除公职。对省林业厅厅长张社年给予行政警告处分；对省林业厅副厅长朱巨龙、孙承骞分别给予行政记过处分，并免去副厅长职务；对省林业厅野生动植物保护处处长王万云、信息宣传中心主任关克给予撤职处分。同时，省政府启动为期三个月的政府机关作风整顿教育活动，并一律拒绝所有采访周正龙的要求。

华南虎照水落石出后，美国《科学》杂志第三次发文，标题是《华南虎，一个神话的终结》，文中嘲笑中国从此多了一个苦涩的成语——正龙拍虎。

但是，树欲静而风不止，社会上对陕西公布的决定并不完全信服，大多认为周正龙只是一个替罪羊，就像周正龙儿子周松所说的"我爸只是犯了一个大错，现在不方便说"。对于退还2万元奖金一事，罗大翠说，奖金已花了一万多，但家里设法凑齐退了钱。当一些记者依然比赛着往周家跑时，罗大翠求饶地说："别再问华南虎的事了，老周犯了错，但我还要吃饭、生活，家里还有两位80岁的老人要赡养，求求大家别再来问我了，让我平静地生活吧！"此情此景，让现场的众多记者眼圈都红了。

而打虎英雄、法律学者郝劲松则认为：这个事件不能到了周正龙这里就打住，他说："我觉得那个照片不是周正龙拍的，他只是一个道具，拍完以后，由周正龙向政府提供说他自己拍的，因为他的猎人身份。周正龙只是前台的一个木偶。"为了拍出周老虎的效果，一些大报的专业摄影记者在现场拿着纸老虎足足摆弄了约40分钟，也无法拍出与周老虎一模一样的照片。神探李昌钰在不同场合说过，中国农民的PS技术太高了。这是讽刺，正常人都能听出来。

调查结果公布的当天深夜，摄影评论家鲍昆在博联社也发表了自己的怀疑："根据警方公布的结果。周正龙是顺着年画老虎图案进行折叠后，用胶带纸粘贴，放在树林中拍摄的。可见，老虎原形的边缘必定是生硬的。可公布出来的假虎照老虎边缘是经过虚化过渡处理的，周正龙绝对没有这个能力做这个工作，他不懂电脑，家里也没电脑，谁帮他后期制作的？对一个不懂摄影的农民来说，周正龙要想一个人完成这么一张惟妙惟肖的虎照，是非常难的。"

为还原真相，应让历史事件的主要参与者周正龙站出来说话。这是社会普遍的声音。

处于命运漩涡中的周正龙将面临何种责罚？有法学家称，如果周正龙确实构成诈骗罪，将面临三年以下有期徒刑、拘役或者管制，并处或单处罚金。

（选自2008年第5期《今古传奇·纪实版》，作者：王恒绩）

光荣与梦想

——2008 北京奥运会掠影

历史会记住这个伟大的时刻。北京时间 2008 年 8 月 8 日晚 8 点，北京奥运会盛大开幕。

历史会记住这个伟大的地点。.中国国家体育场——鸟巢，奥林匹克运动在这里掀开新的篇章。

历史会记住那些伟大的人们，无论他们成功还是失败。

有朋自远方来，不亦乐乎！

2008 年 8 月 8 日 20 时，第 29 届奥林匹克运动会开幕式正式在中国北京国家体育场拉开帷幕。中国沸腾，世界瞩目。

夜幕之中，美丽的欢迎焰火绕场一周，在鸟巢上空灿烂绽放，激活了古老的计时器——日晷。由日晷发出的时间之光点瞬间点亮了鸟巢，点亮了 2 008 位壮士和 2 008 面缶组成的矩形缶阵。在排山倒海般的击打声中，缶面出现了巨大的数字，引领着人们穿越时空，一同倒数迎接奥运之光的莅临。10 万人异口同声形成了强大的声浪：9、8、7、6、5、4、3、2、1……

此时此刻，29 个由焰火画出的巨大脚印穿过夜空，沿着北京的中轴路从天安门广场向国家体育场“走”来。29 个绚烂的脚印象征着 29 届奥运会的光荣历史，也象征着中国的百年奥运之梦终成现实！

巧妙的构思，带给人猝不及防的视觉冲击；寓意深远的创意、无比壮观的场面让人们体验了百年梦圆的喜悦和震撼，仿佛看到古老的中华民族正大步流星地走进奥林匹克的殿堂，东方古老的文明和西方的体育精神相互结合、交融升华。

“有朋自远方来，不亦乐乎”！2 008名乐手，一边击缶，一边高声吟诵着数千年前孔子的名句，用中国独有的方式，表达着最真挚的欢迎之情。欢迎所有热爱友谊与和平的朋友们来到北京，来到中国，欢迎所有热爱奥林匹克运动的朋友们来到奥林匹克大家庭。

此刻，鸟巢四周繁星点点，犹如浩瀚的星河落入人间。仿佛跨越遥远的时空，美丽的飞天将一个由星光组成的奥运五环托起在北京的夜空。

“五星红旗迎风飘扬，胜利歌声多么嘹亮，歌唱我们心爱的祖国，从今走向繁荣富强……”

一个无比纯净的童声在巨大的鸟巢里悠扬婉转，绕梁萦回，直入每个人的心扉。一个小小的红裙女孩，倾情歌唱，笑容甜美。伴着小姑娘稚嫩、缓缓的歌声，我们仿佛看到“东方太阳，正在升起，人民共和国正在成长……”，歌声里，所有中国人无不心潮澎湃，热泪盈眶。巨大的鸟巢仿佛变成了一个共鸣体，响彻了中国人民共同的心声：“越过高山，越过平原，跨过奔腾的黄河长江，宽广美丽的土地，是我们可爱的家乡，英雄的人民站起来了！我们团结友爱坚强如钢。”歌声里，一群身着中国56个民族的服饰的孩子手牵着手，簇拥着鲜艳的五星红旗走进会场。

庄严的国歌响起，五星红旗迎风飘扬！

在光影变幻之中，鸟巢中央一幅气势恢弘、意境悠远的中国画卷缓缓打开，15位玄衣舞者在画卷上如同笔墨的精灵恣意挥洒，用独特的肢体语言，描绘出我们心中的山川日月，展现出人类的精神家园。伴着一曲《高山流水》，一万多名表演者，借助多媒体技术和声光电等音像效果，为全球观众打开中华文明的绚烂长卷……

当鸟巢中央象征中华文明发展历程的画卷再一次打开，原来的黑白水墨变得五彩斑斓。青年钢琴家郎朗和一个5岁的女孩一起，在画卷中央弹奏着舒缓浪漫的钢琴曲，为新时代、新生活奏鸣。千余名少男少女，身披亮闪闪的星光，用自己的身体搭建起一座惟妙惟肖、晶莹剔透的鸟巢。一个红裙女孩，放起一只五彩风筝，从光影鸟巢中飘然而过。这充满憧憬的美好景象，感染了全场，看台上无数观众挥动手中的手电，台上台下，万点星光……

孩子们用手中的画笔继续在古人留下的日月山川中渲染着色，于是群山染翠，朝阳生辉，迎接来自五洲四海参与盛会的嘉宾到来……

主角亮相

在来自五大洲的五支乐队不同风格的激昂演奏中，各国运动员开始入场。

来自奥林匹克故乡的希腊体育代表团率先走进来了，走进聚满喜悦和友谊的会场。身着白衣的运动员们高大健壮，仿佛带来了地中海和橄榄树的气息。

紧随其后，205 个国家和地区按照所在国家和地区简化汉字笔画顺序入场。大国和小国、富国与穷国在此时此刻一律平等，没有差别。他们在高举卷轴形标牌的美丽女孩的引导下走进这个和平与友谊的殿堂，他们是：

有 5 名运动员参加比赛的几内亚代表团，只有 3 名选手的几内亚比绍代表团，有 106 人的土耳其代表团，从独立以来还从没有在奥运上获得过奖牌的土库曼斯坦代表团，今年的 2 月刚刚成为国际奥委会第 203 个成员、第一次组团参加奥运会的马绍尔群岛代表团，包括 38 名运动员、20 名教练员、15 名随团后勤人员的以色列历史上最庞大的代表团……

体育大国俄罗斯派出了由 467 名运动员组成的代表团参加北京奥运会 23 个大项的角逐，代表团规模为其奥运史之最，参赛人数仅次于中国和美国。

“浪漫”是法国的代名词。在他们的周围永远都充满浪漫元素，奥运服装自然也不例外。严谨的男装有帽子的陪衬，女装则有红色斜挎小包和红色腰带的装点，都在无形中流露了浪漫的影子。

美国的 596 名运动员身穿出自时尚名牌拉尔夫·劳伦之手的黑白色调的学生装，大气、休闲、简约，体现了美国人的独特风格。

中国代表团最后入场，入场服的主色调源于国旗的红、黄两色，极具中国特色和强烈的时代感。第二次担任中国奥运代表团旗手的篮球巨人姚明和可爱的抗震救灾英雄少年林浩一起带领中国代表团走进鸟巢，这一大一小的身影映射着一个日益强大的国度里的人民，战胜艰难险阻的勇气和信心。他们得到了亿万观众如潮水般的欢呼声。

国家体育场里高朋满座，神圣的仪式即将开始。

2008 年 8 月 8 日，中国代表团旗手姚明和九岁半的林浩一起入场。当晚 8 时，第 29 届夏季奥林匹克运动会在国家体育场——“鸟巢”隆重开幕。

（费茂华/摄，图片来源：新华社）

点燃激情

当奥林匹克五环旗在国家体育场上空高高飘扬，一群身着白衣的少女带领着全场运动员、演员和观众，一起用双手舞动出“和平鸽”的形象，同时，“鸟巢”的膜结构碗边则变成了一块巨大的屏幕，播放着全世界各种肤色的人们“手舞和平鸽”的画面。这是一个崭新的构思：用人去演绎和平的象征，奥运和平的理念更加彰显。我们以手臂做翅膀，让心灵去飞翔，我们在心中放飞和平的梦想，我们向繁星许下平安的愿望。但愿纷争平息，但愿战火消散，但愿情谊相通，就让我们用手，用心，用笑容，向全世界传达友谊的信息。

生物学家认为，人类是世界上唯一会笑的生命，笑容是人们表达善意、相互交流的最好表情。那一夜，来自全世界的数千张笑脸展现在全世界观众面前——不同种族、不同肤色孩子们纯洁、纯真的笑容，与整个看台上八方来宾的融融笑意，交相呼应。这笑容告诉世界，在奥林匹克这个绚丽的大舞台上，北京正上演与世界各文明平等对话、交流和融合的精彩大戏。

此时，圣火由几名功勋卓著的老运动员传进了体育场，在这里，一个“最高机密”将要揭开。原国家女排队长、1984年洛杉矶奥运会冠军、中国女排五连冠的创造者、郎平当年的战友孙晋芳手持火炬跑到了体育场中央，她点燃了站在那里等待的人手中的火炬。大家熟悉的体操王子李宁在火炬的光芒中出现在万众瞩目之下。他沉静地站在那里，将手中的火炬高高举起。忽然，他腾空而起，仿佛化身“空中飞人”，在鸟巢上方踏着缓缓展开的祥云长卷，向主火炬大步奔去……恍惚之间，我们似乎看到了古代神话里的“夸父”——那个孩童般的巨人为了追逐太阳，为了接近光明正在竭力奔跑。

徐徐展开的祥云长卷上依次呈现出奥运圣火在各地传递的动态影像。当画卷完全展开，李宁停在高高的火炬塔下方，将火炬伸向点火处，一道闪亮的火苗旋转上升，奔向主火炬塔，“忽”的一下，矗立在鸟巢边缘的主火炬喷出熊熊大火，照亮了北京的夜空。

奥林匹克圣火将在今后的16个日日夜夜照亮北京，照耀着那些为探索人类体能极限奋力拼搏的勇士们的奋斗之路，也照耀着这次属于全人类的狂欢盛会。

巅峰时刻

英雄，是奥林匹克亘古不变的主角，每一届奥林匹克运动会都是成就英雄的最大舞台。不断挑战极限的撑竿跳高运动员布勃卡、勇夺9枚奥运金牌的卡尔·刘易斯、驰骋泳池的“大脚鱼雷”索普、激励几代中国人的中国女排……奥林匹克的历史就是由这些英雄与传奇串起来的。小而言之，这些英雄是一个民族、一个国家获得荣誉感与尊严感的精神源泉；大而言之，他们也是人类一次次挑战自身极限，向着“更高、更快、更强”的终极目标奋斗的勇士。

2008年的北京，星光灿烂！

追到梦想的“菲鱼”

从2008年8月10日开始，菲尔普斯的名字注定要和“中国北京”联在一起。这一天，他在奥运会男子400米个人混合泳决赛中以4分03秒84的成绩夺冠，同时还超越了自己在六周前创造的世界纪录1.41秒，得到第一块金牌！这个1985年出生，身高1.87米，体重91公斤，笑起来很甜还有一些腼腆的美国大男孩用这样精彩的表现开始了自己2008奥运会的金牌之旅。

接下来，他势不可当，实现了自己的也是美国的梦想：

8月11日，男子4×100米自由泳接力决赛金牌。

8月12日，男子200米自由泳决赛金牌，同时以1分42秒96的成绩打破了由他自己创造的1分43秒86的世界纪录。

8月13日，男子200米蝶泳决赛夺得第四块金牌。他以1分52秒03的成绩打破去年他在墨尔本创造的1分52秒09的世界纪录。

男子4×200米自由泳接力决赛，美国队以6分58秒56打破世界纪录，获得金牌！菲尔普斯也获得了本届奥运个人自己的第五枚金牌。

8月15日，男子200米个人混合泳决赛，菲尔普斯以1分54秒23打破世界纪录，夺得本届奥运会他个人的第6枚金牌。

8月16日，男子100米蝶泳决赛，菲尔普斯以50秒58的成绩打破了由查维奇

菲尔普斯实现八金梦想

日期	项目	速度
8月17日	4X100米自由泳接力	3分29秒34……世界纪录
8月16日	100米蝶泳	50秒58
8月15日	200米个人混合泳	1分54秒23……世界纪录
8月13日	200米蝶泳	1分52秒03……世界纪录
8月13日	4X200米自由泳接力	6分58秒56……世界纪录
8月12日	200米自由泳	1分42秒96……世界纪录
8月11日	4×100米自由泳接力	3分8秒24……世界纪录
8月10日	400米个人混合泳	4分3秒84……世界纪录

冯琦 编制 新华社发

前天刚刚创造的50秒76的奥运会纪录，获得了本届奥运会个人的第7枚金牌。

8月17日，男子4×100米混合泳接力，菲尔普斯带领的美国队以3分29秒34的成绩打破了由他们保持的3分30秒68的世界纪录，夺得金牌。

菲尔普斯八金创造奥运历史，他总共获得了14枚金牌，成为拥有奥运金牌最多的运动员。他超越了美国游泳运动员施皮茨在一届奥运会上夺得七枚金牌的纪录，为奥林匹克运动史写下了辉煌的一笔。

他的成功，让世人震撼。令人匪夷所思的战绩使他成为奥运史上最伟大的运动员。俄罗斯队游泳名将苏霍鲁科夫对菲尔普斯的神奇表现叹服："他就像是另一类人，说不定是从别的星球来的。"在菲尔普斯掀起的热潮中，人们想必一定很想了解赛场以外的他是怎样一个人，这位奥林匹克之王当初是怎样崛起的。

菲尔普斯出生于美国马里兰州东北海岸一个蓝领聚居的小镇，在那里，人们崇尚橄榄球而不是游泳。菲尔普斯是家里的第三个，也是最小的一个孩子，有两个姐姐希拉里和惠特妮。

面对今日被鲜花和闪光灯团团围绕的菲尔普斯，也许只有他的家人知道他成长过程中的艰辛。他的母亲曾回忆道："我儿子的成长并非一路坦途……刚开始是他的大耳朵，然后是他的长手臂，在哪里菲尔普斯都不可避免地被关注。"他当时被深深地伤害了，别人的嘲笑成了他的噩梦。除了独特的生理结构被人嘲弄外，另一个更大的打击也来了："在幼儿园开始，他的老师就经常对我说，迈克尔不能安静地坐着，迈克尔不能安静，迈克尔根本不能集中精力。"有22年教师经历的黛比苦涩地回忆说："当时我说，也许他感到了厌倦。"但黛比得到的却是冷冰冰的回应："你的儿子不可能做好任何事情。"不久，菲尔普斯被诊断出患了ADHD——注意力缺陷多动症，他应该终生接受药物治疗，但是两年后，他就不再服药了。在Speedo泳衣的发布现场，他妈妈回忆说："有一天，离开泳池后，菲尔普斯告诉我，'妈妈，我再也不想吃药了，我的伙伴们都没有吃，我能自己解决'。"

俗话说："天生我材必有用。"1997年，迈克尔·菲尔普斯11岁的时候，他的教练鲍曼发现了他隐藏在深处的游泳基因。鲍曼说："你会看到他总是迫不及待地跳入水中，他给自己的压力远远超过别人对他的要求，我尽量做到不喜形于色，尽管我为他的表现感叹不已。"鲍曼注意到菲尔普斯能轻松学会别的少年所不能掌握的技巧，这位教练知道他面对的是一位游泳天才，于是对菲尔普斯的父母说："迈克尔天赋极佳，他的潜力是无限的。"

在鲍曼的回忆中，菲尔普斯从小就表现出了游泳智慧，而且训练非常刻苦。他每周在泳池游十万米，一周七天不间断，甚至包括圣诞节。"一周有七天，一年有365天，当你在圣诞节也训练时，你多少会知道你的对手不会这样做。这样的感觉很好，因为你做了对手没有做的。"鲍曼说菲尔普斯面对艰苦而漫长的训练，总能享受其中。而菲尔普斯边认为他的成功很大部分要归功于训练。从高中毕业后，在大多数时间里，他从早晨7点钟开始长达两个半小时的训练，中餐后稍稍打个盹，然后接着游，一直从下午3点半到6点。总之，他每天游的距离多达12英里，他说："我知道没有人比我训练更刻苦。"

在鲍曼刚刚成为游泳教练时，即使是条件不错的孩子也不太能适应他的训练强度，训练结束时，他们往往都筋疲力尽。不过，菲尔普斯在11岁时就能跟着鲍曼的节奏，并以自己特有的调整方式来完成训练。"他的最强之处就是在压力下放松并集中精神的能力。压力越大，他的表现就越好——这真是太罕见了，"鲍曼不由得赞叹道，"他总是能在最关键的时刻发挥出最佳状态。"菲尔普斯还具备另一种能力，就是可以忍受"比世界上其他任何游泳运动员所经受的都要更'魔鬼'的训练"。

多年前，一部名字叫作《大西洋底来的人》美国电视剧曾经风靡全国，主角叫作麦克·哈里斯，他是一个拥有鱼类的生理特点和人类情感与外貌的“人鱼”。如果要找一个原型，那么全地球最合适的人，也只有菲尔普斯了。他的身体特点是人类中最接近鱼的一位。如果单从体型上看，没有人认为菲尔普斯是一个标准帅哥。他身高 187 cm，但是上下身的比例严重失调。上身的长度大约和 207 cm 高的人长度相当，而双腿却只和 175 cm 高的人长度相当。常人的身高和臂展相差不大，而他的臂展却达到了 201 cm，超出身高 14 cm，像三国时的蜀主刘备那样双手过膝。这注定了他站在陆地上时，看起来体型有点怪异。事实上，菲尔普斯的确在陆地上很不适应，不时莫名其妙地跌倒，去年 10 月就曾摔了一跤，导致右腕骨折。但是这样的身材，可称为泳池中的黄金比例，在泳池中双臂发力时省力而高效。

船桨般的手掌，一身肌肉线条分明且犹如轻型战车般的体格，没有半点脂肪的肌肉，令体操运动员惭愧的柔韧性，令游泳运动研究学家抓狂的心血管系统使菲尔普斯成为一台配置精密的“游泳机器”。一条天生的飞鱼——这也是为什么菲尔普斯能够在赛程密集的比赛之中，仍能接二连三夺金的根本原因。曾和鲍曼一起带过菲尔普斯的约翰·厄班切克曾回忆说：“当 1996 年我第一次看到迈克尔时，我看着他的击水，看着他的体型，我就对自己说，这孩子将会成为巨星！”

15 岁时，迈克尔作为美国 68 年以来最年轻的奥运游泳选手参加了悉尼奥运会。在悉尼，他在 200 米蝶泳比赛中名列第五。

2004 雅典奥运会前，他是第一位获得资格的游泳运动员。雅典成了菲尔普斯打破多项纪录的舞台。在 2007 年墨尔本世锦赛上，菲尔普斯独揽 7 金，打破了索普保持的一届世锦赛夺得六金的纪录，此外他还打破了五项世界纪录。

泳池边的菲尔普斯是最兴奋的，当勒扎克触壁上岸后，来自美国的四位泳将紧紧围抱在一起，相互庆祝这伟大的胜利。颁奖仪式上，除了金牌外，国际泳联主席穆斯塔法为菲尔普斯颁发了国际泳联荣誉勋章，以表彰他的卓越表现！这一刻，菲尔普斯笑得很甜。美国国歌声中，他将右手放在左胸，眼中闪烁着泪光。他当然也没有忘记自己的母亲和姐姐。他走到她们所在的看台下，将手中的花献给了自己的母亲，还给了妈妈和姐姐一人一个吻，同时也开心地享受了母亲慈爱的亲吻和爱抚。

菲尔普斯的故事激动人心的地方在于：首先要有一个梦想，然后就去拼！

博尔特：带着八万人一起飞翔

北京时间2008年8月20日，牙买加选手博尔特继在百米大战中以破世界纪录的成绩夺冠后，又以19秒30破世界纪录的成绩夺得200米冠军，将迈克尔·约翰逊保持了12年的男子200米世界纪录提高了0.02秒。这一天也是他22岁生日。在那不是每个人都能到达的终点，博尔特亲吻了“鸟巢”的跑道，并脱下自己的战靴对着镜头翩翩起舞。此时，“鸟巢”里响起了生日歌，全体观众一起加入了祝福他的大合唱。全世界所有关注博尔特这次表演的观众，一定也会为他送上生日的祝福。因为跟博尔特比赛的不仅仅是场地上的七名选手，还有12年前的迈克尔·约翰逊，他超越了对手，也超越了前辈。

那19秒30有八万人的心在和他一起飞翔。

不知道坐在场边的迈克尔·约翰逊到底是什么样的心情。19秒30，完美的弯道加速，完美的直道表演，成就了博尔特再次挑战人类极限的完美演出。他最后咬牙百分之百的发挥，跟他100米的状态完全是天壤之别。因为他知道要战胜12年前的迈克尔·约翰逊必须全力以赴，不能有一丝的懈怠。从来没有一个运动员在一届奥运会上同时获得100和200米两枚金牌，并且打破两项世界纪录，博尔特是历史的第一人。

后来，当记者采访他时，黑大个儿气定神闲地说：“我来这就是想要赢！”

奇迹到这里并没有终止，飞人在接下来的男子4×100米决赛中再一次获得了胜利，拿下了他在北京的最后一块金牌。“鸟巢的跑道很快，我当时就跟教练和鲍威尔说，不管谁赢得冠军，都一定会打破世界纪录。这是一次团队合作，队友们也感受到夺冠的快乐。我为大家感到高兴。”博尔特兴奋地说。

白岩松在百米大赛后写道：“这是一场属于一个人的比赛，然而他代表着人类。比赛开始前，又一个百米在人类面前展开，结果他只用了9.69秒，冲刺时如果不放慢，还不知道人类将会达到怎样的高度。不过，够了，9.69秒就够了，它把鸟巢送入了奥运史，9.69秒又把鸟巢送入了田径史。从这一刻开始，鸟巢不再是一座体育场，而变成人类的一座纪念碑！”

中国男子体操队：翻身道情

时间停留在 2008 年 8 月 12 日的上午，北京奥运会体操男团金牌挂在了中国体操男队的小伙子们的脖子上，当六个人又把自己的金牌挂到中国体操队总教练黄玉斌的脖子上的那一刻，这是六个人的金牌，也是一个人的金牌。这个故事有着太多的泪水和感动，更有着无比的努力和坚持。

故事要从四年前的雅典奥运会说起，或者应该从八年前的悉尼奥运会讲起。

悉尼的辉煌让人们对四年后的雅典有了更多的期待。但在雅典，这块神奇的土地留给中国男子体操队的却是恐怖的噩梦，掉杠、掉马，中国男队好像突然集体出了问题，团体丢了、个人全能丢了，单项只拿到一块鞍马金牌，四年前的雅典奥运会成了大家的噩梦。

故事中的七个人，有五个当时都在场。李小鹏、杨威、黄旭和肖钦，还有黄玉斌。“那是一次痛苦的回忆。”回忆起当时，杨威至今都记忆犹新，“退役吧，这是当时我们队中很多人的想法，也许是我们是不行了。”

“准备得算是充分的，但是肯定还是哪里出了问题。”黄玉斌更是百思不得其解。

杨威，还是亚军，在国际赛场上就是摘不掉“千年老二”的帽子，再加上雅典奥运会的打击，心灰意冷之下他决定退役。“是自己的天分有限吧，明明已经很努力了，但却总是拿不到第一。这种情况下，产生了很严重的厌战情绪，这样下去，还不如退役算了。”杨威回忆道。

李小鹏，从雅典奥运会后，就开始无休止地陷入伤病的折磨中，好了又伤。一时间，小鹏成了个“玻璃人”，就连那双有力的腿都渐渐瘦弱起来。“伤就一直没断过，训练终止，腿部的肌肉少了，这样下去，跟退役也差不多了。”李小鹏说。

黄旭，队中的老大哥。从雅典回来后，他也一度有些消沉。“看着大家的样子，自己也提不起精神，队中很多人想退役，我的未来在哪里？也曾彷徨过。”黄旭说。

就这样，大家凑合着混日子。“真的很艰难。雅典之后我们面临非常困难的局面。杨威想退役，李小鹏因为伤病练不了，黄旭也不练了。面对这种情况，大家的心里都很不好受。”黄玉斌说。

“还是坚守吧！我相信我的弟子们，也相信自己能够纠正在雅典奥运会上所犯

2008年8月12日，中国男子体操队教练和队员在颁奖仪式后合影。
（李紫恒/摄，图片来源：新华社）

的错误。”黄玉斌决定留守。

“接下来就是做通他们的工作。杨威在经过反复考虑后，决定留下来再搏一次；李小鹏没有放弃任何一次康复后的可能；黄旭更是一如既往地当老大哥，肖钦也表示努力提高自己。”再加上选上来的好苗子陈一冰和邹凯，体操男队重新开始。黄玉斌做的第一件事就是在体操队的训练馆前建立起一面“励志墙”，上面贴满了奥运失利后国内各大媒体对中国体操队提出批评的文章，这些无声的评论时时刻刻都在鞭策着体操队员们。

而为了纠正队员们训练时的错误动作，黄玉斌在体操馆内增设了多达30台的摄像机，做到了每个队员在训练时都有一台摄像机全程拍摄，以便发现那些容易被人忽视却极易造成致命失误的小动作。

“每天都是艰苦的训练，大家几乎是没有休息的，不过他们从来都没有想过要放弃，我非常感谢他们的努力和坚持。”回想起卧薪尝胆的那段日子，黄玉斌说。

正是在这样细致而刻苦的训练下，中国男队终于从失利中走出来。2006年，丹麦阿胡斯吹响了中国体操男队崛起的冲锋号，“八金童话”让所有人都重新认识了这支中国体操队。

实力给了他们信心，信心成就了勇气。“如果中国体操队这次不如雅典奥运会上的成绩，我就跳楼！”黄玉斌在奥运会前喊出了这样近乎“狂妄”的话。

但也正是这种自信让体操队在赛场上勇往直前。

杨威终于扬威。六轮赛事，他五次上场。在陈一冰的自由操、黄旭的鞍马出现小的失误时，杨威挺身而出，以完美的表现，为随后出场的选手吃了颗“定心丸”。

作为队长的他，一个眼神、一个微笑、一个击掌，都在给予队友以精神的鼓励。在五个单项中，杨威得分全部在15.100分之上，这样零失误的表现再次彰显了他领军人物的气质。

李小鹏和黄旭是2000年中国男团创历史夺冠的主力成员之一，这次他俩分别参加三个项目的比赛，为中国队夺冠“保驾护航”。

这次的比赛，李小鹏从第四项跳马起，接连参加双杠和单杠的比赛，他以一份出色的成绩单回报了喜爱他的粉丝，并收获个人第15个世界冠军。李小鹏已经超越李宁——成为中国体操界世界冠军第一人。

29岁的老将黄旭在那天的鞍马、吊环和双杠的比赛中担任着先锋的任务，除了第一项出现小失误外，其他两项均高水平、高质量地完成。

有着“小马神”称号的马王肖钦那天的表现堪称完美，动作幅度大、姿态飘逸，独特的交叉腿飞舞在空中，十分漂亮，而最关键的下法肖钦也稳稳地站定。全场爆发出雷鸣般的掌声，肖钦掀起了中国队梦幻表演的第一个高潮。

在过去的两年时间里，陈一冰连续获得吊环冠军。这一次出战，“吊环王”没有让人失望，他一举拿下16.575的全场吊环最高分，也正是从这一刻起，中国队的夺冠已没有悬念。

小将邹凯的横空出世弥补了中国队在单杠上的不足，尽管那天中国队的巨大优势让他只需要完成动作即可夺冠，但是他仍然以一套高质量的动作为中国队的夺冠画上了圆满的句号。

预赛第一，决赛领先第二名日本队7.25分夺得金牌。这是一次伟大的胜利，这个胜利让六名队员眼中都是泪水。

“我们是一个团体，每一名队员在这四年间都付出了巨大的心血与汗水。”这是六名虎将人人有强项、个个有绝活，堪称中国体操史上一支实力最强的队伍常常说的话。

第一次飞翔

和那些辉煌的巨星不同，这是些初出茅庐的选手，然而，他们在奥运会上的亮相已经使人“惊艳”。他们的出现足以让人类更加自信：在探索极限的道路上，我们不缺乏勇士，也不缺乏能力。北京就是他们第一次闪亮的地方。

小丫扛大旗

当最后一把挺举成功后，这个看上去胖乎乎满脸天真的姑娘蹦蹦跳跳地跑向她的教练，她好像一个得到满意的礼物的小女孩，几乎是吊在教练的脖子上，他们紧紧拥抱着，分享着成功的喜悦。陈燮霞，2008年8月9日在北京奥运会女子48公斤级比赛中以抓举95公斤，挺举117公斤，六把全部成功，领先第二名13公斤的总成绩和抓举挺举双双打破奥运会纪录，为中国代表团夺得了本届奥运会第一块金牌。

1992 年，在番禺榄核村读小学三年级的陈燮霞和一个男孩被番禺业余体校的黎教练选中，进了体校训练。那时，体校每年的学费是 230 元，伙食费 100 元，另外还要给零花钱。当时陈家主要有十几亩地用做种甘蔗和水稻，再种些瓜菜到市场去卖，每年剩余下来的收入大约 5 000 元至 6 000 元，日子过得相当艰难。但父亲觉得既然女儿被教练选中，就应该学下去，再苦也要坚持。至今，他还清楚地记得陈燮霞是在 1992 年 9 月 17 日进入番禺体校的。

父亲除了经济上很支持燮霞，精神上也给她很多鼓励。陈燮霞刚开始练时浑身都痛，但不敢告诉父亲，回家只是抱着奶奶哭。为了鼓励她，父亲陈细泉带她到商场给她买了一套 128 元的运动服。春节时，燮霞穿着伟伦体校发的运动服回来，希

2008 年 8 月 9 日，中国选手陈燮霞在北京奥运会女子 48 公斤级举重比赛中以 212 公斤的总成绩夺冠并打破奥运会纪录。（杨磊/摄，图片来源：新华社）

望爸爸给她买一双运动鞋。爸爸也觉得穿平底鞋很难看，但家里经济实在紧张，就没答应。第二天送她到了车站，想想还是狠心给女儿买吧！带她到商场挑，她选好了，陈爸爸一看：天啊，是一双 Adidas 啊！爸爸一看价钱 200 多元，兜里只有 400 元钱，心里想：你买 Adidas，我可不 happy 啊！但最后，还是咬咬牙给她买下来了。

1994 年，陈燮霞被钟成灿教练选中，正式成为广州伟伦体校举重队队员。其间，陈燮霞到过广东省体育运动学校、广东省体育运动技术学院集训，后因个子小、成绩不显著被送回伟伦体校继续训练。1998 年，"八一"举重队的教练高凯文到伟伦体校物色人才，钟成灿就向他推荐了并不起眼的陈燮霞，后经省体育局同意，燮霞就正式成为"八一"举重队的队员。

钟成灿教练说燮霞刚进伟伦体校体重只有 30 多公斤，140 厘米左右的个子，抓举能举 30 多公斤，挺举 40 多公斤。因为她的动作比较规范，教练很少骂她。她就这样十多年间默默无闻地练着，直到这两年才终于夺得全国和世界冠军。到了"八一"队以后，钟教练也经常与她通电话，关心她的训练情况，而每逢佳节燮霞都会给钟教练寄上贺卡。即使是成为世界冠军，每次见到钟教练都像回到体校那样，挽着钟教练的胳膊去逛街，亲密到连父亲都会吃醋！每次比完赛，师徒俩都会吃个饭聊聊天。钟教练两年前曾对她说："你现在最关键的就是调整好心态，杨炼、王明娟出成绩比较早，举重运动员很难长期维持训练的高峰，而你不同，你才刚刚冒尖，只要你练出与她们相近的水平，然后你再稳步提高就可以了。你的心理一定要过关，就像一个人以前只在小河里面游过泳，一到了大海开始会有点乱，但放开了就会越游越好。你一定要争取进入国家队，只有进入国家队，你看到她们的训练水平，你心里就清晰了，你就会很有信心发现原来自己与她们的水平相差并不大，你也可以超越世界冠军！"

在陈燮霞比赛过程中一度泪流满面的教练马文广深知这块金牌的来之不易。他动情地说："只有真正了解其中艰辛的人才会流泪。感谢祖国人民对举重的支持！今天只是'开门红'，我们将用更好的成绩报答祖国人民的鼓励。中国力量，势不可当！"

仲满：仗剑刺史

8 月 12 日，击剑男子个人佩剑金牌被中国的仲满得到，这真是爆了一个大冷门。

据说当时他的法国对手下场后一拳击穿了休息区的木隔板，也许他是懊恼，或者仍然不肯相信：金牌就这样被这个名不见经传的中国小子夺去了？

是的，仲满一剑改写了中国击剑运动的历史，获得了第一块男子击剑金牌。

这也是中国击剑队在栾菊杰之后时隔 24 年后获得的第二枚金牌。

这个身高 1.9 米的南通男孩在获胜的瞬间仰天长啸，为自己，也为中国欢呼！

在中国击剑队的男子佩剑一号选手王敬之在个人 1/16 决赛中最后一刻被淘汰后，人们就对中国男子佩剑能否取得好成绩打了一个问号，尽管中国队的仲满和周汉明战胜各自对手进入了 16 强，指望他们为中国队取得好成绩看起来毕竟有点不现实。不过出乎所有人意料的是，中国小将仲满竟一路过关斩将杀进了决赛，在决赛中更是一鼓作气击败了法国名将，创造了不大不小的奇迹。

刘子歌、焦刘洋：一鸣惊人

当菲尔普斯、北岛康介等泳坛名将在水立方呼风唤雨时，中国泳军多少沉寂得有些尴尬。但当 8 月 14 日上午 19 岁的刘子歌在女子 200 米蝶泳决赛触壁的刹那，中国泳军终于改写了本届奥运会上金牌零的突破！

难得的是，刘子歌的成绩为 2 分 04 秒 18，打破了世界纪录，另一名中国选手焦刘洋以 2 分 04 秒 72 取得银牌，同样打破了世界纪录。两名中国选手包揽了金银牌，创造了 1992 年以来的游泳历史。

“金镶玉”终于第一次在本届奥运会上由中国游泳运动员获得。两面五星红旗伴随着国歌冉冉升起的神圣时刻，现场很多人都流下了泪水。

踏下领奖台后，刘子歌和焦刘洋将国旗披在了身上绕场一周。在看台上，刘子歌和焦刘洋看到了“蛙后”罗雪娟，刘子歌将手中的鲜花抛给了罗雪娟。从雅典到北京，刘子歌接过了罗雪娟的接力棒。

赛后，许多媒体把名不见经传的刘子歌称为“中国军团”的“秘密武器”，同时也不免对中国女子游泳的神速进步感到迷惑。面对一些国外媒体提出的是否服用兴奋剂的质疑，刘子歌和焦刘洋一点犹豫也没有地回答：“我们坚决抵制服用任何兴奋剂，我俩肯定是干干净净地比赛。其他国家的选手也都应该这样，任何人都不该有侥幸心理。”

超越不止中国

对很多国家来说，北京是块福地。在这里，“印度许海峰”射下了奥运个人首金，阿富汗、巴林、巴拿马、蒙古等国家也都实现了金牌零的突破。

在这所有的突破背后，其艰辛程度恐怕是我们常人所难以想象的。正是对人类极限不断超越的梦想，对“更高更快更强”的不懈追求，成为支持运动员的最根本动力。

在11日进行的北京奥运会男子气步枪比赛中，印度枪手宾德拉创造了历史！他以700.5环的成绩为他的祖国夺得了奥运史上第一块个人金牌。

而阿比纳夫·宾德拉除了是一名“神枪手”，他的主要职业还是家族企业的CEO。他1982年9月出生于印度台拉登，今年只有26岁。

印度体育代表团一位副团长今天在接受本报记者采访时介绍说，宾德拉在日常生活中并不是个非常健谈的选手，他似乎有些腼腆，但是非常阳光，“是一个很优雅的男士”。

宾德拉家是个大家庭，父母、姐姐、姐夫、姐夫的父母是这个大家庭的成员。他家境富裕，父母亲是印度一家高科技企业集团的创始人，姐姐是一名时装设计师。

在宾德拉夺得冠军后，印度奥委会就立刻在网站挂出了宾德拉的照片和简介，并表示“整个印度都为这枚金牌而欣喜若狂，这枚金牌很可能将改变未来印度射击运动的发展前景，印度将会在本月27日为宾德拉举行盛大的庆祝活动”。

拉什得·拉米兹，一位来自波斯湾小国巴林的长跑选手为自己的祖国带回了唯一一块奥运金牌，一枚男子1 500米的金牌。

欧文·哈依尔·萨拉迪诺·阿兰达，一名来自巴拿马的男子跳远选手在北京奥运会上夺得了金牌，打破了美国在该项目中的统治地位。同时，这也是巴拿马在奥运会中拿到的第一枚奥运金牌。

奈丹·图布辛巴亚尔，这名来自蒙古的柔道选手在男子100公斤级的比赛中，夺得了本国有史以来的第一枚奥运金牌。

8月20日，在奥运会跆拳道男子58公斤级铜牌争夺战中，来自阿富汗的鲁胡拉·尼帕伊击败世界冠军拉莫斯，夺得阿富汗奥运史上第一枚奖牌。

这些，也是北京奥运所创造的历史。第一次飞翔总是能够获得许多出乎意料的经验，也能得到许多出人意外的满足。正是许多这样的第一次，让奥林匹克的光芒永远闪耀，让人类在攀登的路上越来越坚强。

赢得尊敬的“失败者”

“在奥运会上最重要的是参与，而不是取胜，正如在生活中最重要的不是成功而是斗争，不是征服而是努力奋斗。”

——顾拜旦

百年前的1908年伦敦奥运会上。身着19号运动衫的意大利糖果商多兰多·皮特里参加了马拉松比赛，从一开始他就跑在前面，并第一个跑进了运动场，但此时他已精疲力竭，最后的那几百米跑道仿佛看不到终点。他先后几次摔倒在地，但每次都挣扎着爬起来又向前跑去。离终点最后15米处，他又一次倒下了，并没能再爬起来。两位好心的医生搀扶着他走到了终点。因借助了他人的力量，他最终被剥夺了获得金牌的资格，但他的顽强精神却感动了所有的人。英国王后特意捐了一个奖杯，在闭幕式上亲手赠与皮特里。宾夕法尼亚大主教有感于他的事迹，在布道时说：“在奥运会上，参加比取胜更重要。”

奥运会历史上的“悲情人物”比比皆是。他们与金牌获得者同样付出了青春、汗水的代价，却没有能够在领奖台上收获鲜花与荣耀。这就是体育竞技与生俱来的残酷，在每一块金牌后面都有成千上万个“遗憾”。但奥林匹克运动的精神正是“重在参与”，在奥运会的舞台上，永远没有失败者，每一位运动员都是英雄。

埃蒙斯：还有爱情在身边

“Ctrl+C雅典，Ctrl+V北京”如同复制一般的失败，命运之神又一次捉弄了他。

哲人说，人不能两次踏入同一条河流，但命运却两次和埃蒙斯开了悲壮的玩笑：美国运动员埃蒙斯最后一枪只要6.7环即可夺金，但他只得到4.4环——而在雅典奥运会上他把最后一枪打到别人的靶子上。

然而，正是那一次，捷克女射手卡捷琳娜走进了他的生活。

至今那个郁闷而神奇的夜晚仍为埃蒙斯津津乐道："比赛刚结束，我从裁判那里知道，我打在别人靶上那一枪是10.6环！"埃蒙斯郁闷极了。晚上，教练和队友陪他到酒吧喝酒。"我一点心情也没有，只是坐在一边喝闷酒。"此时，一位金发女郎走到他身边，"我们喝一杯吧，其实这没什么"。回忆起当时的情景，卡捷琳娜在一旁插嘴："之前，我从没和他说过话。那时，他已经是世界冠军，高高在上的感觉。只是那天看他太难过了，就上去安慰了他一下。"初次巧遇之后不久，两人在世界杯总决赛上再次相遇，而且越谈越投机。三年时间，从相遇、相识、相知到相爱。去年6月，26岁的埃蒙斯和23岁的卡捷琳娜在姑娘的家乡——以啤酒而闻名遐迩的捷克城市皮尔森喜结连理。

这一次，卡捷琳娜获得了北京奥运会的第一块金牌，成为奥运冠军，埃蒙斯夺金似乎也没有什么悬念。

埃蒙斯曾经戏言："早知道卡捷琳娜会来安慰我，我第一枪就打错靶。"没想到，这看似不可能再发生的事情再次出现在了北京奥运会三姿决赛的赛场中。

当埃蒙斯回过神来时，他走到获得冠军的邱剑跟前和他拥抱了一下，拍拍他的肩膀表示祝贺。虽然观众给予他热烈的掌声，但他仍然没能忍住自己的眼泪。他走到看台边拥抱着妻子，整个人都钻进了卡捷琳娜的怀里痛哭起来。美丽的卡捷琳娜亲吻着丈夫，安慰着失败的战士。对于他们来说，金牌并不是人生唯一要追求的东西。

苏丽文：为了对父亲的承诺

苏丽文今年28岁，今年2月父亲检查被发现患了鼻咽癌。在苏丽文出征北京前，父亲和她一同许下了诺言："爸爸拼健康，女儿拼金牌。"

北京奥运跆拳道赛，苏丽文严重膝伤咬牙撑完三战，虽在铜牌战不敌克罗地亚的马丁娜，只得第五名，但她拼搏不退，铜牌战11次倒下再起，奋战精神感动全场。

苏丽文在对韩国林秀贞时就伤了左膝韧带，原本得放弃比赛，但赛前，她承诺父亲："我拼金牌，老爸拼健康。"输了首战，跟金牌无缘，心中还是想着这个承诺。

她说："不管如何，我要踢下去。"经过六个多小时治疗，受伤的左膝包上厚厚绷带，第二战三回合六分钟的比赛，苏丽文顶不住痛楚与对手的接连攻势，倒地七次，咬着牙，苏丽文勉强站起来，以一比零击败纽西兰钟罗苹，对手不禁称赞她是“勇敢的对手”。

准备铜牌战前，苏丽文说：“我是为父亲而战。”苏丽文的腿已没有支撑的力量，全队都劝她放弃，苏丽文说：“不要剥夺我的梦想。”

她与克罗地亚的马丁娜争铜，四个回合中，苏丽文摔倒11次。她利用右脚支撑、伺机以严重受伤的左腿进攻，前两回合竟成功两次上端进攻，四比四战平。

但她左膝痛到失去知觉，防护员数度进场，用冷冻喷雾剂狂喷苏丽文伤处，苏丽文在第三回合就倒地三次，她频频捶着地板。她赛后说，当时心想：“老天爷，请让我站起来，完成最后37秒。”

总教练侯纬星表示，第一场受伤，就劝她放弃，但苏丽文坚持上场，侯纬星说：“劝她下场，太残忍；看着她在场上拼命，心更痛。”

铜牌战第三回合。第三局是最艰难的两分钟。上场前，苏丽文抬头向天，双手捂住脸为自己祈祷，28岁的她，这是她最后的战场，她要坚持下这最后的120秒。

马丁娜先踢中苏丽文有效部位再得两分。当苏丽文换腿时，伤腿不小心撑地，她的脸部因痛苦剧烈地扭曲。

教练目睹一切，又高又壮的汉子的手在发抖，他掩住嘴，焦灼地站在后面踱步。第二次进行喷雾处理后，苏丽文示意继续比赛。她瞅住一个空当，再踢中对后头部——四比四。这时，她又一次摔倒。教练忍不住要冲进赛场，被裁判阻止。

时间剩下最后34秒，裁判再一次问她，是否终止比赛，并叫来了边裁紧急磋商，最后同意苏丽文的意愿——继续比赛。

在观众一阵阵热泪盈眶的呐喊声中，苏丽文靠右腿作支撑，在终场前落后四分的极大被动情势下，竟然击中对手头部，绝境突围，奇迹般地扳平比分，将比赛拖入加时赛。进入加时战，马丁娜选择对苏丽文杀伤力最大的中端攻势，终结比赛，苏丽文趴倒赛场，她挣扎爬起敬礼，全场响起掌声。

她，没有让老爸丢脸，更带给中华台北队本届奥运最动人的光荣，向全世界演绎与展示了中华亿万儿女顽强拼搏的精神。

朱启南：年轻没有失败

8月11日，站在银牌领奖台上，朱启南泪流满面。在这位雅典奥运会男子10

米气步枪冠军看来，未能在家乡卫冕就是失败。然而，全场观众仍对他报以震天动地的掌声。场外，几十名志愿者自发整齐地列队路旁，长时间为他鼓掌。

熟悉射击运动的人们知道，被称为射击“天才”的朱启南，是中国射击队最努力的选手之一。这个玩弹弓长大的瘦弱的山村孩子，曾一度被地方教练判定“没有前途”，此后一年，他自己看书，自己琢磨，每天拖着沉重的枪箱、皮服独自训练。结果，他不满 20 岁就获得了奥运金牌。在为北京奥运会备战的四年间，他几乎放弃了所有休息，“酸甜苦辣几乎尝遍”。而在错失金牌后，被问及比赛的动力是什么，他只说了五个字：“伟大的祖国！”

北京奥运会，他太想在祖国再次得到这枚金牌了。在领奖台上，他没能忍住自己的眼泪，难过的他不服气地向天空挥舞着拳头，给在场的观众留下了深深的印象。

是崇高的情怀、坚强的意志和永不服输的进取精神，为这个 23 岁青年赢得了尊敬。无论成败，他都是人们心目中的英雄。

栾菊杰：老兵永远不死

“老兵永远不死，只会慢慢凋零。”美国将军麦克阿瑟这句话，说的是战场，但也同样适用奥运竞技场。

在今年的北京奥运会上，一批老兵继续上演新的传奇：67 岁的日本盛装舞骑手法华津弘，58 岁的加拿大女神枪手纳特拉斯，53 岁的以色列长跑运动员萨塔因，49 岁的法国女子自行车运动员让妮·隆戈……而已有 50 岁并长期与肾下垂疾病作斗争的栾菊杰无疑也是其中的重要代表。

1984 年 8 月 4 日洛杉矶奥运会女子花剑决赛，栾菊杰夺取中国击剑第一枚奥运金牌。

1989 年，栾菊杰退役后与丈夫顾大进移居加拿大，在埃德蒙顿击剑俱乐部从事教练工作。在加拿大的前几年，为了提升俱乐部的名气和影响，栾菊杰经常去各地打比赛。她曾四次夺得加拿大全国冠军，一度排名北美花剑赛第一名。2000 年的悉尼奥运会后，栾菊杰因为身体原因，就再没参加过比赛。

2001 年北京申办奥运会成功后，顾大进和栾菊杰都很激动，他们就商量着，看看能不能再进一次奥运会。“我想那肯定会是个奇迹，因为到那时我太太已经 50 岁

2008 年 8 月 11 日，加拿大女子花剑选手栾菊杰向观众致意。（程敏 / 摄，图片来源：新华社）

了。”顾大进说。到了 2006 年底，栾菊杰当时的体重、身材都没太大变化，她决定试试。

“我始终没有十足把握拿到奥运资格，”栾菊杰说。从始至终，她并未否认自己在做一件风险系数超标的事，“但是，我做到了。”

到世界各地征战积分赛，首先付出的是经济代价。在加拿大，栾菊杰要自行承担训练和比赛费用，这笔费用对她一家的生活影响不少。作为家里的“顶梁柱”，栾菊杰四处征战不得不放弃了工作，这意味着坐吃山空。结束积分赛回到家后，她便马不停蹄地赶去供职的埃德蒙顿击剑俱乐部上班，丝毫不敢耽搁。

但栾菊杰至今未计算过自己为此损失了多少钱，她笑着说，若计较这些还不如放弃算了。“钱少可以省着用，但梦想的价值绝非金钱可以衡量。虽然我不富有，但我所做的事是用钱也买不到的。我不想以后后悔。”

“如果在其他国家举办奥运会，我早就放弃了，我连奥运冠军也拿过。因为是在中国，全国都很重视，我觉得一定是世界上办得最好的奥运会，我这个 50 岁的人才有勇气去参加。”栾菊杰曾这样说，虽然穿着加拿大的击剑服，但她这次是来为中国人争光的。

8 月 11 日，代表加拿大队的华裔剑客栾菊杰在赛后打出“祖国好”的布幅时，无数人为之感动。

赛后的栾菊杰显得轻松、惬意。“有人问我，参加奥运会是不是为了拿冠军，可能许多运动员都会这么想，但对我，这并不重要，我是来享受在祖国举办的奥运会给我带来的快乐，我就是累也感觉好爽！”

“因为爱，所以我回来”。这位昔日的中国英雄，以50岁的高龄、以长期与肾下垂疾病作斗争的意志，续写着奥林匹克神话：无论年龄，无论国籍，只要有梦，就有成功。

姚明：输球不输人

8月10日晚上的那场中美篮球大赛可能很多人都不会忘记，因为那场比赛，结果已经不重要，我们看到的，是中国队的小伙子们的拼搏与不屈。

姚明高举右臂，就像8月9日上午的菲尔普斯。比赛输了，可姚明一点也不沮丧。

中国男篮以70比101输给美国“梦八”队。输球在情理之中。姚明赛前就说，两队不在一个水平线上。关键是：输球不能输人，输球也要输出气势，输得让球迷满意。姚明说：“在比赛之前，我们所有人围成了一个圈，大家把手搭到一起，彼此鼓励，我们要用自己的肩膀来扛起这支球队。”

谁也没有想到，姚明会用这样一个方式来开始他的奥运征程——站在三分线外，出手、命中。“投中那个球，我也很高兴，这是中国队在本届奥运会上的第一次出手、第一个进球。这也是释放压力的一种方法，打奥运会肯定有一定的压力。但作为国家队的队员，我们要习惯把压力顶过去。更重要的是，我们要让球迷看到，我们会努力地面对每场比赛。”

球迷雷动。姚明更兴奋了，一个脑后传球，可惜孙悦没接住。几分钟后，姚明作出一个类似罗德曼的飞身鱼跃救球，把自己摔在场外，却把球救回到队友怀中。姚明让“梦八”见识了自己的威力，他的一个大帽让科比脸色尴尬。

在他的感染下，中国男篮打得不错，分差始终没超过35分，这是男篮这么多年输得最少的一次。第三节，姚明被撞倒，那一刻让中国球迷的心都忽悠了一下。幸好，姚明没事。尤纳斯赶紧将他换下，姚明拿下了13分10个篮板。姚明走到场边，高高举起右臂。显然，他对队友的表现很满意。“我们打得不错，我感到很自豪！”

中美之战的结果并无悬念，当观众为韦德和詹姆斯的“空中接力”而鼓掌时、当美国队在下半场把比分差距逐渐拉大时、当姚明三次被对手撞倒在地时，所有人都明白，美国队赢球尽在情理之中。不过，输球的中国队却同样有所收获。在以后的比赛中，相信中国男篮的队员们会带着自信去迎接新的挑战。真正的挑战还在未来。

罗比娜·穆基亚尔：为女性的权利和自由而战

8月16日，当裹着头巾、身着运动短袖T恤、运动长裤的阿富汗短跑选手罗比娜·穆基亚尔努力冲过100米跑道的终点时，整个“鸟巢”为这个顽强的小姑娘响起了热烈的掌声。

虽然最后一个冲过终点，但对于生命仍受战火威胁，妇女参加社会活动仍被视为“行为不端”的阿富汗来说，不论结果如何，罗比娜在奥运赛场上的出现，本身就是一种胜利。

四年前的雅典奥运会上，罗比娜与柔道选手弗里巴·拉萨耶成为阿富汗历史上第一批参加奥运会的女运动员。

之后的四年里，罗比娜一边训练，一边还要如同多数阿富汗人一样，担负起养家糊口的重任。“我们没有固定的训练场地，专业的塑胶跑道对我们来说更是天方夜谭……”

今年刚满19岁的罗比娜对《国际先驱导报》如是说：“当奥委会通知我接替原定参加北京奥运会的阿哈德娅时，我还在喀布尔的一家银行上班，那时距奥运会开幕只有两周时间。”据报道，阿哈德娅受到了极端分子的死亡威胁，不得不以“失踪”的方式放弃比赛，那些极端分子反对妇女参加奥运会。

阿哈德娅的“失踪”并没有让罗比娜畏惧。她说，她拿出每周工作之余的三天时间，在自己家的附近找了块稍微平坦的水泥地开始恢复训练，虽然这样很容易受伤，但罗比娜说：“这是在阿富汗，我们别无选择。”

即使在塔利班极端政权倒台七年后的今天，阿富汗社会对妇女参加文化体育活动仍持保守态度。在这个首都电力都无法保障的国家，关心奥运的人已是寥寥无几，关心本国女运动员比赛的更是屈指可数。

“罗比娜是个勇敢的姑娘，我能想象她和她的家庭为了参加奥运会受到过多少异样的眼光乃至污言秽语。”工程师哈利姆对《国际先驱导报》说，“阿富汗当地电视台没有奥运会转播权，我是在网上看的罗比娜的比赛，我还让我的大女儿看了，她说罗比娜是个了不起的人。”

正如罗比娜说的那样：“之所以要跑步，之所以要参加奥运会，就是希望能为阿富汗妇女开辟一条道路。”或许，从这个意义上来说，“罗比娜们”已经做到了。

华天：革命军中马前卒

北京奥运会马术比赛的赛场上，一位穿着中国队比赛服的英俊少年总是能够吸引更多人的目光，他就是华天——第一个出现在奥运会马术赛场上的中国人。在本届奥运会上，华天作为唯一一名中国选手参加了马术三项赛的比赛，虽然成绩并不理想，但却永远被记录在中国马术的历史上。

2008年8月9日，中国骑手华天在香港参加北京奥运会马术比赛三项盛装舞步赛，这是中国运动员首次亮相奥运会马术比赛场。（吕小炜/摄，图片来源：新华社）

华天的父亲叫华山，是一位中国航空事业工作者，而他的母亲则出身于英国苏格兰军人家庭。华天是在英国出生的，但他却是一个地地道道的中国人，他的童年是在北京度过的，而他也是在北京开始了自己的骑手生涯。

1994年，4岁多的华天就被母亲送到了北京的一个马术俱乐部进行练习。不知道是不是因为母亲是英国人的缘故，华天对骑马颇有天赋。据当时担任华天教练的全国冠军哈达铁表示：“华天和其他的小孩子不一样，他一坐在马背上就显得特别的专注，即便是我要求他做很多动作，他也会非常配合地完成。”此外，哈达铁还告诉记者，那个时候的华天在马背上就显得十分轻松，“这是作为一个骑手必须具备的条件。”

在北京接受了两年的基础训练之后，华天就随着父母来到了香港，在那里的马术俱乐部接受更为系统的训练。而等到华天10岁的时候，他又随着父母一起来到了英国。来到英国后，华天很快就将自己的马术天赋表现出来，不断改写了英国历史上最年轻一星骑手、二星骑手和三星骑手的纪录。

第一次听到华天这个名字的时候，总是觉得有点怪怪的，其实，父母给华天取这个名字，主要是希望他的成就能够超越父母，“他父亲叫华山，天比山还要高，所以我们就叫他华天。”

其实，参加这次北京奥运会，对华天来说就是一次挑战，在国外参加马术三项赛的选手差不多都在30岁以上，然而华天却以十几岁的年龄入围奥运会。

这一次他失败了，但未来仍然一片光明。

失败与成功

面对这些失败的英雄，我们的灵魂得到净化，情感得到升华。人们熟悉海明威的名言：“人可以被打败，但不可以被征服。”而20世纪另一位文学大师福克纳说：“人类是不朽的，这不是因为万物当中仅仅他拥有发言权，而是因为他有一个灵魂，一种有同情心、牺牲精神和忍耐力的精神。”

事实上，每一位胜利者都曾经失败过。12日，中国体操队重夺奥运男团冠军令国人扬眉吐气，而四年前雅典失利的阴影仍在人们心间：卫冕冠军中国队遭遇“滑铁卢”，仅得第五。忆及当年，杨威说：“我与小鹏待在洗手间里，痛苦万分。”肖钦则在自己房间的窗前坐了整整一个通宵。

四年来，中国体操队称得上是“卧薪尝胆”。他们把媒体的批评报道贴在训练馆的一面思过墙上，时时提醒：勿忘耻辱。谈起曾经的伤病、孤独、压力，李小鹏说：“金牌后面付出的东西太多，每个人都是流着汗、流着血过来的。”

北京奥运会举重冠军张湘祥说自己是“死过一次的人”。他17岁就获得悉尼奥运会铜牌，被看作是中国举重队的希望之星。而2003年一次医疗事故几乎断送了他的运动生涯。此后三年多，他从人们的视野里消失了。不仅身体难以恢复，沉重的挫败感更给他带来了心理危机。2004年无缘雅典奥运会后，他和教练躲到一家小饭馆，一边喝酒一边抱头痛哭。

但倔强的张湘祥选择了坚守：“只要我还活着，我就不会放弃举重。”这一次当坚守终得报偿时，他跪倒在举重台上，低下头狂吻杠铃。

没有人保证坚守一定能换来胜利。对于很多运动员来说，机会只有一次，失败就将留下永远的遗憾。但人生是广阔的，只要不气馁，一切就还有希望。

1912年第五届奥运会在瑞典斯德哥尔摩举行。美国27岁的西点军校学生巴顿参加了现代五项比赛，他的成绩实在不怎么样：射击两次脱靶；游泳体力透支，被人用船钩从池子里捞上来；越野跑在离终点50米的地方撞墙，挣扎着走过终点后便昏倒在地。30年后，当巴顿将军在第二次世界大战中叱咤风云时，不知他手下几十万官兵如何评价他们统帅当年的惨状。

为什么恩格斯说“一个聪明的民族，从灾难和错误中学到的东西会比平时多得多”？因为失败最令人清醒，最能催人奋起。

亚洲首位现代五项世界冠军钱震华将自己的成功归因于悉尼奥运会上“灾难性的失误”。因马术比赛的一个失误，导致该项目不得分，他以最后一名的成绩结束了第一次奥运之旅。他回忆说：“在职业生涯早期就学会面对压力，对我来说是件好事。以后我成熟了很多，也习惯了压力，能够从容面对。”

古往今来，从失败中汲取力量进而绘就壮美人生的案例不胜枚举。在美国哈佛大学的一次演讲中，《哈利·波特》的作者英国女作家罗琳历数自己早年贫穷、离婚、失业等一系列挫折后，这样总结失败的益处：“失败会为我们揭去表面那些无关紧要的东西。我不再装模作样，终于重新做回自己，开始将所有精力投入到自己唯一在意的作品中去。”

失败有万般痛苦，却有一样好处：它能带来自由，因为我们最担心的事已经不存在了。但愿胜利和失败都不要成为枷锁，而变成动力。恰如罗琳所言：“我历经艰辛才获得的财富，比我得到的任何资格证书都更有价值。”

现代奥林匹克之父顾拜旦在体育颂中写道：“啊！体育，你就是乐趣！想起你，内心充满欢喜，血液循环加剧，思路更加开阔，条理愈加清晰。你可使忧伤的人散心解闷，你可使快乐的人生活更加甜蜜。”体育原本就应该是快乐的，奥运本来就应该是寻梦的地方，无论梦想是否实现，我来了，我参与了，就是英雄。正如诗人所说，我不去想是否能够成功，既然选择了远方，便只顾风雨兼程；我不去想，身后会不会袭来寒风冷雨，既然目标是地平线，留给世界的只能是背影……

请记住每一位英雄，记住菲尔普斯，记住北岛康介，还要记住埃里克·尚托、奥斯卡·菲格罗亚、德雷克·雷蒙德……一定程度上说，正是有了这些人，奥运精神才那么丰盈，我们的感悟才那么真切，人性才那么柔和，人类才那么温情。

生命礼赞

埃里克·尚蒂：重新领悟生命的真谛

什么样的约定，能鼓舞生命的希望？8月17日中午，美国癌症运动员埃里克·尚蒂即将挥别北京，回国手术。谁知道，命运之神在未来还会赐给这个年轻人多少天的生命？过去的一周，埃里克实现了奥运梦，而直到前一天两个生死难忘的小时，他重新领悟了生命的真谛：“北京，我来过了！五年后，中国再见！”

坐在“鸟巢”的看台上，80岁的癌症患者邱海娣挥舞着国旗，和身边的病友一起为运动员呐喊。他们是奥运赛场一群特殊的观众，198人都身患癌症。他们来自上海癌症康复俱乐部，五年前，俱乐部发起了“健康活五年，相约北京看奥运”活动，向报名参加活动的患者每人发放一只存储罐，鼓励他们每人每天存入两元钱，五年后，带着积攒的3 650元钱上北京看奥运。五年，是俱乐部的统一规定，癌友们凡是走完一个五年，就算是新生了一次。五年，是一个生命的约定。在中国移动的帮助下，8月11日，上海癌症俱乐部奥运助威团的成员们踏上北上的列车。临行之前，200人的团队有两个人倒了下来。在北京，癌友们在这里的故事感动着每一个人……

8月6日，美国游泳队在新闻发布会上宣布，在美国奥运会游泳选拔赛中，击败男子200米蛙泳世界纪录保持者、美国“蛙王”汉森的埃里克·尚蒂，将参加北京奥运会。两个月前，埃里克体检确诊患有睾丸癌。这一消息震惊了全世界——奥运梦想击退了癌症。8 月 12 日晚，200 米蛙泳半决赛吸引了全球记者。里克和妻子简妮坐在水立方的观众席上全神贯注，他们是埃里克的父母。里克 14 个月前被检查出患有肺癌，进入四期。老爸告诉儿子："癌症有两种发展，你得了癌症或者是癌症占据你的所有。"来北京前，埃里克与美国前世锦赛游泳亚军、未婚妻杰瑞·莫斯订婚，家人的支持让埃里克来到了水立方的泳池边。但半决赛埃里克仅获该小组的第六，无缘决赛。埃里克未能实现偶像抗癌英雄阿姆斯特朗的冠军梦想，但是他一点都无遗憾，"我创造了个人最好成绩，我参加过奥运会了，这足够了！"

到京后，上海 198 个癌友们的共同心愿就是看一场埃里克的比赛，现场为他呐喊助威，发出生命呼唤。但遗憾的是埃里克的比赛已经结束，很多会员可能就此留下毕生遗憾。作为助威团的赞助方，中国移动积极联络美国队，但仅得知埃里克 17 日要返回美国进行手术，联系不到埃里克本人，而且时间不允许了。中国的癌友们放弃了这个心愿，15 日集体去爬长城，当好汉。坐着轮椅上长城的助威团引来了游客驻足，其中就有埃里克的父母里克和简妮。生命的奇迹在这一刻相遇了！踏破铁鞋无觅处，得来全不费工夫——肺癌患者里克被癌友们的坚强所吸引，似乎是心有灵犀，让中外癌友们相聚在长城之巅。也许，这是上苍对这 198 名癌友们的恩赐，让中国癌友们实现见到埃里克一面的心愿。然而，美国代表队规定严格，在未经允许的情况下，父母不能私自与运动员联系。里克也只能告知美国队有此事，但他们也不能与埃里克本人联系上。

8 月 15 日夜里，负责报道此事的记者突然接到了癌友康复俱乐部打来的电话，他们委托记者将癌友们制作的祝福光盘转送给美国泳队新闻官，然后转交埃里克。把一个素不相识的康复俱乐部癌友们的包裹，交给一个只知道职务名称，不知道名字的美国人——这个任务艰巨。8 月 16 日上午，游泳赛事一结束，记者迅速找到了美国游泳队的新闻官、公关关系主任奥尔森女士："女士，请把这个包裹交给埃里克好吗，它的分量跟生命一样重！"听到来龙去脉后，奥尔森愉快地接过了包裹，但她也不能确定何时能见到埃里克……

下午 5 点，记者突然接到一个短信："5 点，北京建设大厦，埃里克癌友见面会。"好事多磨，终于成了！记者后来得知，中国移动的工作人员分别通过埃里克的父母，一位美国游泳队华裔教练，以及记者三条线去联系埃里克。8 月 16 日下午，埃里克回到队中，拿到了包裹，得知了此事。美国队从康复会的信件和华裔教练那里得知了是中美癌友相聚，破例特批埃里克两个半小时的假期，让他去见这些心心相印的中国朋友们。

“埃里克·尚蒂”，北京建设大厦的房间迎来了第199个癌症患者——美国蛙泳运动员埃里克。“28年前，在我新婚的第六天，我被确诊为淋巴癌。医生告诉我，你最多还能活一年。而书上说，我这种病，有20%的可能性能够活两年”，俱乐部会长袁正平用这样的开场白一下拉近了与埃里克的距离，“你向癌症发起挑战，你是我们心目中的英雄！”

“你是比我更像个大英雄，我要像你一样再活28年！”埃里克真诚地回答。在这里，没有一个人面色红润，甚至邱海娣老人是插着氧气管、坐在轮椅上来见埃里克的。20年前的汉城奥运会，于秋萍被查出与埃里克患有同样的疾病。如今已经50岁的他将脖子上的上海十大抗癌明星的金牌颁发给了埃里克，并约定五年后为埃里克庆祝新生。

“这枚金牌比我所有的奖牌都要重。14个月前，我的父亲被确诊患了肺癌，进入四期。两个月前，我被发现患有癌症。是奥运的梦想将我带到你们的中间，这是生命的奇迹。我是个斗癌新兵，要向你们学习。今天，你们给了我支持和信念。2013年，我29岁，我和我的父亲会一起来到中国，我们一起庆祝新生！”埃里克泪光闪动，常人很难理解癌症患者生命的沉重。而生命的焰火在美国癌友埃里克与中国癌友们心中的跳动燃烧，五环旗下，生命的奇迹在北京相聚！

是奥运，是北京，让他们走到了一起，在鸟巢，奥运圣火熊熊燃烧着，象征着奥林匹克永不言弃的精神格言，我们有理由相信埃里克会以英雄的姿态与癌症抗衡，来赢得他与中国癌友们的五年之约！

丘索维金娜：因为我是妈妈

“因为我是妈妈，我得救我的儿子。”来自德国的体操运动员丘索维金娜为了救自己得白血病的儿子，再一次来到了奥运赛场上，为自己的孩子挣治疗费。8月17日，晚上举行的北京奥运会体操女子跳马比赛中，在众多年轻小将面前，33岁的德国选手奥克萨娜·丘索维金娜是那样引人注目。如果要选出体育界中最伟大的母亲，毫无疑问非她莫属。最终，丘索维金娜夺得了本项目的银牌，这令这个伟大的母亲更加让年轻运动员肃然起敬。

第五个出场的丘索维金娜的两跳赢得了全场观众雷鸣般的掌声。虽然容颜比小将们明显有些苍老，但丘索维金娜的身姿依然挺拔，深呼吸、起跑，她的脚步扎实而有力。起跳、腾空、旋转，空中姿态和高度都很好，最终33岁的身体如“落地生根”般稳稳落地，顿时赛场掌声、欢呼声四起。

生于1975年的丘索维金娜，16岁时就代表独联体夺得世锦赛女团和自由操金牌、跳马银牌；1992年首次代表独联体参加奥运会，摘得女子团体金牌；1996—2004年她代表乌兹别克斯坦三次参加奥运。

2002年，她3岁的儿子阿里什被查出患了白血病，当时已27岁的丘索维金娜为了赚取奖金给儿子当医药费，逼着自己和年轻运动员同场竞技。几年里，为了患病的儿子，丘索维金娜不敢病，不敢伤，不敢退。为了儿子，丘索维金娜和丈夫还变卖了小公寓和汽车，移居到医疗条件相对较好的德国，并披上了德国队的战袍。

这晚，第五次参加奥运会的丘索维金娜赢得了自己个人的首枚奥运会奖牌，对她来说，为了孩子，绝对不能倒下。这位老将终于可以和自己的儿子共同享受这来之不易的奖牌。

这位母亲的故事感动了中国人，一些企业纷纷向她伸出爱的橄榄枝。

8月21日，著名体操奥运冠军李宁代表李宁基金向丘索维金娜捐赠了20 000欧元。李宁对她说：“真是一个传奇，我们曾经一起参加巴塞罗那奥运会，那是16年前。你会不会参加下届伦敦奥运会？”丘索维金娜认真地说她已经考虑参加伦敦奥运会了，而且可能性相当大。

母亲的传奇仍将继续。

（选自2008年第9期《报告文学》，有删节，作者：李璐）

金融风暴下的中国

2008年9月15日，拥有158年历史的华尔街第四大投资银行雷曼兄弟轰然倒下。美国政府不得不注资救助的时候，我们觉得自己也许可以置身风暴之外，甚至可能成为灾难的救星。然而，随着风暴的扩大和持续，它对中国的影响已经全面凸显并日渐加深。如今，已经没有人再怀疑这次金融危机对我国的深重影响了。

海上生寒风

中国是典型的大陆性季风气候国家，夏季暖湿气流由东南沿海吹向内陆，冬季冷空气由西北边陲吹向沿海。只要是冷空气，它就总是从西伯利亚那边刮来，这似乎已经是"地球一中国人"都知道的常识。

然而，事情偏偏就是这样吊诡。2007年的夏天，一股"冷空气"从美国西海岸穿越太平洋，在中国的东南沿海登陆，肆虐一番后，又强劲地吹向内陆纵深，而且寒气渐深。当人们在料峭寒意下从懵懂中猛然惊醒的时候，才意识到这股冷风来自海上，而非欧亚大陆的纵深。随着这阵冷风的侵袭，东南沿海的一个个工厂关上了大门，包括内地的一座座高炉封上了炉门，一批批农民工在离回家过年还早的时候踏上了返乡的旅程。

此时此刻，人们终于明白：金融风暴来了！

冬去春来，当一批批统计数字陆续公布，当一群群人们为找工作而四处奔波，当中国经济"硬着陆"的议论不时出现的时候，人们进一步意识到：金融风暴对我国的影响深而且重，并表现出了别样的特点，小觑不得！

中华文明是主要发源于大陆腹地的内陆文明，沿海在相当长的时期一直处于文明的边缘。明中叶以来，海禁大开，沿海开始发展起来。鸦片战争以后，在外国列强的坚船利炮之下，沿海成为对外贸易的前沿，取得了更为迅速的发展。新中国成立后的30年间，出于战略的考虑，建设重心移向了东北和内陆腹地，东南沿海又沉寂了下去。改革开放以后，东南沿海又一次成为对外交往的窗口、对外贸易的桥头堡、改革开放的试验基地，取得了长足的发展。珠江三角洲，长江三角洲，一座座工厂拔地而起，一船船货物运往海外……

广东是我国沿海经济快速发展的代表。改革开放30年来，广东一直是我国经济发展最快的省份，生产总值一直位居全国前茅。2007年，广东省的全省生产总值为30 606亿元，占全国的1/8，经济总量超过了亚洲“四小龙”中的新加坡、香港特区和台湾地区。与生产总值相应的是，广东的出口额同样出色。2006年，广东外贸进口总额达5 272亿美元，相当于2001年全国一年的进出口额，接近2005年世界货物贸易排行第12位的韩国的水平；其中出口总额达到3 019.5亿美元，占全国出口总额的31.2%，连续21年位居全国之首。

从某种意义上来说，广东可以说是东南沿海省份的代表，广东的企业也有着同样的代表性。其中比较突出的一点是，生产总值中出口所占的比重较大，企业的外向依赖度较高，许多企业，尤其是中小型民营企业从事劳动密集型的贴牌生产，处于产业链的底端和价值链的后端。

正因如此，当美国金融风暴的寒风吹来，以广东为代表的沿海首先着凉了——

2008年10月15日，广东东莞樟木头镇香港上市公司合俊集团旗下的两家大型玩具厂突然倒闭；

10月17日，深圳宝安百灵达公司突然宣布停业；

10月20日，深圳宝安宜进利工厂宣布破产，坪山创纪玩具深圳有限公司倒闭……

珠三角如此，长三角也是如此。

2008年10月7日，中国最大的印染企业——浙江江龙控股集团有限公司在欠银行贷款12亿、欠民间借贷8亿的重压下倒闭。次日，该公司在新加坡上市的“中国印染”暂停交易。

10月11日，浙江华联三鑫石化有限公司由于资金链断裂被政府接管。该公司拥有亚洲最大、世界第二的PTA（一种用于制造涤纶的化工产品）的生产能力。

2008年10月9日，上海中原地产董事长陆续披露了公司裁员450人的计划……

具体的列举也许有其意义，但专家的概括则更全面、更有说服力。四川省经济发展研究院研究员王小刚总结了金融危机对沿海地区实体经济造成严重影响的六种表现：

一是对企业资金链的影响。由于企业国外订货减少和货款不能及时到位，相当部分企业资金链出现问题。而上游企业资金链出问题，又将影响下游企业资金链出问题，甚至出现恶性循环。

二是对企业市场链的影响。由于国际市场需求减少，终端产品生产企业的市场缩小，进而导致为终端产品协作配套的企业的市场缩小，造成大量企业生产能力出现过剩，经济效益下滑。

三是对企业协作链的影响。由于相当部分企业市场或资金出现问题，被迫减少甚至停止生产，进而导致协作企业也被迫减少或停止生产。而这种协作关系一旦破坏，恢复起来难度较大。

四是对企业就业链的影响。由于部分企业停产、倒闭，部分工人面临失业。而

2008年12月1日，一位员工在位于佛山市南海区的广东昭信光电科技有限公司车间工作。
（壮锦/摄，图片来源：新华社）

这部分企业的停产、倒闭，还可能导致部分关联企业的停产、倒闭，以至造成更多的工人面临失业。

五是对企业价值链的影响。由于海外订单产品价格下降，前端企业利润空间出现下降甚至亏损，必然向后端配套企业转移和挤压，进而导致更多的企业利润下降甚至亏损。

六是对企业技术升级的影响。由于企业维持生计尚且步履维艰，很难有较多资金投入技术改造和升级。而不尽快推进企业技术和产品升级，又难以提高企业竞争能力和抗风险能力。

在分析根源时，王小刚指出，沿海地区首先“着凉”，是“由于沿海地区经济外向度高、对国际市场依存度高、产业社会化协作度高、企业群落关联度高”，而且“如果形势得不到有效控制，这种影响还可能造成明显的连锁反应，进一步蔓延、扩散，甚至不排除影响到沿海实体经济的主体”。

看来，来自海上的寒风真个是寒意十足!

漂亮的组合拳

金融风暴的全球影响是在2008年9~10月间加速的。这个时候，对中国的影响也逐渐全面凸显出来。最明显的标示是，我国GDP增速连续五个季度下降，2008年三季度的增幅回落到了个位数9.9%，是五年来第一次降到10%以下；而9月份更是回落到了9.0%，是近年来最小的增幅。面对国际国内形势，中国决策层审时度势，及时确定抗击金融风暴的对策，打出了漂亮的组合拳。

2008年11月5日，国务院总理温家宝主持召开国务院常务会议，提出了进一步扩大内需、促进经济平稳较快增长的10项措施，为此到2010年底将投资4万亿元。11月9日，10项措施公布。

10项措施包括哪些

2008年11月9日公布的国务院常务会议提出的10项措施包括：

2008 年 11 月 14 日，新溢眼镜制造有限公司员工在东莞的车间内工作。
（壮锦 / 摄，图片来源：新华社）

一、加快建设保障性安居工程。加大对廉租住房建设支持力度，加快棚户区改造，实施游牧民定居工程，扩大农村危房改造试点。

二、加快农村基础设施建设。加大农村沼气、饮水安全工程和农村公路建设力度，完善农村电网，加快南水北调等重大水利工程建设和病险水库除险加固，加强大型灌区节水改造。加大扶贫开发力度。

三、加快铁路、公路和机场等重大基础设施建设。重点建设一批客运专线、煤运通道项目和西部干线铁路，完善高速公路网，安排中西部干线机场和支线机场建设，加快城市电网改造。

四、加快医疗卫生、文化教育事业发展。加强基层医疗卫生服务体系建设，加快中西部农村初中校舍改造，推进中西部地区特殊教育学校和乡镇综合文化站建设。

五、加强生态环境建设。加快城镇污水、垃圾处理设施建设和重点流域水污染防治，加强重点防护林和天然林资源保护工程建设，支持重点节能减排工程建设。

六、加快自主创新和结构调整。支持高技术产业化建设和产业技术进步，支持服务业发展。

七、加快地震灾区灾后重建各项工作。

八、提高城乡居民收入。提高2009年粮食最低收购价格，提高农资综合直补、良种补贴、农机具补贴等标准，增加农民收入。提高低收入群体等社保对象待遇水平，增加城市和农村低保补助，继续提高企业退休人员基本养老金水平和优抚对象生活补助标准。

九、在全国所有地区、所有行业全面实施增值税转型改革，鼓励企业技术改造，减轻企业负担1 200亿元。

十、加大金融对经济增长的支持力度。取消对商业银行的信贷规模限制，合理扩大信贷规模，加大对重点工程、"三农"、中小企业和技术改造、兼并重组的信贷支持，有针对性地培育和巩固消费信贷增长点。

初步匡算，实施上述工程建设，到2010年底约需投资4万亿元。

为加快建设进度，会议决定，2008年四季度先增加安排中央投资1 000亿元，2009年灾后重建基金提前安排200亿元，带动地方和社会投资，总规模达到4 000亿元。

国务院提出的10项措施目标十分明确，就是进一步扩大内需，促进经济平稳较快增长。关于具体实施，温家宝总理指出，出手要快，出拳要重，措施要准，工作要实。

10项措施出台后，获得了海内外的广泛好评。有关专家指出，10项措施是一个遏制经济下滑的综合政策，是非常时期采用的非常之策。美国次贷危机发生后，鉴于我国有经济过热及通货膨胀势头，我国政府在2007年采取的宏观调控的政策目标是"双防"，就是防过热、防通胀。2008年6月，又及时调整成"一保一控"——保增长、控通胀。提出十大措施，就是说现在宏观调控的主要精力要放到保增长上。10项措施出台的时机选得也比较好，是对金融危机的危险性看准摸清了，火候到了的时候才出手的。其实，美国金融危机在2008年上半年已经愈演愈烈，但当时我国通货膨胀率较高，如果那时出手，就有可能推高通货膨胀，影响经济稳定。而现在，通货膨胀率降下来了，危机的危害性也看得越来越清楚了，所以此刻出手恰逢其时。

与美国及欧洲各国的救市措施相比，我国采取的措施要更有针对性和效用。专家指出，金融危机爆发以来，各国采取的措施不同。我国率先采取了以积极财政政策为主导的一揽子措施，而其他大部分国家应对金融危机采取的是货币政策，比如降息等。就目前情况而言，在银行借贷、企业信心不足的情况下，只靠货币政策是解决不了问题的，必须以积极财政政策为主导。从这次推出的财政措施来看，我国刺激经济政策的受惠面比美国更广。我国政府的支出，不应该像美国那样直接拿去救金融企业。加大对“三农”的投入，加大基础设施建设，加强教育卫生文化事业投入，这些都能帮助农民与低收入者增收减支。值得指出的是，这些投资不但可以刺激经济增长，同时还能促进我国经济结构的调整优化，推动科学发展观的落实。

10 项措施出台之后，首先付诸实施的就是启动了一批基础设施建设项目，其中包括已经规划的项目和新增的建设项目。见诸传媒的，就是各地上马了一批铁路、公路、机场、能源等基础建设项目，大有轰轰烈烈之势。诸如：

2008 年年底，开始在福建福清、浙江万家山、广东阳江建设三座总装机为 10 台百万千瓦级的核电站，三座核电站总投资 1 300 多亿元。

继西气东输二线西段 2008 年 2 月开工后，西气东输二线东段从宁夏中卫至广东深圳直至香港的天然气管道工程也在年内开工，管道长 2 517 公里。这项 1 400 亿的管道投资（其中东段投资 930 亿）建设能够带动我们目前国内冶金、建材业 3 000 亿投资的规模。

2008 年 11 月，国家投资 40 亿元支持农村电网和城市电网改造。

库容达 2 680 万立方米的石油储备二期工程已规划完毕，将于 2009 年开工建设。

位于河南郑州的黄河公、铁两用大桥开工建设，建成后将成为连接我国多条南北大动脉的咽喉工程。

郑州铁路局在建的重点工程投资已达到 170 亿元。郑州铁路局有关负责人指出，170 亿里面将近 120 亿都是建筑材料，所以对拉动整个国民经济增长也有很大的促进作用。

钦州至崇左高速公路开工建设，这是广西 2008 年下半年以来开工建设的第四条高速公路。随着这四条高速公路的开工和千亿资金的注入，广西高速公路建设正成为广西经济快速发展的强劲引擎。

正在建设的紧邻沈阳铁路局山海关铁路编组站的山海关港，港口的工程量已完成 50%。此港具有非常明显的“水陆联动”的交通优势。码头尚未建成，就已经吸引了重型装备、粮油食品加工等40多家企业在这里快速集聚。

江西省樟树市污水处理厂正加紧施工。江西省计划用两年时间，投资65个亿，新建85个污水处理厂，以达到县县有污水处理厂，保护鄱阳湖“一湖清水”的目标。与这些污水处理厂配套的管网建设也已经同步展开。到2010年7月，江西省所有生活污水和工业废水都将进入污水厂处理，4 300万群众将因此受益。

总投资为400亿的“宁夏宁东煤电化项目群”2008年12月15日启动。项目包括目前国内规模最大的聚甲醛项目、拥有世界首台百万千瓦空冷机组的灵武二期电厂和神华羊场湾煤矿等。建成后，每年的煤炭生产能力将达到2 200万吨，发电装机容量达到440万千瓦。

截至2008年12月中旬，新增的200亿元中央水利投资全部到位，一批重大水利工程建设加快。中央拨付陕西的2亿多元农村饮水安全专项资金已经发放到56个重点县区。为保证足额供水，政府对进村入户的供水管道进行了替换。

4万亿巨额投资的喜与忧

对于我国4万亿投资的经济刺激计划，海内外给予了高度评价，但随着最初的亢奋过后，忧虑也接踵而来。问题集中在这些资金投向哪里、如何监管、是否有效等诸多方面。

关于投资方向的问题。此次投资计划的目标是扩内需、保增长，强调民生工程列在第一位。国务院的10项措施相应地分解了4万亿投资，概括来看，民生工程确实占了很大的投资比重；但细一推敲，用于增加居民收入或其他促进居民消费的比例并不大。其中最大的1.8亿的一项，基本上与民生没有什么直接的关系，其他投资也大多集中于基础建设、生态环境保护和灾后重建，与民生关系最直接的是保障性安居工程，投资不足总额的1/10，而民众最关心的医疗、教育投资仅有400亿，仅为总额的1/100。这样的投资分配，对于保增长，进而解决就业有一定的作用，而对于改善民生、扩大内需的作用不会太大。扩大内需，根本上在于增加居民收入，而增加居民收入的根本又在于调整国民收入分配格局。目前，靠劳动报酬来增加居民收入有相当的困难，关键是要靠社会保障包括社会福利来提高居民的实际收入水平，这样才能从根本上扩大内需，解决我国经济社会发展的痼疾。

历史上，我国盲目投资的情况十分严重，而且总是一放就滥。这次4万亿的巨额投资，人们对盲目投资的问题也不无担心。有些地方官员见有钱可用，不管要做的事情适当与否，总要想方设法从中央要来钱干干，使地方GDP有一个好看的数字。国务院公布4万亿刺激经济计划后，各地官员纷纷进京，“跑部钱进”，把财政部附近的旅馆都住满了。而历史上的这种情况，催生过不少劳民伤财的政绩工程、脸面工程。地方要上的项目，有许多是原本已有规划而中央未予批准的，其中不乏重复建设、贪大求洋、污染严重的工程，此次借机“起死回生”，显然是有违我国长远发展战略的。此外的一些新项目，也可能未经审慎论证就仓促上马，结果可能于国计民生无补，却浪费了国家宝贵的资金。

对于4万亿投资，人们关心的另一个问题是腐败。纵观近年的腐败大案要案，大多与大规模投资建设有关。基本上每个大项目都要有一些，甚至一批官员落马，以至于“平均每修一公里高速公路，就要倒下一个贪官”。钱越多，用得越急促，就越容易给腐败分子造成可乘之机。因此，民众担心这次本来以扩大内需为根本目的的经济刺激计划没有惠及百姓，倒是装满了贪官的腰包。我国这些年贫富差距越拉越大、社会矛盾日渐突出的问题，正与公权横暴、官商勾结滥用或侵吞国家和人民的财产有相当大的关系。

令人欣慰的是，党中央、国务院敏锐地注意到了这些问题，中央专门成立了相应的领导机构，审查、监督有关项目和中央投资的使用。相信在有关部门和广大群众的监督下，这次的4万亿投资能够全都用在刀刃上，真正起到应有的效用。

救中国就是救世界

2008年春夏以来，中国已经有了两次救灾的经历，一次是冬春之际救凝冬之灾，一次是“5·12”以后救地震之灾。秋天到来的时候，中国又面临着一次救灾，只不过这次既非天灾也不在自己土地上，而是美国次贷危机引起的人为之灾。救还是不救，怎样救，既关系到危机下中国的负责任发展中大国的角色，也关系到中国面向未来和平发展的视野。

中国成了“香饽饽”

在美国次贷危机引起美国投资银行和其他金融机构多米诺骨牌般地倒下、美国政府不得不出面救市的时候，世人自然地把目光投向了中国：中国有高速增长的经济，有近2万亿美元的外汇储备。于是或明言或暗示，有人向中国发出了一致的信息。

首先是西方媒体步调一致地热捧中国，给中国戴上一顶顶的高帽子，或者干脆建议中国借钱给美国财政部：

2008年10月初，英国媒体预测，美国失去了世界经济的控制权，金融权力将向中国转移。

10月7日，法新社在其报道中写道，在因金融危机造成的全球恐慌中，中国表现出了一种帝国般的镇定，她在提供援助的同时确信能够应付自如。

同日，路透社报道说，中国拥有全世界最高的外汇储备，也许会在平息全球金融风暴的过程中发挥重要的作用。

10月10日，《澳大利亚人报》网站称，金融危机很可能加强“21世纪属于中国”的看法。另外一种澳大利亚媒体《悉尼先驱晨报》网站10月13日刊发题为《美国时代的结束——现在由中国来定调子》的文章，称“世界秩序正在发生变化，因为中国在支撑着美国”。

10月20日，加拿大《环球邮报》网站刊文称，如今的金融危机以准确无误的方式凸显了中国对全球经济的新作用。中国不仅受到危机的影响，而且还对结束危机肩负着重要责任。美国打喷嚏的时候，中国与加拿大一样要感冒，区别仅在于中国目前处于要开出药方并且帮助建设医院、接收患者的境地。

10月21日，《华尔街日报》网站报道称，美国的7 000亿金融救助计划可能需要中国等美国国债主要持有人购买更多美国国债。

接着是西方国家领导人和权威人士开始轮番向中国喊话，虽然保持着国家元首、政府首脑、政府高官等身份的矜重，话说得比较含蓄，但弦外之音不难听出来：

10月5日，澳大利亚总理陆克文在接受媒体专访时说，中国经济将继续强劲发展，并将在信贷危机减缓时刻，帮助全球经济恢复。他强调，中国经济的突出表现将帮助全球摆脱目前的困境，中国在重建全球经济中的地位至关重要，正如其在10

年前亚洲金融危机中发挥的作用一样。

10月6日，世界银行行长佐利克发表演讲表示，七国集团（G7）已经失去了往日的作用，它应该被一个更具有指导作用的新集团所代替，包括中国、印度和巴西等国家在内的新兴经济体则应该被吸收在内。成立一个更加灵活、更加有效、更加有影响力的新集团，这个集团也有可能是G14甚至是G20。但佐利克也表示：“这个集团最终能否取得影响力还要取决他们最终所能承担起的责任。”

10月7日，美国前财政部长拉里·萨默斯称：中国以及中东国家将“决定着”美国历史上最大金融拯救计划的成败。他说，美国政府现在最应该做的和“不得不做的”是，向中国保证“美国的证券是安全的”。

10月9日，美国财政部负责国际事务的副部长麦考密克在华盛顿就金融危机及其全球影响，与北京及广州的部分中国记者举行了跨洋电话讨论会。麦考密克对中国与美国及世界经济的关系用了“彼此非常依赖”这样的字眼。中国是美国和欧洲（产业化经济）增长的重要来源，而后者对中国也同样重要。因此，中国应该是全球救市的重要参与者。

10月20日，麦考密克奉命开始三天的中国之行，约见一系列中国经济领域的领导人，研讨金融危机席卷全球的经济局势。在接受媒体访问时，麦考密克坦言此行的目的：“我此行的目的不仅要告诉中国的政策制定者，也要告诉更广阔的公众，美国正在发生什么，在全世界的资本市场正在发生什么。人们正在采取一些行动来处理危机。目前越来越清晰的事实是，中美两国的利益非常相互交融，

2008年9月14日晚，两名员工抱着个人物品走出位于美国纽约的雷曼兄弟公司总部大楼。15日凌晨，雷曼兄弟公司宣布申请破产保护。（侯俊/摄，图片来源：新华社）

非常相互依存。中国发生的事情影响着美国，美国发生的事情也影响着中国。我对中国官员一遍又一遍不断强调的是，美国发生的一切将影响中国，一步步地实施救援计划，可以使美国和世界信贷市场的危机对中国的影响小一点。”

10 月 21 日，法国总统萨科齐在法国斯特拉斯的欧洲议会总部发表讲话时说，中国拥有强大的金融实力，在重塑国际经济体系的过程中不可或缺。

10 月 23 日，在北京召开的亚欧峰会上，欧盟委员会主席巴罗佐说：“目前金融危机的解决，缺不了包括中国在内的亚洲国家的参与。”“我非常希望中国能为解决这次金融危机作出重要贡献。我认为，这是展示中国作为负责任国家的重要机会。”

10 月 28 日，英国首相布朗公开发表谈话说，中国和中东产油富国应该向国际货币基金组织提供更多资金，以援助那些可能需要援助的东欧国家。

11 月 15 日，日本首相麻生太郎在出席 20 国集团（G20）峰会时宣布，日本政府准备从其外汇储备中拿出 1 000 亿美元向国际货币基金组织注资，以便为受金融危机冲击的新兴国家提供资金援助。麻生“欢迎像中国这样拥有充足外汇储备的国家加入进来”。

同样的声音也来自西方经济界人士和学者，包括生活在中国的学者，他们向中国政府提出种种“救美”的建议，并用自己的经济学知识给出了理由，振振有词，言之凿凿。加拿大 BMO 资本市场公司副总经济师、中国经济问题专家道格拉斯·波特的观点颇具代表性，他认为：中国现在是世界第四大经济体，但是按照许多经济指标来衡量，中国经济的规模应当在世界上排名第二。因此，世界经济的好坏对中国来说关系很大。美欧目前经历的严重的金融危机正在波及全球的经济增长，中国如果坐视不管，势必会受到影响。中国积极回应美欧国家的要求，参与这次救市行动，这无论对中国自身的经济利益，还是对改善中国的国际形象以及对于全球经济，都是有益之举。

甚至有媒体记者注意到，在 2008 年 11 月 15 日华盛顿举行的 20 国集团金融市场和世界经济峰会上，美国总统布什在分别与各国领导人照相时，其他国家领导人均是站在布什总统的左面，唯独与中国国家主席胡锦涛照相时把胡主席让到了右面。记者们从这种微妙的细节安排中，读出了美国在抗击金融风暴方面对中国的重视。

另一个吁请来自俄罗斯，但他们发出的是与 G7 们不同的声音。2008 年 10 月下旬，俄罗斯副总理茹科夫斯基在正式国际场合向中国提议，在中俄贸易增长的同时，两国应考虑新的金融机制，包括金融业间相互参股，以及弃用美元进行贸易结算，目前的时机是恰当之际。

一时间，中国真的成了“香饽饽”，甚至是“救星”“救世主”。中国从未像今天这样被西方重视和需要。

其实，面对全球金融危机，西方国家把中国当成“香饽饽”，希望中国做“救星”，说白了，就是希望中国拿钱去救美国的金融机构和其他陷入困境国家的金融机构。当然，他们还希望人民币升值，希望中国的经济列车高速行驶，希望……

“英雄”能否“救美”

中国成为“香饽饽”，甚至被捧为“救世主”的同时，也陷入了艰难抉择的境地。西方国家的话已经挑明：拿出自己的外汇储备借给美国以及其他欧洲受困国家。在一番热捧、喊话乃至鼓噪之下，事情已经不再是救不救的问题，而是要拿出多少外汇储备来“救美”、怎样“救美”。如果“英雄”不去“救美”，似乎存在着经济和道义的双重风险——经济上，美国金融市场崩溃后，中国的外汇储备会有相当大的损失；道义上，国际社会会觉得中国见死不救、不负责任，中国的国际形象会受到影响。一位西方经济学家正是这样说的，华盛顿彼得森国际经济研究所高级研究员 Arvind Subramanian 在《金融时报》上发表文章，在对中国在这场全球金融危机中发挥更大作用高唱赞歌之后，建议中国不只是要购买美国的债券，还应该向美国政府提供数千亿美元的直接贷款，以帮助美国政府稳定房地产市场和挽救面临崩溃的金融体系。中国如果这么做了，全世界将会认为中国是一个负责任的超级大国，愿意使用自己的资源来保护世界经济。

在中国政府作出明确决策之前，经济界、学术界首先是热烈地争论着中国应不应该“救美”，继而进一步讨论着中国有没有能力“救美”，甚至有人谈论起了出手“救美”的条件。

主张“救美”的学者认为，对于中国来说，美国市场的重要性不言而喻，现在的金融危机必然造成美国消费需求的衰退，从这个意义上可以说，中国参与美国救市也是救自己。这种观点主要是从实体经济领域考虑的。而更多主张“救美”的观点则是出于金融资产的考虑，由于中国持有大量的美国政府债券和机构债（如“两房”债券），而现在美国单凭自身力量显然难以恢复金融市场的流动性，要是美国联邦储备系统通过增发货币向金融体系中注入更多的流动性，很可能造成通胀的加剧，从而造成美元以及美元资产贬值。因此，从维护中国持有的巨额美元资产的角度来看，中国似乎也理应参与美国救市。

认为应该出手“救美”的学者，有的主张收购美国金融机构的资产，有的主张购买美国的国债。他们几乎都有一个冠冕堂皇的理由，就是救美国就是救自己。社科院金融研究所一位研究员在接受媒体采访时称：“中国政府现在出手并不是在救美国，而是在救自己。”

反对“救美”的学者认为，目前中国国内的经济形势已经比较严峻，大量出口型的中小企业面临破产威胁，大中型工业企业利润增长大幅下滑，再加上目前外部环境急剧恶化，中国不得不投入大量的资金实施对国内企业的救市计划，帮助困境中的企业实现生产转型。所以中国理应先关心国内企业渡过难关。其次，由于中国经济的对外依存度高达60%，目前外部需求出现的衰退无疑将造成外贸顺差锐减，在这种情况下，中国的外汇储备虽然存量巨大，但是其中1.2万亿美元左右已经投入美国市场，再除去6 000亿美元左右的储备以备可能出现的国际收支的暂时性失衡，那么剩余可使用的资金也就2 000亿美元左右。从这一角度来看，中国不可能对美国实施大规模的资金援助。

一些西方经济界人士也不主张中国直接借钱给美国救市。加拿大BMO资本市场公司副总经济师、中国经济问题专家道格拉斯·波特认为，中国可以有更好的办法，既帮助了世界，也帮助了自己，即：一是直接刺激国内需求，扩大政府开支，扩大基础设施，推动经济增长；二是为将近两万亿美元的外汇储备寻找投资机会。比如现在就是一个好时机，从那些在金融危机中受困的资产中寻找出一些好的资产进行投资，这可能是一个很明智的投资行为，既给世界金融体系增添了流动性，又缓解了危机的危害程度。

还有一些学者的主张介乎救与不救之间，他们主张出手“救美”要提出自己的条件，可以称作“有条件‘救美’说”。有的学者认为，在购入新债时，按高风险高回报原则，要索求高利率，而且最好还要有适当的资产抵押。有的学者说，借给美国钱的同时，要回购美国在华投资企业的股权，比如美国通用在上海通用的股权。

更有的学者认为，如果出手“救美”，最好的要价是解决台湾问题，“如果用1万亿美元买回台湾和平回归，中国在这场金融风暴中的损失就是值得的”。对于这些专家学者，我们钦佩他们高涨的爱国热忱，但也对他们低估美国当局智商的想法感到惊讶：美国人在国际交往中从来都是国家利益至上的，他们寻求中国救市，不过是想利用别人的水救自己的火，干的是无本万利的买卖，怎么可能在涉及其国家利益的问题上让步呢？优尼科的事情不还记忆犹新吗？何况它只是首先选择破别人的财、免自己的灾，如果没人出钱，它也满可以自救，到目前，美国政府救援计划的总金额不是早已超过1万亿美元了吗？

其实，问题的关键并非应不应该“救美”，而是怎样“救美”。中国是发展中国家，能力有限，金融风暴冲击下更显现出了中国经济某种程度上的脆弱性。犟出头去“英雄救美”，可能是“救美”不成更累己。这样的结果不仅中国人不愿看到，也是世界各国的人们（除了别有用心的那些）不愿看到的，一个羸弱不堪的中国对谁都没有好处。而且时至今日，此次金融风暴所引发的已经不仅仅是金融危机，而是全球经济危机。那种单纯在金融领域救市的举措，现在看来正所谓“头痛医头，脚痛医脚”，实在不是什么高明的主意。美国人其实对此认识得十分清醒，美国政府不就放弃了雷曼兄弟吗？而对美国汽车业的三大巨头不又伸出援手了吗？

在金融风暴给全球实体经济造成伤害而且正在进一步伤害的时候，江湖郎中的招数实在起不了什么作用。现在是该从经济的基本面考虑问题并着手的时候了。这个时候，我们只有保持世界经济列车火车头之一的中国经济的平稳较快增长，这才是对世界的最大贡献。

（选自中国社会科学出版社《2009金融风暴下的中国》，
2009年1月出版，作者：金歌）

中国首架新型支线客机研发纪实

2008年11月28日13时24分，我国首架具有完全自主知识产权的新支线飞机ARJ21-700在上海成功首飞。这一在我国航空史上具有里程碑意义的飞行，标志着中国飞机正式飞入了世界新型民用客机的行列。

如果说，飞机设计更多体现的是一个国家在基础科学与应用科学领域的认知与智慧，那么，飞机的制造与试验，也不啻象征着先进工业上那颗璀璨明珠，是真正对一个国家航空工业制造力、创造力和协作能力的综合检验。

对接方式的选择

在ARJ21-700飞机前机身与中机身、中机身与中后机身之间的对接方法上，FAI与上海飞机制造厂之间也产生了不同的看法。

“我们跟设计部门一起讨论，想用间隙对接或者原来MD-90飞机的框间对接方法，而不是目前这种无间隙对接和框上对接方法，但是，设计部门最终没有同意我们的想法。”上海飞机制造厂总工程师姜丽萍说。

“大部件的对接是非常困难的，我们考虑最多的就是飞机机翼和机身的对接方法，要知道，框上对接就是插入对接，要把两个不同的钢体严丝合缝地插上，这比框间对接的方法难度大很多。”上海飞机制造厂副总工程师蒋艰解释说：“ARJ21-700飞机的全机对接方案我们与设计部门、西飞、沈飞和成飞共同讨论了至少半年以上，我不大同意现在的对接方案，因为现在这种对接方法我们从来没有尝试过，首次应用在ARJ21-700飞机上有很大的风险性，对上飞厂也是个巨大的挑战。在制造MD-90飞机的时候，上飞厂已经积累了一些相关的经验，当时，我提供的ARJ21-700飞机全机对接方案就是MD-90飞机积累的方案，既不影响性能，又不影响旅客的舒适度，而且，每架飞机的装配时间还能缩短七天左右的时间。”

“不！一定不能再是 MD-90 飞机的对接方法，ARJ21-700 飞机应该有自己的对接方法，一定要实现这个突破，我们一定能够做到。”ARJ21 系列飞机总设计师吴光辉对于框上对接的方案非常坚持，“我们必须不断地对自身能力提出挑战，也一定要为 ARJ21-700 飞机注入新的元素。”

或许，飞机的对接方法有很多种，但是，ARJ21-700 飞机最终的对接方案只能有一个。

“ARJ21-700 飞机的机身有两个设计分离面和四个工艺分离面，四个工艺分离面将机身沿纵向分为五段：机头、前机身、中机身、中后机身和后机身……”FAI 副总设计师谢灿军，一边在电脑上演示着 ARJ21-700 飞机的机身对接方式，一边解释说：“ARJ21-700 飞机的机头与前机身、中后机身与后机身之间采用框间连接的形式，就是将前后两段机身的蒙皮和长桁，分别用加强垫板和长桁接头进行连接，对接面位于两框之间。而飞机的前机身与中机身、中机身与中后机身之间则采用的是框上连接的形式，即将前后两段机身的蒙皮和长桁在加强框上进行连接，对接面位于框上……”

“框上对接要求间隙均匀，误差不能超过 1～3 毫米，但是，要考虑到热胀冷缩的情况，所以，对接面上又必须留有一定的间隙，不仅要求我们，同时要求西飞公司也要做到很精确。”在部装车间里，蒋艰副总工程师指着等待对接的 ARJ21-700 飞机的中机身和中后机身解释说。

“5 米直径的中后机身要用无间隙对接，我们的确很担心。设计要求是无间隙套接，无论是套接过程还是套接以后的调节，都存在困难，而且套接时还必须进行蒙皮间隙调整，滑轨间隙调整、龙骨梁安装位置调整，转折梁对接调整等，都给装配工作带来了相当大的困难。”姜丽萍总工程师解释说，“所以，我们就和西飞公司协调，让他们把 ARJ21-700 飞机的前机身与中机身的连接处留了 400 毫米的余量，长桁和铆钉暂时都不铆上。”

“我们还专门设计了一种能够把中机身一头的蒙皮撑开的‘工艺装备’。工人们用自己制作的小插片，一点点地撑开蒙皮，再将对接的部分套进去，然后再拉出来，涂胶后再复位。”蒋艰认为这种方法是一次极大的冒险：“框上对接不仅涉及刚性件的对接，而且还涉及蒙皮非刚性件的对接，为了保证强度和外观，难度是可想而知的。如果采用框间对接的方法，我只要三天左右的时间，但是，采用框上对接方法我就必须十天的时间才能完成。”

“要知道，目前，ARJ21-700飞机的机械化装配程度并不高，只能达到20%，ARJ21-700飞机大部件机身对接是靠手工完成的，而波音公司、空客公司已经达到了80%，我们仅仅停留在人家20世纪80年代的水平。在这种情况下，要想实现一次性准确对接成功，的确是非常不容易的事。在ARJ21-700飞机的总装厂房里，摆放着一些黄色的架子，那些就是用于飞机全机对接的工装型架。首先，我们在部装车间形成机头和前机身一段、外翼和中机身一段、尾段和中后机身一段的对接，然后，再将对接好的三段飞机拉到总装厂房里，上到全机对接的工装型架上，最后就通过工人的手摇慢慢将三段飞机靠拢，实现全机身的对接。”姜丽萍解释说：“开始的时候的确很担心，不仅因为我们没有做过，而且，也担心厂际之间的协调能否准确而有效。后来，我们在庞巴迪公司参观时，发现他们也在采用这种对接方式，这样，我们心里就有点底了。现在，ARJ21-700飞机的机翼已经装配到第三架飞机了，情况还是非常好的，毕竟，我们完成了这次挑战。”

终于，2007年6月28日，中国首架拥有完全自主知识产权的ARJ21-700新型涡扇支线飞机在上海飞机制造厂实现了一次性全机对接成功，标志着ARJ21飞机研制生产取得重要突破性进展。

历史就是这样，如果你错过了某个瞬间，那么，就只能通过亲历者的讲解与回忆去重新复原历史的画面了。或许，正是这种方式，让人们可以抛开各自所承载的压力，而更加冷静地思考与审视自身。

工艺装备

一定程度上讲，造飞机就是制造“工艺装备”，“工艺装备”准确了飞机制造才能准确。

除了为飞机制造关键的大部件，飞机制造厂还要自己设计和制造用来装配或者制造飞机零部件的工具。在总装车间里，可以看见各种形状各异，甚至是独一无二的工具，工人们称这些工具为“工艺装备”。这些“工艺装备”的范围非常广泛，从小到手握的设备到大型的几十米高的型架；从制造零部件的设备到装配飞机的设备门类繁多。蒋艰介绍说："这些'工艺装备'都是上飞厂为ARJ21-700飞机专门设计和制造的，一架飞机能否实现精确的装配，正是由这些'工艺装备'的设计质量所决定的。它们必须通过苛刻的设计和制造标准，因为，飞机的许多部件必须极精确地安装在一起。这些'工艺装备'的设计也采用了数字化设计，很多以前需要通过模线、样板才能制造生产的'工艺装备'，现在通过CATIA数据集，通过产品的数字化信息进行相关的设计、操作来满足生产目的。通过数字化设计，一些需要经过大量讨论和计算的工装，只需要进行相关的干涉分析、强度校核、运动分析、数字模拟就可以解决许多不可预知的问题。"

在复合材料的制造中，"工艺装备"的质量就更为重要，西飞国际副总经理许春林介绍说："复合材料是树脂和纤维，拿在手里是软软的，就像布一样，要想构

2008年11月28日12时23分，ARJ21-700新支线飞机腾空而起。（裴鑫/摄，图片来源：新华社）

造出形状，就必须得有个模型，然后，把复合材料一层一层地贴在这个模型上，再固化成型。这个模型就是‘工艺装备’，所以，‘工艺装备’的好坏将直接影响产品的质量。”

“其实，制造中出现的很多问题都与‘工艺装备’的设计、设计的合理性有关，例如，ARJ21-700 飞机在做气密试验的时候，发现由于应急门的安装不到位，有 1~2 毫米的偏差，密封垫的压缩量不足，导致飞机机舱漏气。”FAI 设计人员乐光说，“事实上，在 ARJ21-700 飞机的整个制造与装配过程中，‘四大飞’也是在不断地检验自己的‘工艺装备’设计得是否合理，能否保证飞机正确而精确地制造和装配到一起，这是个自我验证的过程，一个不断迭代修正的过程，也是个正常的过程。”乐光是蒋艰最愿意合作的年轻设计师之一，“因为，他从来不会将问题推卸，装配现场出现问题时，他总会积极地想办法解决这些问题。”蒋艰说。

在与制造部门接触的过程中，乐光感觉自己学到了很多书本上学不到的东西，更为重要的是，他开始站在制造部门的立场上思考问题。当他对一些问题把握得越来越清楚的时候，他开始思考一些更为有效的解决之道：“比如说，一般的零件表面粗糙，我们考虑以后在零件表面增加织物，那种织物实际上就是为了润滑，因为，原本是应急门直接去压密封条，有时候可能过于粗糙的话压缩量就不到位，同时还能解决耐磨性的问题。有些时候，整个设计看上去都很完美，但是在制造与试验中，就会发现，一个小小的东西就会令一个完美的设计方案前功尽弃，真的是细节决定成败。”飞机设计与制造中的生动与复杂依然令乐光充满自信：“现在，我们想的还仅仅是如何把 ARJ21-700 飞机的每一个部件、每一个系统安装到位，但是，我们同时也在考虑如何把 ARJ21-900 飞机设计得更好，更利于制造，更能满足客户要求。”对于每一位年轻的设计师来说，ARJ21 项目就像是一个生动的大课堂，在这里，他们不仅能实现专业能力的提升，更为重要的是，他们会综合地思考问题，积极地解决问题，最终成长为一名经验丰富的飞机设计师。

所有的问题都会集中在总装的时候出现。在姜丽萍看来，ARJ21 项目最难的时候就是在总装的时候，“同样，目前，也是设计部门最艰难的时候，是问题暴露的时候，在这个时候出现问题，并且能够快速地解决问题，这简直是天才才能完成的任务。我们的工人就是这样的天才，在总装现场，他们总会找出非常实用的解决方法，例如：在 ARJ21-700 飞机的翼身整流罩装配时，由于空间限制，从框架往面板上引孔的时候就是采用了工人师傅的创意，使用一种称之为‘芝麻钉’的辅助工具在面板上定出孔心位置，然后进行钻孔，这种方法在很大程度上解决了由于空间限制造成的操作不方便。但是，商用飞机的管理也是非常严格的，工人所有的工作都必须按照程序和工艺文件进行展开，不能有任何的发明创造，在生产过程中，工人的新想法是需要通过与工艺、质保协调，得到认可更改工艺文件后才能实施相关操作”。

即使是制造得再精美的部件，最终却无法组装在一起，那么，之前所有的辛苦都将白费，而这种遗憾和令人懊恼的事情，恰恰是要到总装的时候才集中体现。厂际间的管理协调，也就成了姜丽萍的家常便饭：“研制过程中最头疼的是管理协调，协调的过程也很痛苦。工程设计更改后，零件要重新加工，发回负责生产的制造厂，对于双方来讲这都是非常糟糕的事情。在这种情况下，很多时候需要通过行政命令来协调，单纯依靠合同很难解决问题。”

飞机装配是整个飞机制造过程的龙头，这项复杂的系统工程，涉及飞机设计、工艺计划、零件生产、部件装配和全机对接总装的全部过程。在市场竞争以及日新月异的新技术的推动下，装配技术经历了手工装配、半机械/半自动化装配、机械/自动化装配到柔性装配的发展历程。目前，国外蓬勃发展的柔性装配技术是一种能适应快速研制和生产及低成本制造要求、模块化可重组的先进装配技术，它与数字化技术、信息技术相结合，形成了自动化装配技术的一个新领域。

在总装阶段，由于柔性装配技术的发展，传统的对接平台/精加工台，已经逐渐被由计算机控制的自动化千斤顶、激光跟踪定位系统、激光准直定位系统等组成的柔性对接平台所取代，并在波音公司得到了推广应用。采用柔性对接平台，能使机体装配质量大幅提高，以满足新一代飞机气动外形高准确度的要求；自动控制，操作简便，缩短了装配时间；能适应不同尺寸的机身机翼结构，节省了装配工装的费用。

在姜丽萍心里，她期待着实现数字化柔性装配的日子：“要知道，数字化柔性装配技术是飞机制造技术领域的一次革命性变革，它充分发挥了数字化技术在飞机装配过程中的作用。”但是，飞机装配技术却正是中国飞机制造过程中最薄弱的环节。自动化装配程度不高、熟练工人的短缺同样也延长了ARJ21-700飞机的生产速度，姜丽萍说：“事实上，在应用了数字化柔性装配技术之后，目前，上飞厂的工人才刚刚满足生产的需求，也将能彻底改变以模拟量传递为主的传统落后的飞机制造协调方法。”

在波音公司，波音777飞机在总装阶段已经使用了移动装配生产线，以使这个生产系统更精益且更有效，在生产过程中，波音777飞机以每分钟1.6英寸（4.1厘米）的稳定速度前行。

移动生产线是识别和取消生产系统中浪费的最强大的工具，由于能够使问题容易发现并督促快速解决发生问题的根本原因，所以效率得到极大提高。除了生产率和质量得以提高外，新的生产系统还能够使制造飞机的人员得到更大的保障，工人们工作起来更容易且更安全，零件和工装能够在他们需要时及时精确地送达。这类似于外科医生在手术室给病人做手术。为了使波音777飞机装配生产线在总装中移动，波音公司使用了一个与前起落架相连的拖车向前拉动飞机。拖车有一个光纤传感器可沿着车间地面上的白线前行，在装配过程中，机械人员安装诸如座椅、行李箱和其他飞机内部的结构件，还可以进行各种系统的功能试验，这是在商用飞机制造中采用的范围最广的移动生产线。

空客公司A320飞机的总装生产线则采取了站位式生产模式，总共分为四个站位：机身对接；机翼与机身的对接；尾翼与机身的对接；在机坞站位主要进行最终调试和试验工作。飞机组装时采取“飞机不动人动”的流水线，不同工种工人轮番上阵，进行组装。

空客公司在欧洲的制造工厂包括总装工厂和部件装配工厂，这些工厂以近似同步化的方式生产A380飞机的各个部件并将之装配在一起。空客公司将A380飞机的主要部分——机身、驾驶舱、机翼和水平尾翼分配到了千里之外的不同国家，在互相完全不同的工厂各自独立完成。而且，每一部件必须尽可能地完整，要装配上所有设备、操纵系统和电缆。这些部件被称为“空中客车插件”，只需要在最后一刻，在总装生产线上将它们“插”在一起就行了。没有任何误差的余地，一个直径为5.64米的机身段，允许的差值仅为0.1毫米，空客公司的这种装配方式需要所有参与生产的公司，经过严格的组织和训练，能够达到精确协调的情况下才可以获得预期的效果。

与装配成熟机型生产线的井然有序相比，全新研制的ARJ21-700飞机的总装现场，总是显得手忙脚乱，所有供应商都在抢时间进行系统的安装与调试，甚至，一些装配任务已经排到了凌晨时间才能开始。

“我们的试飞改装是在见缝插针的情况下进行的，从ARJ21-700飞机下线之后，我们就一直在想方设法将我们的测试设备装进飞机。”ARJ21-700飞机试飞总设计师魏志诚对此更有深刻的感受，“飞机试飞需要在飞机上加装一定的传感器、一定的采集系统和一定的技术系统，这样才能整理出数据，形成最后的试飞报告。但是，试飞的改装又是基于飞机有限的空间里进行的，要等到所有的系统设备安装到位之后，才能再看是否还有足够的空间来安装我们的测试设备。”

多数情况下，飞机改装人员会对魏志诚说：“你需要为我们的设备去协调出一个位置，因为，飞机上已经没有安装它们的空间了。”试飞改装涉及各个专业，而且每个系统都不是独立的，几乎是牵一发而动全身，可以想象，协调的难度是巨大的。“例如，一个设备是为了测试发动机的参数，但是，发动机同时又跨到了航电系统里面，可能还会涉及其他很多系统，这种情况下，这个测试设备的安装可能满足了发动机的测试要求，但是却对其余系统产生了影响。这时候，我们就必须想办法解决这些问题，让所有的工作都能顺利进行。最令人头疼的还是测试超临界机翼的电缆，这种机翼翼型空间本身就非常狭小，飞机自身的电缆都很难通过，那么，再为试飞改装的电缆寻找空间，难度是可想而知的。”魏志诚说，“最终，我们还是把位于客舱的12台测试机柜和分布于飞机多个部位的测试传感器全部安装到位，贯穿于飞机各个部位，各式各样的测试电缆就有15 000米，101号飞机的工作量相当于过去几架新机的测试改装工作量。而且，每一架飞机的测试任务也都不一样，101号飞机主要是对飞机操纵系统的测试，风险性比较大；102号飞机主要测试动力装置和载荷，也就是加载模拟飞机在空中飞行的各种姿态，虽然试飞测试改装工作量会更大，但是试飞风险并不是很大；103号飞机主要测试航电系统；104号飞机最主要的任务就是适航取证，可能还会有像自然结冰等一些补充任务的试飞，具体还是要看项目的进展情况。”

每一个飞机制造厂都认为自己在项目中承担了重要的工作。

原西飞公司总经理高大成说：“西飞公司承担了整机制造任务量的60%以上，而超临界机翼的研制更是ARJ21-700飞机决定成败的一项关键技术。”

ARJ21-700飞机机翼长达13米，是我国首次在航空制造业中采用超临界机翼制造技术，研制过程中，涉及大型机翼壁板数控加工、数控喷丸成型、化学铣切、自动钻铆、钛合金滑轨零件机械加工和火焰喷涂等一系列关键技术，在国内航空制造业中均属首次应用。

用手抚摸超临界机翼外表面的时候，会感觉到，这个特殊的机翼结构既有弯曲，又有扭转，还有弯折，这些特殊的形状变化都要在一个高强度铝合金平面上同时实现，如何才能做到呢？在西飞公司的喷丸成型现场，西飞国际副总经理许春林，指着一个带有六个喷嘴的机械手介绍说："就是用这个，在高压空气的带动下，无数的金属弹丸从这个喷嘴里喷射出来，形成一个弹丸流打在ARJ21-700飞机的下后壁板上。每个弹丸打在壁板上都会形成一个微量的变化，多个弹丸打上去之后，就集合形成一个大的变化，从一个点到一个区域，再到一个表面，ARJ21-700飞机下后壁板的外形就是在这些金属弹丸的打击下最终成型的。"

沈阳飞机工业（集团）有限公司副总经理陈永满说："沈飞公司作为ARJ21新支线飞机主要参研单位，承担飞机尾段、发动机吊挂、无线电架、全机电缆和方向舵研制工作，工作量占整个机体制造的四分之一。"

"ARJ21-700飞机是个全新的飞机，其中，发动机和机身连接的发动机吊挂是一个关键部件，而且，位置处于高温区，采用的材料主要是钛合金和一些不锈钢材料，加工难度和装配精度都要求比较高。"中国一航沈飞民机有限责任公司工程研发中心副主任柳作宇说，"当年在制造MD-90飞机的时候，我们也接触过类似的发动机吊挂，从当时的制造能力和技术水平来说，我们是不敢承担这部分工作的，当年，两架MD-90飞机的发动机吊挂是我们买来的，没有自己制造，而ARJ21-700飞机的发动机吊挂，我们从开始的研制到最后的制造，用了不到10个月的时间就全部完成了。我们一直对完成这项制造充满信心，也相信有能力解决过程中出现的问题，事实上，我们也的确做到了。"

沈飞公司制造的ARJ21-700飞机全复合材料方向舵，是ARJ21-700飞机上唯一的一个全复合材料的结构部件，占到全机复合材料应用量的70%。柳作宇说："虽然ARJ21-700飞机复合材料的应用采用了相对保守的比例仅有1%，但是，我们的设计人员与制造人员却在过程中得到了很好的锻炼，毕竟，任何一种先进制造工艺的应用，最终体现在飞机上的都是设计水平和制造水平的一个综合能力。"

从20世纪70年代初开始，复合材料就在与金属材料的博弈中登上历史舞台，由飞机的非承力结构而逐渐向主承力结构蔓延。与此同时，金属材料在积极响应复合材料挑战的过程中，也在不断地优化自身的性能与加工技术，以适应激烈的市场竞争。截至目前，复合材料与金属材料的这场博弈，依然在如火如荼地进行中，彼此都在寻找着对手的弱点，互相迭代地向前发展，并为航空制造业的发展带来显著的变化。

“ARJ21-700 飞机的方向舵是左右两块板子扣在一起，中间除了有梁和肋进行连接之外，其余全部是空的，你可以想象一下，飞机在空中飞行的时候，就要靠这个中空的方向舵来转弯，所以，对结构强度的要求是非常高的。”在 ARJ21-700 飞机的方向舵的制造现场，沈飞公司复合材料制造中心工程师李景钰介绍说：“为了保证结构的受力和外形不发生变化，我们就在两层板中间放进一个蜂窝夹心，来保证稳定良好的结构性能，但是，制造难度却是非常大的。例如，如何保证蜂窝不窜动，

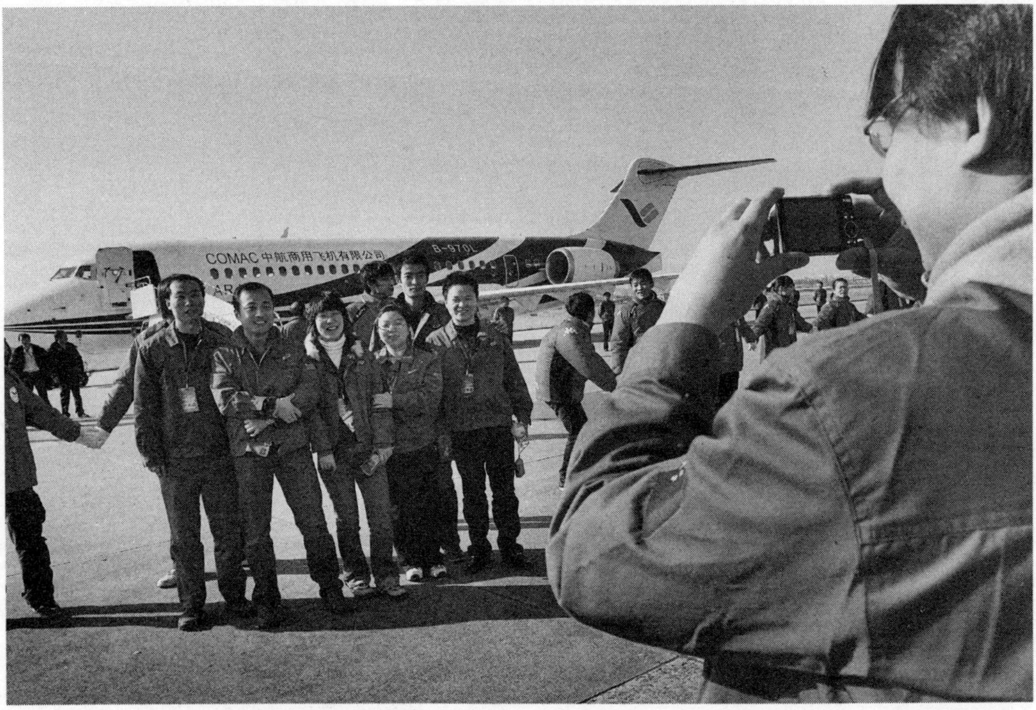

参加首飞仪式的上海飞机制造厂的员工在 ARJ21-700 新支线飞机前留影。
（裴鑫/摄，图片来源：新华社）

如何保证蜂窝不发生塌陷等一系列的问题，在整个研制过程中，问题层出不穷。光是解决蜂窝窜动的问题，就废了四五个部件。作为技术人员来说，我们的主要工作，很重要的一部分就是在想办法一步步解决这些问题，最后制造出一个标准完美的产品出来。”

中国一航成飞民用飞机有限责任公司总经理陈良驹说：“成飞公司采用数字化的工装设计制造技术、数字化的协调技术以及数字化的装配技术，提高机头制造精度，由于成飞公司在大型整体结构件高效数控加工、大型复杂薄壁零件数控精密加工、喷丸成型、液压成型工艺等技术方面取得重大突破，使 ARJ21-700 飞机机头制造质量也达到了较高水平。”

原成都飞机制造有限公司总经理罗荣怀说：“机头是三维曲面过渡结构非常复杂，制造难度也非常大。旅客登上飞机，第一眼看到的就是飞机的机头，如果产品的质量非常粗糙，那么会让旅客产生非常不安全的感受，所以，对机头的质量要求是非常高的。而且，飞行员的视野感觉，飞机的操作系统的安装，所有这些问题的协调也都集中在机头上，即使在这样的情况下，我们还是提前五天交付了 ARJ21-700 飞机的机头。”

而在上海飞机制造厂总工程师姜丽萍眼里，上海飞机制造厂最大的能力提升正是在于能够很好地对供应商进行控制与管理：“ARJ21-700 飞机的每个部件如何按照同一标准生产，能够实现准确无误地装配起来，这都是我们总装厂控制、协调的。在 ARJ21-700 飞机装配的整个现场，从零件制造到部件装配，从工艺到质保，从制造到验收，所有的这些都由 M 立方系统进行管理控制。”

……

事实的确如此，在上海和世界各地，为制造 ARJ21-700 飞机，人们竭诚合作，不懈努力，共同促成了 ARJ21-700 飞机显著的变化。所有的这些人，还有更多的系统供应商，更多的咨询人员，更多的销售人员，更多的负责产品支持的培训人员，还有成千上万的人都在帮助 ARJ21-700 飞机，让它飞起来。

（选自中国经济出版社《为了中国——中国首架新型支线客机研发纪实》，2009 年 1 月出版，作者：刘济美）

共和国：三十年的转身（1978—2008）

30 年可以发生很多事情，也可以波澜不惊。

30 年前，中国确定了改革开放的思路，一池春水就此不再平静。从封闭到开放、从计划到市场、从一元到多元、从僵化到灵活……30 年来，中国坚定地转动着巨大的身躯，重新上路。每个中国人的生活都因此而改变，那是当初无从想象的变化。

将票证送进历史的橱窗

当年轻人在超市中选购琳琅满目的商品时，很少有人知道，上个世纪 90 年代以前，存在过一个特殊的“票证时代”。

那是一个回忆起来苦涩的年代，商品皆需“凭票购买”，贫瘠的商品对应着繁多的票证。以粮票为代表的票证，成为捆在商品身上的枷锁，给那个时代留下了鲜明烙印。

1993 年，我国取消粮票制度，这是从计划经济转变到市场经济过程中的里程碑事件。经济体制的一次成功转身，终将各类票证送进历史的橱窗。

粮店的记忆

27 岁的朱光荣走出北京站出站口，北京站的大钟依旧，站前的平房俨然。天空晴朗，他心情舒畅。

这是 1979 年 7 月的一天清晨。这一天，在黑龙江某兵团插队 10 年的朱光荣，返回家乡北京。和那个时代所有的返城知青一样，他首先面临的是就业问题。

在家赋闲两个月后，当地街道给他介绍了三个工作。朱光荣本想选择在兵团时熟稔的汽车修理，但家人和朋友却劝他到粮店工作。

“那时候粮店是一等的好单位，谁家不需要吃饭？”朱光荣最终到粮店工作。他的新单位在东城区和平里四区附近，名字叫作和平里中街粮店，但当地居民更习惯称之为“四区粮店”。

四区粮店是和平里附近最大的粮店之一，负责为3 000余户居民供应粮食。粮店的上级单位是东城区安外粮管所，是一家典型的国营粮店。

四区粮店是一家面积约100多平方米的平房，店内左侧是一排米面柜台，柜台上摆有秤盘，柜台下装着接粮的漏斗，右侧是花生米等杂粮柜台，靠近后门的位置放有油桶，长长的抽油器插在桶中。射进窗户的阳光光柱内，各类粉尘飘飞其中。

在当时，粮店是仅次于电影院的热闹场所。因为掌控着粮食命脉，粮店成为社区居民的中心。

那时，每逢周末或月底，四区粮店门前总要排起长长的队伍。居民家中有小孩的，往往打发孩子前来排队。快排到时，大人拎着面袋赶来。他们总要小心翼翼地观察秤杆的准星，生怕遇到缺斤短两。买到粮后，再小心翼翼地扎紧口袋离去。

那时，人们对粮食的仔细，一方面源自节俭的传统和对饥饿的恐慌，另一方面也因为国家限量供应的政策。在那个粮食市场尚未开放的年代，人们只能用粮票来换购定量的粮食。粮票，成为当时买粮所必需的“通行证”。

吃饭的护照

朱光荣在四区粮店上班的第一个月，便开始熟悉收放粮票的业务。

1953年，中共中央和国务院分别公布了《关于粮食统购统销的决议》《关于实行粮食的计划收购和计划供应的命令》，粮食流通体制从此进入长达31年的统购统销时期，粮票登上历史舞台。

上世纪80年代，城镇居民迁徙户口时，有一个特殊的关系叫作“粮食关系”。粮食关系最终会落实到具体粮店，关系人只能限定在该粮店购粮。对于拥有城镇户口的居民来说，“粮食关系”与城镇户口同等重要。倘若居民想到另外一个城市工作，除须办理户口转移手续外，还必须办理“粮食关系”的转移。没有粮食关系，等同于没法吃饭。

四区粮店拥有近万人的粮食关系。每月21日，四区粮店的上级单位就会把数十万斤粮票发放到粮店内。

粮票是成联发的，每次都有厚厚一摞。每张成联粮票的面积与报纸相仿，上面打有孔洞。朱光荣等人的工作便是把粮票裁剪成小张，然后按户装入一个小口袋中。口袋上写有户主的名字。每月24日前，小口袋便会发放到每户手中。

买粮时，居民首先要出示粮食供应证来“验明正身”，粮票回收后，工作人员会把粮票贴在报纸上，攒满一张报纸后，再刷上一种特殊的紫色涂料，防止被人重复使用。在南方一些地区，粮票被人们视为生命票，当时下发各区县的粮票都有专门的运票车运送，还有武警押运，回收的粮票也有专人清点，每半年送到造纸厂销毁一次，负责监督销毁的人要看着所有粮票打成纸浆才能离去。

上世纪80年代初的北京，居民物质生活水平不高。朱光荣说，因为缺乏副食供应，人们的肚中很难存下油水，有的人家里甚至吃了上顿就惦记下顿。一般人家未到月底，家里的粮食就吃空了，“粮票刚好够花，根本攒不下来”。

这种情况下，被俗称为“粮本”的粮食供应证，和户口本、结婚证变得同等重要，往往被珍藏家中，束之高阁。没有粮本就无处买粮，某种意义上，这个黄皮黑字的粮本就成了吃饭的护照。

那时，朱光荣觉得在粮店工作光荣且有面子，“大家都不敢得罪粮店的人，社会地位较高”。因为工作努力，1981年，他被任命为四区粮店的经理。

疯狂的票证

在朱光荣当粮店经理的上世纪80年代初期，北京的商品市场处于萧条阶段。

每逢秋天，北京的大街小巷内开始堆满大白菜，每一棵白菜都成为居民家中珍贵的储备。朱光荣一个月的工资是52元，但这52元钱却不能随心所欲地购买商品，因为所有商品都捆有票证的“枷锁”。

建国初期，因为商品供应不足，票证开始登上历史舞台。随着经济发展，票证的种类有所减少。此后，国家经历了十年动乱，人民日常生活必需品紧缺，“文革”后，票证的种类又多了起来。

上个世纪80年代初的中国是一个票证疯狂的年代。各地的商品票证通常分为

“吃、穿、用”这三大类。食品类除了各种粮油票外，还有猪牛羊肉票、鸡鸭鱼肉票、各类蛋票、糖票、豆制品票及蔬菜票等。

服装和用品类的票证更为繁多。从汗衫票、背心票、布鞋票到手帕、肥皂、手纸、洗衣粉、火柴票等，应有尽有。一些贵重物品，如电器、自行车、手表更是一票难求。

票证的种类五花八门，涉及各个领域。什么样的商品就用对应的票证去购买，对号入座，缺一不可。为了管理这些名目繁多的票证，部分地方的商业局还设立票证管理办公室，专人负责票证发放。

在朱光荣的记忆中，80年代初期，想吃一次鱼或者糖果，只能等到春节。那时，食品供应点前总要排起长龙。因为是凭票供应，所以人人有份。对于买到手的冷冻带鱼和过期糖果，也不会有人抱怨，反而会当作宝贝一样珍藏起来，准备用来款待拜年的客人。

在当时的北京，因为旅游业的缘故，在西单商场有时还可以买到“高级点心”和“高级糖”。和平里的老居民告诉记者，所谓“高级”，不过是水果糖和核桃酥之类的，而且一市斤要五元钱；和一般职工每月四五十元的工资相比，价格昂贵，所以才称为“高级”，“即使是这样，大家也不得不抢着买”。

因为市场商品的稀缺，那时的票证制度对保障供应、稳定人心起到了重要作用，但同时也给人民生活带来严重不便。朱光荣说，当年人们想买短缺商品时，不仅需要攒钱，而且还需要凑够这些必需的票证，“像现在超市里什么东西都能买到，大商场里手表和电器泛滥成灾，以前是不能想象的”。

转变的萌芽

1985年，国家关于粮食统购统销的政策有了松动，标志性事件是当年元旦，中共中央、国务院发布《关于进一步活跃农村经济的十项政策》，规定“粮食、棉花取消统购，改为合同定购”。

有学者称，这是真正意义上的中国第一次粮食流通体制改革。

1985年，朱光荣发现他的工作内容有了明显变化。首先，他们不用再挨户发放粮票了，取而代之的是东城区粮食局统一制作的粮票代存卡。居民购买粮食时，所用粮票直接从卡里扣除。

此外，在四区粮店内，开始有了议价粮出售。所谓的议价粮，是相比国家统一定价的平价粮而得名。议价粮由当地粮食机构进货并自主定价，价格可按市场需求浮动。

四区粮店内，除了平价粮柜台外，多出了议价粮柜台。议价粮的价格是平价粮粮价的一倍，但购买议价粮不受粮票限制。

此时，北京城市居民的生活水平有了显著提高。因为计划生育的实行以及副食品的增多，居民在餐饮上不再是单纯地吃粮度日，每月粮票或多或少有了结余。即便家中突发状况，粮食不够吃，也可购买议价粮来补缺。

随着居民手头存积的粮票越来越多，粮票渐渐有了新的作用。人们把它当作一种流通货币，开始用粮票交易商品。

在种类繁多的粮票中，1955 年由粮食部发行的全国通用粮票，是公认的“硬通货”。朱光荣说，按照当时的规定，北京的粮票只能在北京使用，如果出差到外地，就必须用到全国粮票，“不然你到地方就买不到粮食，有可能挨饿”。

他说，当时对通用粮票的审批极为严格，如果出差到外地，只能按出差天数发放相应的通用粮票，开具时还需要所在单位的出差证明。

因为这种严格的发放制度，通用粮票在地下市场内受到追捧。在当时的北京，一斤全国通用粮票价值 0.2 元。

粮票最先用于换购副食等食物，但很快它有了新的用途。

1986 年开始，一些南方的生意人开始在北京的小巷和胡同内销售铝盆和钢锅等物品。几十斤全国通用粮票就可以换来一个铝盆。随着市场的发展，这种地下交易越来越公开化，在一些大型自由市场内，用粮票换物已成公开的秘密。

除了商贩们青睐粮票，一些农民也选择用粮票交易。80 年代末期，农民按照参加集体劳动的“工分”，可以分得“口粮”。当口粮不够吃时，农民选择了进城，用大米换取粗粮；或者用自家的鸡蛋和蔬菜，与城里人换粮票，以解决口粮不足的问题，一度“三斤粮票换一斤鸡蛋”成为自由市场内的潜规则。

对此，国家粮食部、工商行政管理总局曾下发通知严厉打击。朱光荣说，在当时粮食局有专门的检查车辆，查抄倒卖粮票或者以粮票购物的行为。

然而，国家的禁令与手段并未起到应有的效果。随着农民的收成不断提高，更多的农民把目光望向城市。他们希望用手中的粮食换来更好的生活。

1987年，西安话剧院根据社会普遍现象创作的小品《换大米》，参加了中央电视台春节联欢晚会，受到普遍欢迎。一夜之间，小品演员郭达走红全国。越来越多红高粱腔调的“换大米”吆喝声，响彻城市上空。

随着市场经济的进行，粮票作为计划经济的标志性产物变得愈发另类，政府部门开始研究是否应该取消粮票。而在远离北京千里之外的深圳，一场变革其实早已发生。

消失的粮票

那时，粮票的弊端有两点：一是平价粮和议价粮价格差异给政府带来负担，二是由于各地粮票不通用，给人才流动和农民进城务工，造成了障碍。

1983年，在深圳特区，这种矛盾开始被政府重视。

深圳经济特区在设立初期，也是推行粮食统购统销政策。但随着大量建筑工人和外来人员涌入深圳，粮食定量开始变得不足。外来人口没有深圳的粮票，只好到自由市场购入高价粮。

资料显示，1983年，深圳销售粮食总量为1.183 2亿斤，其中从外省调入的牌价粮（平价粮）占60%，剩下40%的议价粮，议价粮总体价格比牌价粮高出40%以上。

当时深圳市领导认为，这种粮食供应上的两个市场、两种价格、购销倒挂、财政补贴，不利于生产、流通，也不利于群众生活。

1984年11月，深圳市委召开会议，研究在深圳市取消粮食凭证定量供应问题。消息传出后，曾有深圳市民认为：“取消粮票？要是有人拼命买粮食怎么办？”

时任深圳市委领导的周溪舞曾向媒体披露了当时的解决办法：叫国营粮食部门多储备一些粮食，取消粮票，提高价格，敞开供应。如果发现周围地区大量抢购，再提高粮价和研究其他对策。

由于发挥了价格机制和供求平衡机制的作用，深圳取消粮票后，预料中的风波并未发生。

此后，由于全国改革开放形势的发展，再加上粮食连年丰收，全国其他地方也逐步取消了粮食定量供应。

在粮票谢幕之前，更早开始销声匿迹的是各类商品票证。此时，随着改革开放的进行，各类商品开始供应充足，市民手中的票证已经名存实亡，越来越多的票证退出历史舞台。

1984 年，北京市停用牛奶供应证。1987 年，北京市停用侨汇券。1991 年，北京市停用糖票，并于第二年开始停用肉票（猪、牛、羊）、蛋票、肥皂票、居民购货证。

在这样的背景下，取消粮票顺应经济发展趋势与时代潮流。

1993 年 4 月 1 日起，按照国务院《关于加快粮食流通体制改革的通知》精神，取消了粮票和油票，实行粮油商品敞开供应。从此，伴随城镇居民 40 年历程的粮票、油票等各种票证完成了谢幕演出，转而进入了收藏者的藏册。

1994 年，全国各地基本取消粮票，票证时代彻底终结，捆绑在商品身上的枷锁终于打开。

当时，朱光荣已经调任至东城区地坛北里粮店就任经理。他说，在粮票取消时，店里的粮票代存卡上总计还有十余万斤粮票尚未领取。几乎一夜之间，陪伴朱光荣十余年的粮票销声匿迹。

尾声

“粮票封印”解除后，粮食市场化的大门已经打开。随着几次粮改的进行，越来越多的个体粮店出现在居民的视野中。

2000 年，朱光荣买断了工龄，选择退休，离开了他工作了 21 年的国营粮店。此后，东城区粮食局下属的 120 余家国营粮店陆续关闭。

朱光荣退休后，一度赋闲在家。他偶尔会去早市买菜或去超市购物。此时，无论是菜市场还是超市，购买商品时都早已不需要任何票证。

2007 年 8 月 26 日，奥士凯同日升粮行在东城区北新桥附近重新开张，成为东城区第一家“复活”的国营粮店。

朱光荣从家中被返聘回同日升粮行，再次在粮店“上岗”。他的身份已经从当年的粮店经理变成杂粮专家。他用自己多年的工作经验，向顾客介绍杂粮的保健知识。

在同日升粮行开张之初，店方特意在店门口安置了展柜，将老粮店的标志性代表物“粮票”放置其中。

而今，这些叱咤一时的粮票躺在橱窗内，安静地讲述历史。

蔡援朝口述实录：粮票，见证历史的藏品

我于1951年出生在北京。和那个时代许多同龄人一样，我小时候正赶上“三年自然灾害”，家里的口粮很少，粮票和肉票就成了命根子。

记得那时候，我有时会去粮店帮忙领粮票。那时，每家都按照严格的配给制度领取口粮和肉。我记得家里一个月才能领半斤肉票，平均到人头上，每人每天连一两肉都吃不到，顿顿都是杂粮，所谓的菜就是用盐水煮一下。那时家里有个小窍门，可以暂时缓解一下难关。离我家不远的地方有一家小的合作社，合作社的女售货员和我家人是朋友。她有时会偷偷地通知我们，下班的时候去店里一趟。有时过去后，女售货员就会卖给我们一些没有一点肉的大骨头。这种大骨头在当时可是有钱也买不到的宝贝。买回家后，父母把骨头洗净敲开，用里面的骨髓熬白菜汤，这可是那时难得的美味。

我小时候迷上了集邮，但是从来没想过收集粮票。那时粮票代表着一家的口粮，精打细算用还来不及，根本留存不下来。那时北京的粮票是按月发放，1月份的粮票到2月份就不能用了。所以，那个时候家里偶尔有粮票留下来，也是因为将粮票藏在哪本书或杂志里忘记了，发现时粮票已过期，才可能保存下来。

1971年，我插队去了内蒙古牧区，暂时告别了粮票。可能因为牧区人口少，并且以肉食为主，不用粮票。但是每个月的口粮仍然定量用粮本领取。1975年我去西安上大学，再次接触到粮票。我记得那个时候，粮食仍然很紧张，发下来的粮票中粗粮居多。

每个学生都很珍视粮票，领到粮票第一时间就把它换成饭票，生怕丢了。基本上，每个月的粮票刚够用，女同学胃口小，可能会攒下一些粮票。那个时候，向同学借几斤粮票，是很重的人情。

1978年我回到北京，在科研单位上班，粮食关系落到了海淀区的一家粮店，从此过上了按月领粮票的生活。1986年前后，粮食窘困的情况有所好转，那个时候副食渐渐多了起来，比如一些豆制品，家家开始有了积攒下的粮票。如果有朋友出差到北京，我就会用攒下来的粮票和他换全国粮票。全国粮票可以换鸡蛋等食品和商品，在紧缺的时候，一斤全国粮票可以换好几块钱。那时，商店里有议价粮出售了，

不过价格较高，我们只是偶尔买一些荞麦等杂粮，来调剂生活。

1984年，政府发出通知要取消布票。此前，买布做衣服也是受限制的，一人一年能领一次布票，大约合10余尺布。布票取消的消息传出来后，很有意思的是，老百姓都将信将疑。社会上并没有出现用积存的布票抢购布匹的举动，大家都在担心政策会不会反复。这可能是长期谨慎过日子留下的习惯，大家很珍惜手中的票证，生怕万一政策又变回配给制，布票不够用。直到政策推行了一年后，大家才真的相信，布票的确取消了。

1993年5月10日是北京开放粮油价格第一天，朝阳区西石门粮店的店员在登记注销最后一批粮票。北京流通了几十年的粮票、油票宣布作废。（刘卫兵/摄，图片来源：新华社）

1993年5月，北京宣布取消粮票。虽然有了布票取消的先例，但因为长时间的习惯，还是有很多人留下了家中一直存着的粮票。当时我家中就留有很多斤粮票。不过，大家都明白，那个计划经济的时代，随着配给制度的结束，已经告一段落。也是在那一年，我辞职下海，搞起了公司。

从那以后，我的兴趣从集邮开始转移到收集粮票。那时候，收集粮票的人很少。我经常去大钟寺附近，那里有一些人交换藏品，粮票成为藏品之一。可能是因为亲身经历了那段时代，最初收集粮票是因为怀旧，也是因为兴趣使然。但很快，我发现，和集邮不同，粮票中的珍品很多。因为粮票在发行后要回收销毁，并且在那个时代积攒下的粮票很少。因为稀缺，所以有些粮票变得非常珍贵。在粮票收藏中，我把50年代初期一段时间发行的粮票，称为“黄金板块”，因为存世稀少的缘故，这些粮票大部分都是珍品。也因此，粮票的藏品价值开始升值。一套云南建国早期发行的粮票，曾在前年拍卖价为20余万元。而更多的粮票，是无价之宝。

2001年，中国收藏家协会成立。成立之初就设立了票证收藏委员会，这是第一个关于票证收藏的全国性的群众团体，我现在协会担任常务主任。据不完全统计的数字，全国收藏粮票的藏家和爱好者在十万人以上，而他们的藏品中，珍品不计其数。

居者有其屋的梦想与现实

30年前，杨希鸿的家是上海“鸽子笼”似的阁楼中的一间，13平方米的狭小空间里，挤着三口人。

30年来，曲折前行的中国住房改革，带给人们居住空间和生活方式的巨大变迁。这些变化，快得让杨希鸿难以想象。

1978年的起跑线

30年前，如果站在锦江饭店的最高层向外眺望，上海的房子只不过是一片片鸽子笼似的小阁楼，上海华光仪器仪表厂会计杨希鸿的家，是这些“鸽子笼”中的一间，13平方米，挤着三口人。

3.6平方米，在建国后的很长一段时间里，这个数字就是上海一个普通职工的生活空间。在狭小的空间里，人们腾挪搬移，费力经营着自己局促的生活。在一个不到1.2米高的阁楼上，杨希鸿的女儿上上下下了十几年。

不仅在上海，在1978年前的中国，拥挤是每一个城镇居民最真实的居住体验。

可查的统计数字表明，在具有改革标杆意义的十一届三中全会召开前的近30年间，中国累计用在住宅的投资仅为374亿元，年人均住房投资不足10元。到1978年，中国城镇居民的平均住宅面积不仅没有增长，反而比刚刚建国时少了0.9平方米，全中国的城镇人口中，近一半是缺房户。

在“重生产，轻消费”的新中国经济观念中，普通职工的住房需求，被认为是次要的和可以忽视的，本应用于住房建设的资金，被用来发展重工业。

“文革”结束后的知青返城高峰，和上世纪50年代生育高峰带来的结婚高峰，让城镇居民的住房矛盾，在1978年前后更加尖锐。经常有要结婚的年轻人，跑到有关部门要求分房子。

然而，面对全国869万城镇缺房户，疲弱的国家财政早已无力承担。名义上用于房屋维修、管理、建造之用的由职工缴纳的房租，在低工资的背景下，也少得可怜。杨希鸿记得，在她每个月工资是40元的时候，她只需要交纳每平方米0.2元的房租，而且这个数额在很长一段时间内没有增长过。

“这些房租，连旧房子的维护都不够，更不用说建新房了。”住房制度改革研究专家、曾任国务院住房体制改革领导小组办公室主任的张元端说。

一边是亟需改善的住房条件，一边是捉襟见肘的财政难题，站在1978年的起跑线上，关系民生的房子问题，成为决策者不得不面对的棘手问题。

解除思想羁绊

钱从哪儿来？

邓小平的两次谈话，为尚没有方向感的具体操作者，指明了方向。

1978年9月，城市住宅建设会议在京召开，会议传达了复出一年多的邓小平的一次谈话。邓小平说，“解决住房问题能不能路子宽些，譬如允许私人建房或者私建公助，分期付款，把私人手中的钱动员出来，国家解决材料，这方面潜力不小。”此时，距十一届三中全会的召开还有三个月时间。

十一届三中全会召开后，针对住房问题，邓小平再一次说，“城镇居民个人可以购买房屋，也可以自己盖，不但新房可以出售，老房子也可以出售，可以一次付款，也可以分期付款，10年、15年付清。住宅出售后，房租恐怕要调整，要联系房价调整房租，使人们考虑到买房合算，对低工资的职工要给予补贴。”

然而，在计划经济已经实行了近30年的中国，城镇职工自己建房、购房向来被认为是发展私有制，“首先要解决的，是观念问题”。张元端说，在整个国家的经济航向逐步转向商品经济甚至市场经济的时候，要让人们接受住房也是一种商品的观念，要让老百姓习惯自己掏钱租房，自己掏钱买房。

已故著名经济学家苏星发表在《红旗》杂志的一篇文章，为即将进行的改革，

从2003年开始，位于四川省凉山彝族自治州东北部的美姑县实施“三房（茅草房、石板房、瓦板房）改造”工程，极大地改善了深居高寒山区彝族贫困农户的住房条件。（江宏景／摄，图片来源：新华社）

找到了理论依据。

1980年1月，重新回到杂志社经济部主任岗位上的苏星，在《红旗》杂志第二期发表了《怎样使住宅问题解决得快些》的文章。从上世纪50年代末就开始对中国城镇住房制度进行研究的他，在这篇文章中解决了一个关键的问题，就是用马克思主义的观点，论证出住宅是个人消费品，而且依然是商品，私人购房与社会主义公有制并不矛盾。

试点的探索

突破了理论困境，住房改革的实践，便在邓小平划定的“提高租金，出售公房”的圈子里，开始试点。

最初的试点，于1982年在四平、常州、郑州、沙市四地起步，并以点状逐步向全国分散，到1985年底，全国已有1 604个城市和300个县镇在进行住房改革的试点，共向个人出售了1 095.8万平方米的住宅。在各地自主改革的基础上，1986年，国务院住房改革领导小组又启动了烟台、唐山、蚌埠三个城市的综合配套改革。

“这些试点大同小异，总的思路就是找钱，想什么办法，才能弄来建房的钱。当时能考虑到的就是卖房子和提高租金这两条路，把新建住宅出售给职工个人，提高房租，把拿到的钱再投入到新的住房建设上。”社科院财贸研究所研究员、房改制度研究专家汪莉娜说，无论是哪一种办法，都有一个问题回避不了，老百姓是否有购房的意愿和能力。

此时，中国的改革刚刚推进到城市，企业正在进行扩权让利的探索，职工工资的改革尚未全面启动。

烟台市民宫建华当时每个月工资只有52元，根据烟台的试点方案，即使在给了各种优惠后，买一套70平方米的房子，仍然需要2万元，相当于她不吃不喝30余年的工资。

不仅没有能力买，她还有很多顾虑。

“买房就是有私产，谁还敢买房子。再说，住公家的房子，不仅房租低，水管坏了有人修，灯泡坏了有人换，干吗要买房子？”

在改革开放刚刚开始的上世纪80年代，这是绝大多数普通中国人的想法。

提租的改革，也阻力重重。根据烟台的方案，考虑到职工的承受能力，房租提高后，由企业按照职工工资的29%给职工发放住房券，这部分房租上涨的压力，实际由企业承担，成为正在放权让利的企业的一个大包袱。这个包袱，在1988年的通货膨胀压力下，而越发显得沉重。

最终，在企业的反对和各地出现的贱卖公房的风潮中，这些在各地进行的试点被叫停或不了了之。

“出现这些问题的原因，在于这个时候的改革，并没有进行制度设计和全盘的考虑。在政府财力不足，企业面临转制的情况下，‘甩包袱’是政府政策选择的初衷，企业改革、金融改革都滞后于住房改革，不能提供很好的支持。”汪莉娜说。

上海的突破

在全国的房改陷入困境时，1991年，上海建立的住房公积金制度，为解决房改中的资金难题，提供了一条可行的出路。

1985年研究生毕业分配到上海计委研究所后，戴晓波的第一个课题，就是研究住房制度改革。六年后，他是《上海住房改革方案》的方案组组长、执笔者。

此时，“提租售房”的改革正在全国各地试点，提租派和售房派的争论之声此起彼伏。在这个圈子里兜兜转转了几年后，戴晓波意识到，必须寻找到第三条道路。

1990年的上海，春寒料峭，刚刚过了春节，时任上海市市长的朱镕基就带着几个人到了新加坡等地，他此行的目的，是为上海的住房改革寻到一条破题之道。此前，他刚刚接受了人大代表的质询："为什么你当了市长，上海的住宅竣工面积少了100万平方米？"

"朱镕基回来后说，上海的住房制度改革，他一直放在心上，核心问题就是资金问题。新加坡的公积金制度，可以借鉴。"戴晓波说。

1991年5月，作为五个重要内容之一，公积金制度被写入上海的住房改革方案。根据这个方案，上海市要为职工建立"住房基金"，钱由职工和企业共同负担，数额为职工工资总额的5%，这些钱，由公积金中心统一管理，用于向企业建房和个人购房发放贷款。

建设银行上海分行，承担了上海全市公积金账户的设立工作。房地产信贷部主任顾浩钟说，账户设立工作启动仅仅两个月，建行就为全市40多万个职工开设了账户，到1995年底，已经归集资金77.18亿元。

1992年5月8日，上海普通职工杨希鸿，出现在中央电视台的新闻联播里。穿着灰色毛衣，烫着卷发的杨希鸿，在一份油印的、略显粗糙的借款合同上，签下了自己的名字，成为全上海，乃至全国首批通过公积金贷款买房的个人。

杨希鸿至今仍保存着这份编号为001号的借款合同书。合同书上写明，杨希鸿向住房公积金中心贷了8万元分期偿还的贷款。这8万元，帮助杨希鸿圆了多年的住房梦。

很多朋友来向杨希鸿祝贺："恭喜你啊，有了自己的不动产了。"杨希鸿说，这个祝贺，"比我自己理解的还要深"。

由成思危牵头的全国住房改革研究小组的调查数字，证明了公积金对提高公民购房能力确有作用。在被调查者中，1980年到1990年间，购买公房的居民只有8.6%；1994年到1997年推广公积金的阶段，有一半以上的人购置了公房。

1998年的转身

著名房地产商王石在他的回忆录《光荣与梦想》一书里，记录了1997年11月，他和时任国务院副总理的朱镕基的一次有趣谈话。

1997年，朱镕基到深圳调研，万科董事长王石受邀向他汇报工作。

王石对朱镕基说，“我不认为两到三年内，住宅行业能成为国民经济的支柱产业。”

王石说这句话的背景，是当时正在爆发的东南亚金融危机和中国启动内需的经济政策，学术界很多专家认为，在钢铁和汽车均不可行的情况下，应该把住宅当作启动内需的支柱产业来发展。王石并不赞同这种观点，他的一个重要理由是，虽然中国的房改已经进行了近 20 年，但房地产市场并不完善，住宅中商品房的比例仅占 30%多，60%以上是各级政府的福利房，这会成为房地产业发展的一个障碍。

片刻沉默后，朱镕基反问，“如果取消福利房分配制度，房地产行业能成为支柱产业吗？”

不到一年，朱镕基的假设，变成了事实。

为刺激内需，推动住房制度改革，1998 年 7 月，国务院下发《关于进一步深化城镇住房制度改革加快住房建设的通知》，在这份中国房改的标志性文件中，明确提出要停止住房实物分配。在中国沿袭了约 40 年的福利分房制度寿终正寝，中国房改向着市场化的方向迈进。

一纸文件，结束了很多人福利分房的指望。

当时正在《南方都市报》做摄影记者的何龙盛，觉得很失落，“我三年前刚到报社的时候，有人曾指着报社旁边的一个水沟说，三年后，这里就是你们的房子。当时很高兴，从来没有想过自己要买房子。”

更多的人在赶着搭福利分房的末班车。听说国家要取消福利分房，很多单位开始突击建房分房。调查显示，1998 年是城镇居民购买公房比例最高的一年，近一半的居民因为担心以后会买不到房改房而急于购进，二季度，突击购房使中国的房地产市场异常火爆。

直到 2000 年 2 月，时任建设部部长的俞正声，终于在国务院新闻办公室举行的新闻发布会上宣布，住房实物分配在全国已经停止。

20 年的积累探索后，中国的住房改革，终于在制度层面完成了彻底的转身。

转身以后

原深圳市房管局副局长、78 岁的骆锦星知道，如今，在热闹的深圳，已经很少有人像他一样了解这座城市每栋房子背后的故事。

比如被一栋栋高楼淹没的罗湖丽苑小区，要不是小区门口明黄色外墙上的“深圳物业管理第一村”的牌匾，人们几乎已经忘记，这个水泥外墙、最高楼层不过七层、如今居住者主要是深圳中低收入者和老年人的普通小区，曾创造了中国首个商品房楼盘的历史。

当深圳的房价已经成为全国的排头兵时，“商品房”早已是人们司空见惯的名词。统计数字显示，仅在 1999 年，商品房的市场占有率就达到了 85%，商品房从面向少数群体的奢侈消费转向普通人的大众消费。

然而，在告别了拥挤的居住记忆后，普通中国人又迎来了高房价的痛苦。

北京市民老孙一家三口，住在北五环外一套面积不到 57 平方米的房子中，房子没有客厅，老孙和老伴的卧室充当了客厅，30 岁的儿子住在 10 平方米的小间。为了这套房子，老孙花光了大半辈子的积蓄。如今，儿子结婚住房又让他开始发愁，他留意着周边房子的价格，眼看着房价往上涨，“我们隔壁小区的房子，2005 年卖 4 300 元一平方米，现在涨到一万三了！”说到一路高涨的房价，老孙直咂嘴。

哈尔滨市群力新区一处保障房。
（王凯/摄，图片来源：新华社）

虽然政府调控房价的政策不停出台，房价依旧像脱缰的野马，飞速上涨，中国的住房制度改革，需要在新的节点上寻找思路的突破。

2007 年，是中国房改编年史上又一个关键年份。

11 月，国务院总理温家宝来到新加坡，他此行的目的，是向新加坡的住房制度取经。

在新加坡国立大学发表演讲后回答提问时，温家宝说，改革开放近 30 年来，中国居民的住房条件有了很大改善，人均住房面积超过了20平方米，但是分布不均，特别是近些年来房价上涨较快，人们有很大的意见。

同样在这个场合，温家宝透露了中国新的房改思路。

温家宝说，在住房上，政府的职责最重要的是要搞好保障住房，让那些买不起房或者进城打工的农民工能够租得起房、住得上房。而高档住房，则主要靠市场调节。

此后，一系列构建中国保障性住房体系的文件相继出台。仅在北京，十一五期间，就将建设3 000万平方米的保障性住房。目前，已经至少有万余人获得了购买保障性住房的资格，他们将以低于市场价千余元的价格，买到属于自己的房子。

生活方式的变迁

生活，就像《贫嘴张大民的幸福生活》里那棵发人深思的树，幸福和不幸，都因为一套房子。

30年曲折前行的中国住房改革，留给人们一个不敢想象的居住空间和生活方式的变迁。

如今，在中国，房子已经不再只是一个遮风避雨的场所，还是一种生活方式。

当初，在上海拥挤的弄堂里，透过薄薄的隔板，杨希鸿小声说的话，也能被邻居听到，房子是公家的，即使邻居干扰了自己的生活，她也不好意思开口说“不”。如今，在自己200多平方米的大房子里，她可以自由安排个人的生活。她的女儿还参加了小区的业委会，年轻人经常通过互联网上的社区论坛，组织周末郊游，号召公益活动，针对房屋质量、小区管理的问题，联合起来维护自己的权益，要求民主管理。

这些变化，快得让杨希鸿难以想象。

骆锦星口述实录：冒险盖起中国首个商品房

○建干部宿舍资金不够

1979年2月23日，深圳由县改市，号召干部支援深圳建设，我就报了名，被分配当房管局副局长。

当时很多干部到深圳支援建设，市政府需要建300套的干部宿舍，面积有2万平方米。当时，我预算了一下，起码要200万元，而财政只给了50万元。我去找书记吴南生，带他参观老百姓住的房子，去看那个臭水沟旁老百姓住的用篷布搭建的棚区，那里二三十平方米住五六个人。吴南生才看了几间，就说，哎呀，不看了不看了。我说，你那个计委才给我50万元，让我怎么建200万元的房子啊？他就说怎么办呢，市里也没有钱啊，财政收入一年才3 800万元。

我就和他说，我在香港的朋友说我捧着金饭碗要饭啊！香港能把土地变成金，你们这么多的土地，一毛不值，你们能不能把土地变成铜呢。这怎么变啊？我们又不能像香港一样卖地。当时根本不敢讲卖地，根本不可能的。当时广东省委书记是任仲夷，他提倡要走政策的边缘，提补偿贸易，香港老板来盖房子，然后收他加工费。我讲我们就用土地和香港合作建房，然后卖给香港人。当时卖给内地肯定不行了，一是内地的人没有钱，二是也没有法律依据，只能分配房子，根本没有商品房的意识。

然后吴南生书记就说，好吧，那你去放放风吧。

〇与港商合作建商品房

我就到了市政府接待办公室，当时正好刘天就在那里。刘天就是第一个到深圳投资的港商，他自己有一个妙丽集团，在深圳他还有一个皮包厂。

刘天就知道了我的意思，就说，好啊，我来做啊。我明天就派两个人去和你谈。当时谈的就是分成的问题。他说三七开，我说不行，你是大老板嘍。于是他就说二八开。我当时都想答应了，后来又坚持说，我们很穷啊，八五一五吧，你就支援深圳吧。他说好啊，就签了。

1980年1月1日我和他签了约。我们的合作方法，就是我们出土地，他出钱并负责卖楼，材料费就先预付给我们了。我们签约后，他就搞图纸设计，2月份过了春节就开始卖楼了。当时我们也知道预售这种方式，我们也想最快地把钱收回来。

房子一小时就卖光了，一套房子15万元港币左右。

〇卖完房子地才批下来

当时我们还有个政策，买房子就可以给深圳的户口，两室一厅给两个户口，三室给三个。我们还答应，可以优先安排工作。

当时只要满足海外华侨或有香港户口条件，就可以买房。我们当时考虑是调来户口，调来人才，扩大影响。所以当时香港也很震动，哇，看来内地现在真的开放了，不仅我们可以买楼，买了楼还可以安排工作。

当时就是打着这个旗号，来建罗湖丽苑小区的。要是政府来干的话，风险就更大了，所以就得成立个企业来做这件事，以房地产公司名义和他们合作，不能用房管局来做。

1月1日签的合同，1月8日成立的房地产公司，然后就申请批地，4月就批了这块地。因此，房子都卖完了地才批下来。

○冒风险杀出的血路

1981年4月，第一期108户就竣工了。把这个项目建成后，我们就搞了500多万元，而这仅仅是一期。当时干部宿舍建设任务的资金就解决了。当时这笔资金由房管局来掌握，用于路南路北房子的建设。建完2万平方米，这个钱还没花完，又给居民建了很多房子，居民搬进去的时候，敲锣打鼓，高兴得要死。

这个项目建成后，引来很多人来谈项目，要一起建房。所以这个事情在当时有很大的意义。

我们当时做这个事情，风险很大的。1980年1月2日上班，我们一位副局长就说，好啊，小骆你真行啊，这种“违法”的事，你都敢干。当时把房卖给香港人，居民也有反对的——我们自己还没有房子住呢，你还把房子给香港资本家住，你们这是给资本家盖安乐窝啊。

当时是形势所逼，没有办法，缺钱，就得杀出一条血路。

（选自2008年第12期《报告文学》，有删节，
作者：徐一龙、柳志卿、王鹏、刘薇、欧钦平）

目标：亚丁湾

2008年，包括中国在内的多国船只在亚丁湾水域被索马里海盗劫持。一时间“索马里海盗”令各国船员谈虎色变。

2008年12月26日，中国人民解放军海军舰艇编队从海南三亚起航，赴亚丁湾、索马里海域执行护航任务。这是我国首次使用军事力量赴海外维护国家战略利益，是我军首次组织海上作战力量赴海外履行国际人道主义义务，也是我海军首次在远海保护重要运输线安全。

金融危机中的劫船风暴

2008年11月15日8:55分，索马里海盗在肯尼亚外海约450海里的地方劫持了沙特阿拉伯“天狼星”号油轮，这艘油轮是海盗有史以来所劫持的最大船只，索马里海盗将海盗“事业”推向“顶峰”，并由此震动了整个世界。

人们恍然发现，原来能够让世界色变的不只是现代的金融危机，古老的海盗也能吸引全世界的眼球并让全世界一起跟着头痛。

亚丁湾位于印度洋和红海之间，是连接亚、非、欧三大洲和太平洋、印度洋、大西洋三大洋的海上咽喉，被称作世界航运的生命线。每年约有100个国家和地区的近两万艘船只经过这里，世界14%的海运贸易和30%的石油运输要过往此地。然而，亚丁湾也是全球海盗活动的“重灾区”。据国际海事组织海盗监控中心的一位官员介绍，仅今年1月以来，该海域就有95艘船遭抢，38艘被劫，现仍有17艘船和200多名海员掌控在海盗手中。

2008年4月4日，法国一艘豪华远洋帆船在索马里海域遭海盗劫持，船上30名船员被沦为人质。

2008年4月20日，一艘载有26人的西班牙渔船在索马里海域遭海盗劫持。4

2008年9月25日，索马里海盗抢劫一艘货轮。（图片来源：新华社）

月26日，索马里海盗释放了26名船员。索马里官员透露西班牙政府支付了120万美元赎金。

2008年5月19日，荷兰一家船运公司的一艘货船被海盗劫持，船上共有9人。6月25日，在船主支付了110万美元的赎金后，货船获释。

2008年5月底，一艘德国货船与一艘土耳其船只一起被海盗劫持。土耳其船只于6月底获释。7月8日，德国货船付赎金后获释。

2008年7月20日，悬挂巴拿马国旗的“斯特拉·马丽丝”号日本货轮在索马里港口阿卢拉附近遭劫，海盗向船主索要350万美元赎金。

2008年8月12日，一艘悬挂泰国国旗的货船遭劫持，船上有28名船员，10月15日，该船获释。

2008年8月21日，索马里海盗一天在亚丁湾海域先后劫持三艘外国船只，创下近年来一天之内船只遭劫的最高纪录。

2008年8月29日，马来西亚国际航运公司旗下的“文加梅拉提”号遭劫持，船上有41名船员。同一航运公司的“文加梅拉提·杜奥”号8月19日遭劫持，船上有39人。海盗对两船索要470万美元赎金。

2008年9月3日晚，一艘悬挂埃及国旗的船只在索马里附近海域被劫持。

2008年9月10日下午，一艘韩国籍货船在索马里附近海域遭海盗劫持，韩国籍货船上有8名韩国人及多名其他国籍人员。10月16日，该船获释。

2008年9月15日，一艘中国香港化学品运输船在驶往亚洲途中，在亚丁湾海域被劫。

2008年9月25日，乌克兰货轮“法伊尼”号在肯尼亚印度洋沿岸附近的国际海域遭海盗劫持，船上载有33辆T-72型主战坦克、大批装甲运兵车以及枪榴弹发射器等小型武器。武装人员乘三艘摩托艇截击这艘名为“法伊尼”号的散装货轮。船上有21名船员，包括17名乌克兰人、3名俄罗斯人和1名拉脱维亚人。被劫货轮悬挂伯利兹国旗，当时正驶往肯尼亚。索马里海盗一开始索要3 500万美元赎金，后来又将赎金数量降至2 000万美元。至少有6艘外国军舰监视被海盗劫持的乌克兰货船。

2008年10月1日，索马里海盗一天之内在亚丁湾袭击了4艘船只，均未得手。

2008年10月10日，索马里海盗登上一艘挂巴拿马国旗的化学品运输船。船上载有17名格鲁吉亚人和3名西班牙人。

2008年10月15日，一艘菲律宾货船从约旦亚喀巴出发，计划前往中国，在索马里附近海域遭劫持。这使得目前遭索马里海盗劫持的菲律宾船员已达66人，他们分布在4艘被劫船只上。

2008年10月29日，一艘土耳其铁矿石货船从加拿大驶往中国，在亚丁湾海域时遭到海盗劫持，船上共有20人。

2008年11月7日，一艘丹麦货船在索马里附近海域遭海盗劫持，船上共有13人。这艘船在巴哈马注册，船主是丹麦一家船运公司。

2008年11月10日，一艘运输化学品的菲律宾船只在索马里附近海域遭海盗劫持，船上有23名船员，都是菲律宾人。

2008年11月13日晚，一艘中国渔船在肯尼亚沿海海域被携带榴弹发射器和自动武器的索马里海盗劫持。船上有24名船员，其中包括16名中国人，1名日本人，3名菲律宾人和4名越南人。索马里海盗此前很少在肯尼亚附近海域作案。

2008年11月14日凌晨4时左右，一伙携带榴弹发射器和自动武器的武装人员，突然迫近并强行登上正在肯尼亚海域作业的天津渔船“天裕8号”，动作麻利地控制了驾驶舱和船长船员休息室后，威逼“天裕 8 号”向索马里海域驶去。

中国海军出兵索马里

索马里海盗挑战中国

海上通道几个世纪以来都是各列强国家争夺的目标，西方早就将“谁占领了海洋谁就掌握了世界”奉行为对外扩张的座右铭，很早就大力发展海军。从世界发展史上看，海运贸易对一个国家和地区的发展起着重要的作用，海洋对于人类的发展和生存起着越来越重要的作用。我们国家很早就有海上贸易，中国很早就同世界各国建立了海上贸易。据史料记载，1565 年（明嘉靖四十四年），西班牙海军将领米盖尔·洛佩斯·德·利雅实比率舰队自墨西哥出征菲律宾；1571 年在马尼拉建立殖民首府；1585 年设都护府，归新西班牙总督区（今墨西哥、中美洲、加勒比地区）遥领。当时菲律宾群岛社会经济发展水平较低，本地物产甚至难以维持殖民当局开支，利雅实比给新西班牙总督的报告就称殖民当局能从当地所得的唯有肉桂而已。中国所产手工业品价廉物美，在欧、美及南洋各国素负盛誉。菲律宾殖民当局欲获资本原始积累之利，唯有从事对华转口贸易一途，甚至日用消费品也不得不就近仰仗中国供给。在菲律宾立足甫定，西班牙人就于 1575 年从马尼拉派遣两名传教士和两名军官前往漳州，希望与中国缔结商约。1565 年，墨西哥的“圣巴勃罗号”从菲律宾返航美洲，从而开辟了墨西哥与菲律宾之间的往返航线。1574 年（明万历二年），两艘马尼拉大商帆满载中国丝绸、棉布、瓷器等货物驶向墨西哥阿卡普尔科，标志着著名的马尼拉大商帆贸易正式投入运营。马尼拉—阿卡普尔科贸易线活跃于 1574 年至 1815 年，历时 240 年之久。历史上郑和曾七下西洋进行海上贸易，为我国打开海上贸易大门作出了贡献。改革开放以来，我们打开了封闭已久的海运大门，同世界各国进行贸易往来，为我国经济腾飞创造了先机和条件，也为我们国家的经济发展奠定了基础，现在我们国家同世界上一百多个国家和地区有着海上贸易联系。海上贸易同陆上和空中贸易相比，具有花销小、成本低、利润高的优势，正是由于这一点，许多国家都把海运事业放在国家优先发展的行列。改革 30 年来，随着中国国力的发展和强大，中国远洋运输和远洋渔业已经发展成为世界上一支不可忽视的重要力量，远洋运输和远洋渔业发展迅猛，到去年年底，中国远洋运输能力已位居世界第四位；中国从事远洋渔业的企业已经多达九十多家，远洋渔船近一千八百余艘，这些渔船分布在世界各地 30 多个国家专属经济区和大西洋、印度洋、太平洋的公海。

索马里沿海水域靠近连接红海和印度洋的海运路线，这是国际海运最重要的航道之一。中国是世界海运大国，中国进出口货物的大部分依靠海运，但是猖獗的海盗使越来越多的货轮不再经过苏伊士运河，改为绕道南非的好望角，这无疑加重了国际海运的成本和负担，拖延了货物到达的时间。因此在当前形势下，保护中国海运是中国经济发展的需要，也是中国对世界的义务。目前全球经济趋于一体化，外贸是中国经济发展的一个相当大的动力，中国应保护自己在全球化贸易过程中的安全和利益。对中国至关重要的石油供给超过一半靠进口，其中近 75% 来自中东和非洲。中国在非洲和中东的商业利益正在迅速增加，中国渔船已穿过印度洋进入大西洋。索马里海域处于红海要津，同时控制着亚欧经苏伊士运河的航路和亚洲往来东非沿海航路，这两条航路是否畅通无阻，关系到中国经济发展至关重要的能源、原材料进口通道。而对于许多走红海进入地中海的船只来说，索马里海域是很难避免的。中国天津远洋渔业公司的渔船“天裕 8 号”，于 2008 年 11 月 14 日被劫持，包括 17 名中国船员在内的 25 名人员被扣为人质，此事还在解决中。这已经不是中国第一次船被劫。今年 9 月，一艘香港注册的货轮被劫，香港《大公报》称，在船主缴纳赎金后，这条船 11 月 19 日才获释。香港海事局也说，还有一艘在也门海岸被劫的香港船到现在仍然被海盗扣押，在赎金价格上还在讨价还价，这条船上的 25 名船员至今被海盗扣押作为人质，海盗们已经多次发表声明，如果不按要求付赎金，这些人质不能保证生命安全。去年，一艘台湾渔船在索马时海域附近捕鱼也被索马里海盗劫持，这条船上有 8 名大陆渔民；在此之前的 2006 年也有一艘台湾渔船被劫，在船东支付了 150 万美元后赎金后，10 名船员才被释放，不幸的是还是有一名中国辽宁籍的船员被海盗杀害。这些年随着中国对外开放，我国对外劳务业发达，许多人到国外打工，在被劫持的多艘亚洲籍的船上，都有中国船员被劫，可以肯定，随着海盗的猖獗和时间的推移，将会有越来越多这种事情发生。“东非海员援助组织”负责人穆万古拉说：“索马里海盗正向世人发出信号，他们能做想做之事。”在国际发展的大环境下，世界冲突不断，各种利益交织在一起，许多国家都为中国既能远离是非又能牢牢把握经济的能力而感到惊奇，但索马里海盗劫持中国船只，影响中国海运贸易，使中国再也无法袖手旁观。中国船只不断被劫，世界各国纷纷采取军事行动，在这种大背景下，中国如果再不采取行动，就会严重影响中国的国家形象。索马里海盗如此猖狂，使中国的许多货运船只无法在此航行，已经严重影响国家经济发展，中国到底是该主动派军舰到索马里去对付索马里海盗保护本国船只，还是应该谨慎应对，这一严峻的问题摆在了中国政府面前。中国作为世界上很大的一个经济体，世界各地发生的安全问题，已经很难说和中国没关系。仅仅在近期，就有 41 名中国人被劫为人质，不排除在未来，中国商船还将遇到什么危险，还将发生什么事。这些事件，对中国国家利益影响是很大的。

海盗行为不仅扰乱了中国航行安全，对中国国家发展利益实现造成了阻碍，对中国国家利益造成侵害。中国和平崛起遭到索马里海盗的严峻挑战。

中国成舆论焦点

随着联合国安理会的授权，允许世界各国派军舰到索马里海域使用一切必要的手段打击索马里海盗及海上武装抢劫行为，世界各国纷纷派军舰到索马里海域亮剑。作为联合国安理会常任理事会的美国、俄罗斯、英国、法国和中国，现在只有中国没有宣布向索马里派军舰打击海盗。由于安理会五个常任理事国当中只有中国尚未宣布派遣军舰的计划，加之中国一艘渔船不久前被索马里海盗劫持，一时间，中国是否会向印度洋部署海军力量成为国际舆论的焦点。世界各国也热议中国能否出兵打击海盗。

海盗是一个世界性的问题，要靠世界各国共同协作才能很好地解决。中国是大国，在重大国际问题中发挥着重要的作用，没有中国的参与，许多事情都不可能很好地解决。改革开放 30 年，中国海军已经从浅水走向深水。近几年来，中国海军编队已先后出访了 34 次，到过 40 个国家和地区。海军舰艇的航迹遍布世界各大洋，2002 年中国海军编队有过 3.3 万海里环球航行的纪录，这说明中国海军可以到达世界上任何一个地方。中国历次出访的海上编队，一般由一到两艘驱逐舰（或护卫舰）

和一艘大型补给舰组成，战力足以对付各种规模的海盗，可以说，中国海军具备到非洲之角打击海盗的能力。美国国防部此前称，中国已经拥有目前亚洲最大的海军部队，包括驱逐舰、护卫舰、潜水艇和两栖战舰，可以说，中国海军的不少军舰都能远赴索马里执行任务。这一点没有任何令人怀疑的地方，台湾《亚太防务》杂志也刊文称，中国完全具备远洋护渔、护航的能力，并特别提到中国最大、最先进的海事巡逻船“海巡 31”号今年夏天巡查东海春晓油气田等重大海上工程作业区一事就足以说明中国海上力量。

11 月 14 日，索马里海盗在肯尼亚海域劫持了中国天津前往捕钓金枪鱼的渔船“天裕 8 号”，包括 17 位中国船员在内的 25 人被扣为人质。美军公布了一组中国人质在索马里海盗冲锋枪口之下的照片，这些照片点燃了不少中国人到索马里海域打击海盗的热情。在互联网上，有高达超过九成网民支持中国向亚丁湾海域派遣军舰。他们的理由很简单，中国作为世界上一个负责任的大国，应当为世界承担更多的义务和责任。出兵索马里打击海盗可以显示中国政府保卫自己国民生命财产、保卫自己外贸生命线和能源安全的一种决心，这是国家利益的必然要求，同时也显示中国的军事力量。不少人从提高中国反恐实战经验等军事角度进行了分析。中国派军舰前往索马里海域护卫，和其他国家协同作战，能够增加中国军队维护世界和平的能力，显示中国的反恐能力。

随着中国实力的增强，中国的利益边界也在扩展，中国军队也应该拥有保护不断延伸的国家利益边界的能力。中国国际问题专家马晓霖认为，通过近年来的各项维和行动，中国军队早已走出国门，走向世界，但是维和任务尚与海军无缘。此次打击索马里海盗对于中国是一个机遇，这是中国海军走出近海、驶向远洋的难得契机。过去中国海军一直只在领海执行任务，但是严酷的现实已经向中国海军提出了新的要求。中国海军派出舰队前往亚丁湾巡逻，除了保护中国船只、彰显国威、履行义务、震慑海盗外，最大的好处是实战练兵。对于和平年代的中国海军来说，任何精彩的沙盘推演、电子模拟乃至海上操练，都不及拉开架势，真枪实弹与对手对决。索马里海盗的行为是典型的恐怖主义，须治本与治标相结合，中国海军应出动，打击索马里海盗。在出兵的问题上，不能算经济账，有人可能认为，被劫持的船大约值 500 万美元，海盗要求赎金 20 万～30 万美元，给了他，船只就弄回来。如果海军编队要去，来回一趟一算得花 1 000 万美元，就感觉不值了。这个账算小了。

如果中国海军去解救被劫持的人质，保护商船航行，绝不是一个经济账的问题，是一个国家形象问题，要算中国国家形象的政治账。中国海军出动，人民海军获得的不仅仅是打击海盗经验，而是执行远洋准作战任务能力；中国海军出动，有助于恢复世界航运信心。中国海军派军舰到亚丁湾执行反海盗的任务，从国际法角度，中国的做法是完全合理的。从维护国家利益来说，也有这样的需求，不仅保障中国的船只安全，同时保障他国船只通过。因为中国是安理会常任理事国，这是一个大国应当履行的国际义务。中国人在海外被劫持，船只被扣，如果不采取有效行动，中国人将怎么看政府？海外将怎么看中国？今天，中华民族屹立于世界民族之林，走一条大国崛起的道路，如何向全世界宣誓，中国决心用军事力量捍卫国家的安全，这个意义更大。实际上，中国海军编队出动，针对的绝不仅仅是索马里海盗，中国军舰从南海穿过马六甲海峡进入印度洋，向红海逼近，在亚丁湾游弋，向世人昭示，中国动用海上力量维护自己的海上利益，维护地区的安全，维护海上航行和海洋通

2008年12月17日，在亚丁湾水域，“振华4”号船员在甲板上抵抗海盗袭击。
（图片来源：新华社）

道的安全这种决心、意志和能力，这点是最重要的。

为了维护亚丁湾索马里海域的安全稳定，联合国安理会先后通过1816、1838、1846、1851号四项决议，授权各国根据《联合国宪章》第七章采取行动，在12个月内可以在索马里境内采取一切行动打击海盗。索马里过渡联邦政府也呼吁各国进入其领海打击海盗。12月17日，索马里过渡议会长谢赫阿丹·马多贝表示，欢迎中国政府向索马里附近海域派遣军舰参加护航活动，作为索马里人民的朋友和海盗事件的受害者，中国应该在打击海盗问题上发挥重要作用。根据中国签署和批准的1982年《联合国海洋公约》及1988年《制止危及海上航行安全非法行为公约》规定，所有国家应尽最大可能合作，以制止在公海上或在任何国家管辖范围以外的任何地方的海盗行为，中国有权利也有义务依据《联合国海洋法公约》打击索马里海盗。中国派遣海军舰队到亚丁湾海域执行护航任务也是依据有关规定、联合国安理会有关决议行使权利、履行义务的正义之举。

打击索马里海盗，现在已成国际社会共识，中国的一举一动也成为世界关注的焦点。

11月15日，海军大连舰艇学院、海军指挥学院、海军工程大学、海军航空工程学院的261名学员，航行在泰国曼谷至越南岘港航渡途中，专门进行了反海盗演习。11月28日，《中国青年报》也报道了“郑和”舰的反海盗演练。11月28日，中国南海舰队进行了一次突袭海盗的反恐演练。在演习中，南海舰队派出突击队员，搭乘直升机登上一艘商船，在突袭行动中清除“海盗”，并解救“被绑架船员”。有军事分析说：“这一连串的动作表明，不排除中国军舰赴索马里的可能。”

12月2日，中国交通运输部、外交部、商务部等联合举行了远洋船舶防范海盗专题会议。交通运输部副部长徐祖远表示，当前海盗的活动海域越来越大，行动越来越频繁，手段越来越现代化。徐祖远要求中国的航运企业、远洋船舶采取具体措施，加强防范应对海盗。这次会议立即被外国媒体报道并认为交通运输部、外交部、商务部已经就“国际合作打击海盗”的可能性展开了研究。

西方媒体大胆预言，中国军舰参与合作共同保护海上贸易安全将有益于全球安定，中国已经在考虑派军舰参加打击索马里海盗，这一点毫无疑问，只是在什么时间以什么方式开始。

邀请中国

中华人民共和国自成立以来，对外一直奉行和平共处五项基本原则，同世界上一百多个国家和地区建立了外交和友好关系，中国的和平外交政策，在世界上赢得了世界人民的赞同和尊重。作为世界上发展中的大国和联合国安理会常任理事国，随着中国国内经济的发展，对世界贡献的增大，中国在区域和全球中所起的作用越来越大，世界上许多棘手问题由于有中国的介入而得以解决，现在许多世界性的问题，如反恐、朝鲜核问题、伊拉克、阿富汗、世界气候变暖、世界经济等等问题，都需要中国的参与。正像美国总统布什所说："世界上的问题没有中国的参与就无法真正得到解决。"在世界金融危机中，面对近乎疯狂的索马里海盗，世界各国都在苦思良策。

11月24日，正在北京访问的德国海军最高将领、德国海军监察长（相当于海军司令）沃尔夫冈·诺尔廷将军代表德国向中国发出了携手打击索马里海盗的邀请。

诺尔廷将军向中国海军发出打击海盗的邀请并非偶然。

11月21日，德国国防部长弗朗茨·约瑟夫在纽约参加会议时，向联合国秘书长潘基文表示，德国愿意为打击索马里海盗出力。12月8日，欧盟将正式启动联合打击索马里海盗的行动，包括法国、希腊、荷兰、西班牙、葡萄牙、瑞典和芬兰在内的多国海军，均会出兵索马里海域。德国议会正就是否派海军参加欧盟国家出兵索马里的联合行动进行审议。事实上，德国海军在最近十天里，就三度对索马里海盗采取行动。一艘完成海湾水域巡航任务的德国海军F212护卫舰在回国途中，先后三次收到埃塞俄比亚、埃及和英国货轮发出的求救信号。该护卫舰每次都立即出动武装直升机，成功吓退试图劫船的索马里海盗。另有消息人士透露，德国政府正考虑组建一支1 400人的反海盗部队，专门打击索马里海盗。就在德国邀请中国出兵打击索马里海盗的同时，西班牙首相萨帕特罗近日表示，中国及其他一些在索马里海域捕鱼的亚洲国家应参与到由联合国支持的打击海盗军事行动中来。目前，这一打击行动尚处于提议阶段。萨帕特罗在接受西班牙电视台采访时说："目前同样在索马里海域捕鱼的中国、日本、韩国及法国应该加入这一联合武装力量，以保证安全。目前索马里海域正变得越来越危险。"

11月27日，索马里驻华大使阿威尔在接受《环球时报》记者独家采访时，他一改往日谈话的含蓄的风格，尖锐地指出，索马里的海盗出现现在的状况完全是由于西方造成的，对于现在这种乱局西方不能甩手不管。他欢迎中国出兵派海军到索马里海域参与打击海盗。阿威尔说：“目前索马里临时过渡政府并没有海上力量，警察局只有40个警察，海岸警卫部队的装备极为落后，船只不仅很破旧，而且速度也很慢，海盗装备要比我们的好得多，加之海盗的人数也比我们的多，靠现在我们的装备和人员打击海盗是不现实的。”他近日说：“索马里需要国际社会全方位的援助，也包括来自中国的紧急援助，以控制局势。”阿威尔说，“大约600年前，中国郑和曾率领庞大的海军舰队远航到索马里的摩加迪沙和朱巴，甚至还向南航行到了肯尼亚。郑和的舰队给当时的海上带去了和平。如今索马里政府欢迎中国海军再次出现在索马里海域，维护海上和平。不管局势如何发展，在任何时间和任何地点，索马里始终欢迎中国海军。”

对于世界各国和索马里的邀请，中国国际问题专家马晓霖认为，论法理，相关国际法规和联合国安理会决议已呼吁各国共同剿匪，中国海军不但可在公海打击海盗，还可在得到许可后进入索马里等国家水域追击海盗。论责任和义务，中国是世界主要军事力量之一和安理会常任理事国之一，维护世界和地区的和平与安全责无旁贷。可以说，中国出兵索马里并没有障碍。不过，挑战也是明显的。也许，“中国威胁论”将随着中国海军的起锚而再次喧嚣。但国防大学战略教研部副主任、战略研究所所长金一南少将认为，中国海军师出有名，堂堂正正。索马里海盗的行为是典型的恐怖主义，中国海军应出动，打击索马里海盗。在出兵的问题上，不能算小经济账，要算中国国家形象的政治账。中国海军出动，人民海军获得的不仅仅是打击海盗的经验，而是执行远洋准作战任务的能力。而且中国海军出动，有助于恢复世界航运信心。

出兵索马里

12月16日，中国外交部副部长何亚非在安理会索马里问题部长级会议上表示，中国正积极考虑近期派军舰赴索马里海域参加护航活动。何亚非在安理会通过的第1851号决议后发言说，中国欢迎国际社会就打击索马里海域的海盗开展有效合作，支持有关国家根据国际法和安理会决议派军舰打击索马里海盗的努力。中国正积极考虑近期派军舰赴亚丁湾参加活动。何亚非的表态，回应了世界各国的种种呼吁和猜测。

“中国将在圣诞节派军舰到索马里。”

12月17日，在世界很有影响的英国广播公司（BBC）在其网站最醒目位置上刊登了这标题。这一消息震动了世界，随后世界各大媒体也纷纷报道中国将出兵索马里。据消息灵通人士称，这支舰队将由两艘驱逐舰和一艘大型补给舰组成，启航时间在西方圣诞节之后。本月早些时候，中国著名的军事专家金一南在接受一家电视台的采访时就说，如果中国政府有一天决定派遣军舰解决海盗问题，应该没有人感到惊讶。

中国派军舰打击索马里沿岸的海盗这是中国在远离本国沿海区域展现海军力量的空前行动。这将是中国近现代史上首次派遣海军在中国水域以外的地方执行任务。中国到索马里打击海盗是一个负责任的大国在国际法框架内的正常军事行动，用武力打击海盗是国际共识，是保护国际贸易和国际运输安全所必备的。中国国家利益早已溢出了国土范围，中国国际贸易量居世界前列已经好几年了，全球海上通道对中国来说具有重大的战略意义，而在当前国际金融危机的大背景下，建立对世界航运安全的信心愈显重要。

《纽约时报》在题为“中国将向亚丁湾派遣海军”的报道说：“中国传统上担当近海防御的任务，如今正经历了广泛而迅速的现代化，特别是其潜艇舰队的提升。中国扩充的长远目标是建设一支具有远洋能力的‘蓝水’海军。”德国新闻电视台在中国宣布将派兵到索马里打击海盗的第一时间说，中国宣布打击海盗，是对“中国躲在一边”指责声音的回应。中国这次出兵也向世人展示了中国海军的力量。中国开始由“绿水”海军走向“蓝水”海军。

国际上习惯把近岸防御型海军称为“黄水”海军，把近海游弋的海军称为“绿水”海军，而把具有远洋作战能力的海军称为“蓝水”海军。拥抱深蓝，是世界各国海军的梦想。30年前，浩瀚的大洋上看不到中国海军的片帆只影。30年来，以驱逐舰为代表的人民海军现代化战舰，频频划开蔚蓝的海面，驶上大洋，挺进深蓝。1980年5月，一支庞大舰队出现在太平洋上。这是人民海军水面舰艇部队第一次驶出近海，越过岛链，进入太平洋。这支特混舰队，圆满完成了我国向南太平洋预定海域发射运载火箭的保障任务。这一消息震动了世界。美国驻华大使约见我国某海军基地司令说："你们解决了海上补给，中国海军可以访问我们国家了！"随后，中国海军给世界带来一个又一个巨大震动和惊奇。1985年11月，132号驱逐舰、X615号补给舰，首次编队出访南亚三国，这是人民海军首次漂洋过海，出访他国。1997年2月至5月，海军编队首访美洲四国，首次抵达美国本土，首次完成了环太平洋航行。外电评论，这是自明代郑和以来最伟大的航程。五年后，由青岛号驱逐舰和太仓号综合补给舰组成的舰艇编队，历时132天，航程3.3万海里，横跨三大洋，完成了中华民族历史上的首次环球航行。

2005年8月，中国海军参加了"和平使命-2005"中俄联合军事演习，2006年8月至11月，中国海军与113舰、881补给舰与美国海军驱逐舰进行海上通信编队机动演练，2007年以来，人民海军还多次走出国门，与多个国家的海军进行军事演练，成为一支维护国家和世界稳定的重要的一支海上力量。

12月23日，英国《泰晤士报》撰文说，中国军舰最近一次远航至非洲大约是在600年前，当时由明朝太监郑和将军率领的一支舰队抵达非洲执行外交使命。现在中国的两艘驱逐舰和一艘补给舰将开赴亚丁湾，它们将在那里加入一支试图在关键航道上扫清索马里海盗的国际舰队。这次远征标志着北京外交一个重要进展。中国已参加了几次国际维和行动，但迄今其军队只限于在周边地区活动，这反映了中国不干涉别国事务的长期政策。不过，中国远航至索马里海域的用意不仅在于保护本国商船不受海盗袭击，同时也是以一种不会引发邻国不安或激起华盛顿担忧的方式向国外投射不断增强的军事力量。现在中国可以通过对全球安全承担的责任来展示其作为一个成熟世界大国的形象。它深知，联合国安理会成员国将欢迎北京这一举动。当前中国舰队远航不涉及任何敌意行动。与此同时，印度可能会警惕地注视着这个亚洲竞争对手在本国沿海投放力量，但它除了象征性地表示欢迎外别无选择。中国如今在给一支国际部队提供帮助，而印度也是其中的参与者。此外，日本将难以公开表达其疑虑。尽管日本最近延长了对阿富汗美军支持行动，但对其隔壁大国的积极姿态它肯定难以释怀。不过，利他主义不是中国此举的唯一动机。中国在整个非洲拥有巨大且不断增长的经济利益。中国着力把贸易和石油活动与任何政治承诺分开，拒绝谴责一些与之有贸易往来的可恶政权。这为中国进入非洲大陆打开大门，但也激起了西方大声反对。中国因此渴望展示一种对非洲的原则性的接触，同时秉持不影响其利益的实用主义。而索马里这个非洲联盟无力援救的国家为中国提供了一个绝佳机会。自 1 月以来，至少有七艘悬挂中国国旗或载有中国船员的货轮被劫。显然，中国与非洲不断增长的贸易使它尤其容易受到攻击。对非洲人来说，中国可以给出一个更有说服力的理由。外国货船向饱受战争之苦的索马里运送重要食品和物资，而索马里海盗劫持这些船只将危害到自己国家的恢复。因此中国可以把自己打造为人道主义救援的捍卫者。中国的时机选择恰到好处。

12 月 20 日，中国外交部发言人刘建超宣布，中国政府决定派海军舰艇近期前往亚丁湾、索马里海域执行护航任务。与此同时，中国国防部新闻发言人胡昌明宣布，中国人民解放军海军舰艇将于 12 月 26 日从三亚起航，前往亚丁湾、索马里海域实施护航。12 月 21 日，中国公布了护航舰艇编队的组成，前往索马里的是南海舰队“武汉”号、“海口”号导弹驱逐舰和“微山湖”号综合补给舰。

“武汉”号驱逐舰和“海口”号驱逐舰拥有多种电子装备和先进的武器系统，舰有两座 12 管反鱼雷深弹发射装置，用于反潜或反鱼雷。反舰武器是舰中部 16 枚鹰击一 83 反舰导弹。防空方面，“武汉”号、“海口”号驱逐舰的舰舷和机库顶部各有一座引进俄罗斯的 9M317E 施基利中程区域舰空导弹，可拦截距海面 3~5 米的反舰导弹。舰桥两侧各有一座国产 730 型 7 管 30 毫米反导近防炮，每分钟射速 4 200 发。“微山湖”号综合补给舰（舷号 887）是中国自行设计建造的最大补给舰，排水量接近三万吨。它可装载数万吨油料、弹药、水、食品，以及各种干货和装备物资，可同时为两艘以上舰船进行补给。其机库除了可以停放一架运输直升机外，也可在作战时搭载一架反潜直升机执行反潜作战任务。这次护航编队搭载的海军特种作战队员，这些突击队员个个身手不凡，都经过特殊的训练，具有过硬的军事素质，能完成特殊的任务。前往索马里海域打击海盗，舰队将经过马六甲海峡进入印度洋，最后在亚丁湾和“非洲之角”的大片海域执行巡逻、监视和护航等保护国际航行安全的任务。第一阶段大约是三个月。

联合国授权外国军舰向在陆地上的海盗进行打击，中国军舰这次没有被授予这种权限。中国海军这次的主要任务是为我国航经亚丁湾、索马里海域的船舶和人员提供安全保障，保障世界粮食计划署等国际组织运输人道主义物资的安全。

中国军舰出兵索马里打击海盗，世界将拭目以待。有世界军事家评论，以中国海军的素质，在索马里打击海盗的特殊战场上，他们肯定会不辱使命。

尾声

2008年12月26日。海南三亚某军港。海风飕飕，军旗猎猎。

威风凛凛的“武汉”舰、“海口”舰、“微山湖”舰上，“保卫海上航线，捍卫国家尊严”“展军威于亚丁湾，扬国威于全世界”“驾新型战舰乘风破浪，为祖国护航义不容辞”等标语随处可见。身着飘逸、洁白军礼服的海军官兵和全副武装、一身黑衣的特战队员，以标准的“站桩”立姿伫立舰舷，向码头上整齐列队的战友和参加欢送仪式的首长和亲人代表们致意。

海天一色的湛蓝上空，回荡着昂扬雄壮的《亚丁湾护航之歌》：

乘长风、战恶浪，钢铁编队横跨印度洋/维护国家利益、保障运输通畅、勇敢水兵驰骋亚丁湾上/士气高、豪情壮，军旗猎猎开辟新战场/肩负大国责任、凝聚世界目光，中国海军书写历史辉煌

这首由执行护航任务的舰艇编队官兵自发作词、谱曲，很短时间内就创作出的《亚丁湾护航之歌》，为中国海军首次远洋护航行动鼓劲、助威，很快唱响于编队三舰。

13时，欢送中国海军舰队启航仪式开始。

中央军委委员、中国人民解放军海军司令员吴胜利上将在欢送仪式上发表讲话。他说：海军舰艇编队执行此次护航任务，是我国首次使用军事力量赴海外维护国家战略利益；是我军首次组织海上作战力量赴海外履行国际人道主义义务；是我海军首次在远海保护重要运输线安全。

13时45分，编队指挥员请示启航，海军司令员吴胜利上将下命令启航。在军乐团演奏的军乐声中，舰艇编队启航，首先启航的是武汉号，紧随其后的是“海口”号，“微山湖”号。

63岁的海军上将吴胜利司令员肃立在码头上，目送着他的800余名将士徐徐远行。在送行人们的雀跃欢呼声中，三艘承载着中国人民骄傲和自豪的新型军舰，向着深蓝的远洋渐行渐远。

航线：跨南中国海，经西沙、南沙，越过中国的疆域线；穿马六甲海峡，越过

印度洋。

航程：4 500 海里。

目标：亚丁湾。

一个世界大国海军 600 年来的蓝色梦想，将在这里变为现实！

（选自 2009 年第 2 期《报告文学》，有删节，作者：孙国）

2008 年 12 月 26 日，中国人民解放军海军舰艇编队从海南三亚起航，赴亚丁湾、索马里海域执行护航任务。（查春明 / 摄，图片来源：新华社）

后记

上世纪末，文汇出版社曾出版了18卷本的《20世纪中国纪实文学文库》，在读者中产生了广泛而深远的影响。现在推出的《21世纪中国纪实文学大系》正是上世纪“文库”的延续，是对21世纪中国客观、真实的记录。由于某些原因，我们在这套丛书的编辑思路及框架设计上作了如下调整：

一、为了使记录更加及时、更为精准，决定以“一年一部”的节奏，每年出版一部记录上一年重要事件及相关人物的“年编”，力求内容齐全，文字准确真实。

二、考虑到《20世纪中国纪实文学文库》收尾在1999年，本套丛书特将2000年一并收入，以弥补上世纪“文库”之不足，体现内容的完整性。

三、为了凸显文学价值，每一部年编都对当年中国纪实文学的新特征作了梳理和评析，并力图作出前瞻性的研究。这样，每一部年编在“一书一述”的基础上，又增加了“一书一评”的内容，其兼具“史料”和“文学”双重价值便成为可能。

在本套丛书的选编过程中，著名文学理论家钱谷融教授不顾九十多岁的高龄，欣然应允担当本丛书的顾问；著名文学评论家杨扬教授，则为本套丛书的编辑、出版提出了诸多建设性意见，并花费了大量时间阅读文本，带领他的团队撰写了一篇又一篇有关纪实文学的评论文章；上海市新闻出版局的阚宁辉副局长和许乃青处长对本套丛书的编辑、出版作了许多重要指导，并给予了很大的鼓励；新华社上海分社副社长叶国标、图片中心副主任金丽莉为本套丛书的图片提供给予了巨大的支持；文汇新民联合报业集团信息中心的姚高东主任和图片中心的高峰主任，则为本套丛书图片的选择提供了有益的建议……在此，对于每一位对本套丛书的编辑、出版予以帮助的前辈、领导和朋友，我们谨表示深深的谢意！

今后，我们每年都会编辑、出版一部《21世纪中国纪实文学大系》的年编，我们将加倍努力，及时推出能够让读者朋友喜爱的读本，为中国的出版事业贡献出我们的绵薄之力。

（编　者）

致作者

编选者在编选本书时，已经获得部分作者授权，谨在此表示衷心的感谢。

同时，因时间仓促，作品来源辗转，故仍有部分作者未能取得联系。在此，我们深表歉意。请未取得联系的作者及时与我社联系，我们将按照国家有关规定支付稿酬，并奉上样书。

文汇出版社

2012 年 8 月 15 日

联系地址：上海市威海路 755 号 18 楼

邮　　编：200041

联系电话：021-52921234 转总编办

图书在版编目（CIP）数据

21世纪中国纪实文学大系. 2008卷：地动人泣/桂国强主编. —上海：文汇出版社，2012.9
ISBN 978-7-5496-0610-8

Ⅰ.①2… Ⅱ.①桂… Ⅲ.①纪实文学—作品集—中国—当代 Ⅳ.①I25

中国版本图书馆CIP数据核字（2012）第178892号

21世纪中国纪实文学大系（2008卷：地动人泣）

丛书主编／桂国强
责任编辑／张　涛
特约编辑／成　蓓　杨雪怡
装帧设计／周夏萍

出版发行／文匯出版社
　　　　　上海市威海路755号（邮政编码200041）
经　　销／全国新华书店
照　　排／南京展望文化发展有限公司
印刷装订／上海宝山译文印刷厂
版　　次／2012年9月第1版
印　　次／2012年9月第1次印刷
开　　本／720×960　1/16
字　　数／250千
印　　张／19

ISBN 978-7-5496-0610-8
定　　价／32.00元